# OXFORD RUSSIAN READERS

General Editor
S. KONOVALOV

# AN XVIIIth CENTURY RUSSIAN READER

EDITED BY

C. L. DRAGE

AND

W. N. VICKERY

OXFORD
AT THE CLARENDON PRESS
1969

*Oxford University Press, Ely House, London W. 1*

GLASGOW NEW YORK TORONTO MELBOURNE WELLINGTON
CAPE TOWN SALISBURY IBADAN NAIROBI LUSAKA ADDIS ABABA
BOMBAY CALCUTTA MADRAS KARACHI LAHORE DACCA
KUALA LUMPUR SINGAPORE HONG KONG TOKYO



PRINTED IN GREAT BRITAIN

# PREFACE

THIS Reader is intended for university students of Russian. Most of the texts have been taken from Soviet editions. Except for the spelling of Бог and similar words with an initial capital and a few changes listed in the Notes, these texts have been reproduced as they stood. The remainder of the texts come from pre-Soviet editions. In them е has been written for ѣ; и for ı, i, ї, ѵ, and ѷ; о for ѡ; от for ѿ; ф for ѳ; and у for оү. Final ъ has been dropped. The use of capitals has been altered, contractions have been expanded, words sometimes separated and sometimes joined, and the punctuation revised. The texts taken from pre-Soviet editions after **22** inclusive, that is from Trediakovsky onwards, have been further modernized to bring them more into line with the texts taken from the Soviet editions of these writers. The principle followed was that spellings of purely orthographic significance should be modernized but spellings representing phonetic features of eighteenth-century Russian should be retained. Significant changes other than these are given in the Notes. Yat' (ѣ) has been kept in the texts from Simeon Polotsky to avoid the misleading forms спустете and кропете (for спустѣте and кропѣте). Omissions from the texts by the editors are marked by five dots. Five dots are also used to introduce prose passages if they do not start at the beginning of a paragraph. The dates at the ends of the texts are generally the dates of composition or an approximation of them. Short summaries of the texts in English are given in the Notes.

The intention has been that words not found in A. I. Smirnitsky, *Russko-angliyskiy slovar′*, fourth edition, Moscow, 1959, or which appear there but with senses not appropriate to the texts, should be translated in the Notes or in the Glossary. Students should be aware that many of the forms explained in the Notes and practically all the words in the Glossary are now either obsolete or used differently in modern Russian.

On the other hand, they should not assume that words and expressions not commented upon are acceptable in modern Russian, and they would be well advised to verify them in a reliable dictionary of modern Russian before using them in their own compositions.

The texts were chosen jointly by the editors. The Introduction was written by W. N. Vickery and the Notes by C. L. Drage. The editors share responsibility for the Glossary.

They would like to express their grateful thanks to Dr. A. E. Pennington for her great kindness in commenting on the whole book in draft; to the editor of this Series of Russian Readers, Professor S. Konovalov, for his expert guidance; and to Professor B. O. Unbegaun, Professor N. Gorodetzky, Dr. B. Malnick, Dr. V. Du Feu, Dr. H. Leeming, Dr. J. L. H. Keep, Mr. G. S. Smith, and Dr. A. G. Cross for much valuable advice. They would also wish to acknowledge with thanks the participation of Mr. Manfred Schwoch and to express their gratitude to the Indiana University Research Committee for financial aid which made possible a part of the work for this Reader.

# CONTENTS

# DETAILED LIST OF TEXTS

# INTRODUCTION

THE eighteenth century marks a significant turning-point in the cultural life of Russia. The prolonged domination of Russia's soil by the Tartars and Russia's allegiance to the Orthodox Church had for centuries combined to keep Russia outside the sphere of West European cultural influences. In Russia there had been, for example, no movement comparable to the Renaissance, which in most countries lying to Russia's west had so profoundly altered cultural attitudes and the outlook on life. In Russia the primary source of cultural life had been Byzantium, and the main stream of culture had developed under the aegis of the Orthodox Church. The eighteenth century changed this for ever. Russia now looked to the West, and West European influences became the main stimulus in the development of Russian culture. With the influx of Western influences the sway of the Orthodox Church began to diminish and the orientation of Russia's culture was changed. Just as in the West the effect of the Renaissance had been to secularize culture, so in Russia the impact of the West spelt secularization. A fundamental realignment occurred, and during most of the eighteenth century many of the leaders of Russian cultural life were engaged in one way or another in forging a new culture which was secular in character and Western in orientation.

Western ideas began to make themselves felt before the beginning of the eighteenth century. It would be hard to give an exact date, but certainly when the Czar Aleksey Mikhaylovich died in 1676 the Western tide was running strongly. Western musical instruments were to be found in Moscow, a new type of poetry and drama had been imported from the West, and the schism in the Russian Orthodox Church (which may in part be regarded as a revolt against the secularization of culture) had taken place. The process of Westernization then received added impetus from Peter I. It is he who is often referred to as having 'opened a window' on to Europe. Peter's motives in promoting Westernization were largely utilitarian, often purely military, but the increased contacts with the West resulting from his reforms brought an increase in cultural ties. Under Peter Russians travelled to the West to study mathematics, navigation, ship-building, engineering, and the military sciences. Under his successors they continued to study these subjects, but they also went to the West to study philosophy and languages. Often they made the 'grand tour' as free agents and brought back to Russia new manners, new ways of dressing, and new fashions. By the second half of the eighteenth century they were bringing back the rationalist ideas of Voltaire and his fellows, masonic ideals, and the philosophy of Rousseau. The period covered by this Reader saw the development of a tradition of journalism, the founding of the Russian Academy of Sciences, several universities and schools, and the establishment of public theatre groups.

The class mainly affected by these cultural innovations was the *dvoryanstvo*. It is true that Trediakovsky was the son of a priest and Lomonosov the son of a state peasant; and there were others who by their talents and energy achieved prominence. But they were exceptions. Furthermore, they did not alter the character of Russian eighteenth-century culture as a result of their non-aristocratic backgrounds; rather, in gaining entry into aristocratic cultural circles, they left their own backgrounds behind them. Thus Western cultural influences in the eighteenth century produced their impact almost exclusively on one class, the *dvoryanstvo*. The vast majority of Russia's population remained unaffected. It is this, in combination with economic and social factors, which caused educated Russians to experience that estrangement from their own people which became acute in the nineteenth century, but whose germs can already be seen in the eighteenth.

The West-orientated culture which was mainly the monopoly of the *dvoryanstvo* was not the only culture to exist in eighteenth-century Russia. Other cultural traditions, unaffected or less affected by the West, existed side by side with the aristocratic culture which was developing. But our attention is focused on the latter because it was recorded in print, it reflected the historically dynamic force of the age, and it laid the foundations for the great cultural achievements of nineteenth-century Russia.

In literature the new cultural trends raised a basic problem —the development of a literary language. As long as culture remained in the control of the Church, it had been natural to employ the language of the Church, Russian Church Slavonic. But this language was archaic, unintelligible to many, and different from the norms of spoken Russian. As the German grammarian of Russian H. W. Ludolf expressed it in 1696, 'loquendum est Russice & scribendum est Slavonice'. The advent of a new culture with secular ideals required a new literary language closer to the norms of spoken Russian. This was the work of the eighteenth century—its most important work. Many of the leading literary figures of eighteenth-century Russia were aware of this problem, and some contributed actively and theoretically to its solution, among them Trediakovsky, Lomonosov, Sumarokov, Karamzin, and Shishkov. A glance at the writings of Simeon Polotsky and Karamzin will show what great strides were made in a little over a hundred years. In the early nineteenth century Pushkin was still exercised by the problem of the literary language. It is, of course, a problem which can never be said to be solved definitively, since the spoken and literary languages are constantly changing. But the basic work of fusing the Church Slavonic and Russian elements in the language and of making it into an instrument capable of expressing modern cultural ideas was accomplished in the eighteenth century.

Another important eighteenth-century achievement lies in versification. In the second half of the seventeenth century the Russian literary tradition employed the crude device of rhyming pairs of lines of irregular length, sometimes called the pre-syllabic system. The popularization by Simeon Polotsky of the syllabic system, which required a fixed number of syllables in each line, was a step forward. The introduction in the fourth decade of the eighteenth century by Trediakovsky and Lomonosov of the syllabo-tonic system meant that not only was the number of syllables in each line to be regular, varying only with the line's ending, but the distribution of stresses was to follow a pattern. This innovation corresponded to the nature of the Russian language with its strong stress and made for a more easily flowing rhythm.

Towards the end of the seventeenth century the strongest Western influences were Polish, usually transmitted through Kiev and the Ukraine. These were followed in the eighteenth century by German, and then in particular by French, influences. The eighteenth century was *par excellence* the age of French cultural dominance, and French classicism was the most important literary school to leave its mark on eighteenth-century Russian literature. Russian authors rapidly expanded the range of their writings until all the genres of the French classical school had been covered. Towards the end of the century, with classicism in France and elsewhere showing signs of decay, sentimentalism became an important influence. Actually it is misleading to think of sentimentalism as superseding classicism: the two schools coexisted. Sentimentalism was often superimposed on classicism, and sentimentalism can be discerned in Russian literature even as early as Kantemir. However, it is certain that in the eighteenth century sentimentalism came to play an ever larger role in the work of most writers, as in Karamzin's *Bednaya Liza*, though the influence of the classical school is still apparent later, as, for example, in Pushkin's early writings. The significant fact from the standpoint of Russian cultural development is that up to about 1680 Russian literature showed little similarity with the literatures which had developed to the west but by 1800 Russian writers had run through the whole gamut of Western literary schools and genres.

It is perhaps a mistake to over-emphasize the teleological viewpoint and to see the justification for eighteenth-century Russian literature in the achievements which followed in the nineteenth century; much that was written in the eighteenth century—or just before, if we think of Polotsky—has its own interest, appeal, and beauty. It is also begging the question to assume that Russia's absorption of Western culture was an unqualified blessing. The fact remains that, measured by a Western yardstick, the Russian eighteenth century in literature can be seen as the great age of apprenticeship and preparation.

# СИМЕОН ПОЛОЦКИЙ

1629–80

## Бесѣды пастуския

еже ест о воплощении Господа Бога и Спаса нашего Иисуса Христа, видѣннаго ими во вертѣпѣ, от пречистыя дѣвы Марии пеленами повита и во яслѣх положенна

[начало]

А

О небеса, что долго зазорите,
Адамантовых врат не отворите,
Удержуете нам обѣщанного,
    Агнца славнаго?
5 Спустѣте радость ненасыщенную,
Кропѣте свышше росу спасенную,
Оживляющу изсохшия души
    В греховнѣй суши.

В

Что за глас слышу, о юноше красный,
10 Сниш, ветка в новой благодати ясный?
Почто на небо вопль возсылаеши,
    Агнца чаеши?
Уже бо сѣнный закон пременися,
Обѣтованный Мессия родися,
15 Его же вои ангел нам явиша,
    Всѣх устрашиша.
Слава во вышних Богу вопиюще,
Мир человѣком весело зовуще,
Нам бѣгшим в страсѣ комуждо предсташа,
20    Всѣх утѣшаша,

Пророчествия нам откривающе,
Обѣтованна агнца являюще,
Его же очи воистинну наша
Днес соглядаша.

А

25 И от нас мнози в нощь сию видѣша
Разстворшееся небо, тако рѣша,
Множество ангел на воздусѣ крилы
Небо окрили.
Вѣнцы любезно сплетшася летали,
30 И друг со другом радостно играли,
Умиленными гласы вси пояху,
Пѣсни плетяху.
Инии низско к земли ся спущали
И веселыя вѣсти сказывали,
35 Вы же в пищалки с ними и в свирѣли
Согласно пѣли.
А они скоро посолство сказавше,
Парными крылы в небо (мир вам давше)
Летѣли, вы же скажѣте нам нынѣ
40 Своей дружинѣ:
Что за посолство, что за вѣсти были,
Радости многи весь свѣт исполнили,
Чему-то с вами земля радуется,
Небо смеется?

В

45 Сего посолства отци наши ждали,
Еже мы слышим, они не слыхали,
Обѣщанно бо от писаний давных
Пророков славных.
Днес исполнися их глагол неложный,
50 Бог, оставивший свой престол велможный,
Сниде до наших (с небес емпирейских)
Низин земелских.

1656

# Вертоград многоцвѣтный

## Предисловие ко благочестивому читателю

[начало]

Твари, свѣтом разума во плоти от Бога украшенной, обычай есть: еже аще кому прилучится во вертоградѣх богатых быти, и различных цвѣтов сладкимь благовониемь и сердцевеселящимь доброличиемь и краснолѣпым цвѣтениемь увеселитися, и о ползѣ их здравию тѣлесному много и скоро успѣшной извѣщенну быти, то абие всеусердное тщание полагати, да от тѣх же обилия нѣчто себѣ получит и в домашних своих оградѣх или насѣет сѣмена, или насадит корение во общую ползу и веселие всѣм домашним и не успѣвшым отстоящих посѣщати вертов цвѣтоносных. Благопохвалный же той обычай непщуется всѣми и воистину есть таков: ибо егда друг от друга, их же в домѣх наших лишаемся вещей, угождение, или даяния средствомь или продаяния образомь, приемлем, союз друголюбия и склевретъства состяжем, его же и само по нам требует естество, понеже человѣк нѣсть звѣрь дивый, но содружный, — отнюду же градове и села вину насаждения прияша, да во содружествѣ жительствующе взаим помощ нам дѣем и купно создавшаго ны о всяческих его благотворениих славословим. И сам всяческих естеств вина и Господь явѣ истяжущ быти показуется, занеже не единому человѣку, ни единому селу, граду или царству вся нуждная отдал есть, но различным странам различныя земли плоды, роды их, виды и силы, художества же, обилия, богатства, искуства благоволил дарствовати, да вси всѣх требующе, нуждею ко знаемости и дружеству убѣждаеми, любовь взаимтворимую стяжем. Аще же в чювственных мирскому сожитию полезных сицев обычай не токмо гаждения не причастен, но ублажения достоин, колми паче во духовных вещех стяжемый, ими же не что ино перво намѣрствуется, точию слава, честь, хвала, благодарствие, величание создателя всяческих, второ же усмотряется всѣх душевная вѣрных полза и спасение, —

есть весма блажителен и подражателен. Тѣмже аз, многогрѣшный раб Божий, его божественною благодатию спо-
35 добивыйся странных идиомат пребогатоцвѣтныя вертограды видѣти, посѣтити и тѣх пресладостными и душеполѣзными цвѣты услаждения душеживителнаго вкусити, тщание положих многое и труд немалый, да и в домашний ми язык славенский, яко во оплот или ограждение церкве Российс-
40 кия, оттуду пресаждение кореней и пренесение сѣмен богодухновенноцвѣтородных содѣю, — не скудость убо исполняя, но богатому богатство прилагая, занеже имущему дается.

1677–8

**3**

## Вертоград многоцвѣтный
### Икона Богородицы

Иконописец нѣкто благочестив бяше,
ко Матери Божией любовь соблюдаше.
Обыкл же образ ея прекрасно писати,
а демона под ноги ея полагати,
5 Скаредно писаннаго, — за что разъярися
враг и жестоко ему претяй появися,
Обѣщая велику пакость сотворити,
аще не престанет и тако скаредити.
Зограф же врагу рече: «Аз тя не боюся,
10 паче скаредство твое явити потщуюся».
Исчезе демон с гнѣвом. По том случай бяше, —
зограф образ дѣвыя на стѣнѣ писаше
В храмѣ нѣкоем, — тамо не забы явити
и скаредства вражия под ноги вмѣстити,
15 Изображая, яко та есть она жена,
ею же змия того бѣ глава сотрена.
Враг, не терпя досады, хотя и свалити,
потщася вся подставы древяны ломити.
Тым убо падающым, зограф он смутися,
20 но Божией Матери молебно вручися.
И простре образ руку, мужа похищая,

от падения смертна чюднѣ свобождая.
Падоша вси подставы, зограф же висяше,
держим рукою дѣвы. Оле чюдо бяше!
25 Что видяще людие, подмост пристроиша,
зографа кромѣ вреда к земли низпустиша,
А Христа Бога Матерь честно величаху,
содѣянное чюдо миру возвѣщаху,
Демонския же козни в конец обругаша, —
30 его же падению винна быти знаша.

## 4 Псалтырь рифмотворная

### Псалом I

Блажен муж, иже во злых совѣт не вхождаше,
ниже́ на пути грѣшных человѣк стояше,
ниже́ на сѣдалищѣх восхотѣ сѣдѣти
тѣх, иже не желают блага разумѣти, —
5 Но в законѣ Господни волю полагает,
тому днем и нощию себе поучает.
Будет бо яко древо, при водах сажденно,
еже дает во время си плод свой неизмѣнно;
Лист его не отпадает; — и все, еже дѣет,
10 по желанию сердца онаго успѣет.
Не тако нечестивый, ибо исчезает
яко прах, его же вѣтр с земли развѣвает.
Тѣмже нечестивии не имут востати
на суд, ниже́ грѣшницы в совѣт правых стати.
15 Вѣсть бо Господь путь правых, тыя защищает,
путь паки нечестивых в конец погубляет.

1678

## 5 Комедия о блудном сынѣ

### Часть II

[начало]

*Изыдет* Блудный сын *с немноги слугами и глаголет*

Хвалю имя Господне, свѣтло прославляю,
яко свободна себе нынѣ созерцаю.

Бѣх у отца моего, яко раб плѣненный,
во предѣлѣх домовых, як в турмѣ замкненный.
5 Ничто бяше свободно по воли творити:
ждах обѣда, вечери, хотяй ясти, пити;
Не свободно играти, в гости не пущано,
а на красная лица зрѣти запрещано.
Во всяком дѣлѣ указ, без того ничто же.
10 Ах! Колика неволя, о мой святый Боже!
Отец, яко мучитель, сына си томляше,
ничесо же творити по воли даяше.
Нынѣ, слава Богови, от уз свободихся,
егда в чуждую страну едва отмолихся.
15 Яко птенец из клетки на свѣт изпущенный,
желаю погуляти, тѣм быти блаженный.
Богатство имам много и доволно хлѣба,
нѣсть кому его ясти, слуг болши потреба.
Аще ся кто обрящет охотник служити,
20 имам сладцѣ питати и цѣнно платити.

## СИЛЬВЕСТР МЕДВЕДЕВ

1641–91

### 6 Хлеб животный

[отрывок]

Моление ученика ко учителю

Учителю благий и пресладкий, человеку аще прилучится болезнь кая быти, не молит ли врачев о помощь на ползу, дабы здрав был от их врачества? Сице образне аз ныне прихожду отягощен душевныя болезни вредом усумнения, 5 к честному достоинству вашему припадаю, припоминая Христа Избавителя Евангельский глагол ко спасению: «не требуют здравии врача, но болящии». Сего ради молю вас, да не изъиду от сея врачебницы неисцелен, но цел и здрав: не яко господин ученика приими мя в ведения, но яко сыну 10 единородному вся покажи ми, да жив буду во веки, яко же и о сем Евангелист глаголет: «еже Отец творит присно,

Сынови показует сие, дабы и Сын таяжде дела творил, яже Отец творит». Паче же всего предлагаю молением в прекращении глагол мой от св. Благовестия: «не изъиду отсюду,
15 дондеже воздаси и последний кондрант».

Учителево увещание ко ученику

Ученичe благоразумнейший, присно есть нашему свойству, аще что постижно есть от Бога и от святых Его Апостолов и богоносных отец предано св. матери нашей церкви, от нея же приемше св. писаний тая врачества душевныя
20 болезни немощствующих целити, но паче сам молю тя, да вся твоя, яже ко усумнению ти, да без всякаго мнения изречеши и не утаиши в мысли мнителней, яже ко утверждению, зане слышиши Христа Господа глаголюща: «иже аще разорит едину заповедей сих и научит тако человеки, мний наре-
25 чется»; но да будем молити вкупе о помощь премудрости наставника и смысла подателя, да даст нам уста и премудрость ко изъявлению Божественныя тайны и к разумению. Елико по силе данней по дарованию всесвятаго и животворящаго Духа научихся, научу тя от душевнаго благонаме-
30 рения безкорыстне; ты же приими сие, яко влияние святое в себе — во избранный твой сосуд, да вкупе се сотворше ощутим жизнь вечную. Паче же на се Христов Евангельский глагол, к вечней мзде поспешествующ, вещает: «иже сотворит и научит, сей велий наречется во царствии небес-
35 нем». Да вкупе нашего творения и учения общий труд и воздаяние у Бога будет: еже требе ти, рци ми со опаством.

1685

## СВ. ДИМИТРИЙ РОСТОВСКИЙ

1651–1709

**7** Псалом, или духовная канта, № I

Иисусе мой прелюбезный, сердцу сладосте,
Едина в скорбех утеха, моя радосте,
Рцы души моей, твое есмь Аз спасение,

Очищение грехов и в рай вселение.
5 Мне же Тебе Богу благо прилеплятися,
От Тебе милосердия надеятися.
Никто же мне в моих бедах грешному поможет,
Аще не Ты, о всеблагий Иисусе Боже!
Хотение мне едино с Тобою быти:
10 Даждь ми Тебе Христа в сердце всегда имети.
Изволь во мне обитати, благ мне являйся,
Мною грешным, недостойным не возгнушайся.
Изчезе в болезни живот без Тебе Бога:
Ты мне крепость и здравие, Ты слава многа.
15 Радуюся аз о Тебе и веселюся,
И Тобою во вся веки, Боже, хвалюся.

## СТЕФАН ЯВОРСКИЙ

1658–1722

### 8 Вирши Антонию Печерскому

Кто тако есть древнему Моисею подобный,
Яко же сей Антоний преподобный?
Моисея от вод речных знаем быти взята,
От волн мирских избра Бог Антония свята.
5 Он Израилю даде закон на скрижале,
Сей росийским иноком быст образ в начале.
Он от синайской горы, а сей от Афона
Закон вручи, ведущ в рай горняго Сиона.
Он бе израилтяном пленным избавитель,
10 Сей от плениц греховных всем нам свободител.
Он сотре Фараона, изби Амалика,
Сей же есть побидител демонскаго лика.
Тамо образ девыя явися во купине,
Зде сама Дева в чудах сияет до ныне.
15 Тамо израилтяном камень даде воду,
Зде миро дают главы росийскому роду.
Моисеови Аарон дел пособствоваше,
Сему же Феодосий помощ в трудах бяше.

Он жезлом, сей же крестом творил чуда многа,
20 Оба множество людей ведяху до Бога.
Веселися, Россие, многих святых мати,
Се ти есть вторый Моисей благодати.

# КАРИОН ИСТОМИН

1650(?)–1717

## 9 Слово учительное в день Преображения Господа нашего Иисуса Христа

[отрывок]

И возведе их на гору высоку едины, и преобразися пред ними.

Всякий человек, в Чермном мори греха рожденный, не имать никоего стяжати добра, аще в делание чистоты
5 истинны не приложит труда, людие Господни. Понеже от трудов и хранения уму чистота истекает. От чистоты же свет разума явится. Без сего же не токмо Господа невозможно видети на горе, но и на гору восходити неудобно есть. Зело убо есть оная гора прикрута греховлюбцом. На
10 ней же свет Христос присно сияет. В пищи словес своих просвещает верных; скверных же и неверных несветлостию нощная тма помрачает. Без восхождения же на ону гору, никто же улучит спасения. Царствующий убо пророк Давид вещает еще: кто взыдет на гору Господню, или кто
15 станет на месте святем его? К нему же ответ: неповинен рукама и чист сердцем. Без чистоты же сердца невозможно зрети Господнии красоты, и получити блаженнаго вечнаго покоя. Очистивше же мысли и ум, Боголюбнии души, и чистии сердцем, исходите за любезным своим женихом
20 Господом Иисусом зрети преображение его, вне града на горе в пустыни; идеже тишина велия; идеже несть многонароднаго мятежнаго вопля и безчиннаго клицания. Преобразуется Христос, но не в граде. В нем же и царствующь пророк Давид воскорбе печалию от глаголов враждующих,

25 и смятеся от стужения грешников, и от великия скорби просит себе крил, да почиет в пустыни, глаголет бо, кто даст мне криле яко голубине, и полещу и почию.

# ФЕДОР ПОЛИКАРПОВ

ок. 1670–1731

## 10 Букварь

### Предисловие

[отрывок]

Зде укрепитеся законами, не от Солона и Ликурга предаными, но от всетворца Бога другу его Моисею на дву скрижалех дароваными десятословно, и прочими не от Цицерона и Сократа, но от церковных украсителей цве-
5 тословиями, сугубаго человека сугубая чувства к добродетелем наставляющими, воспутеводствитеся.

Зде осяжете стихи не Овидиевы, ниже Виргилиевы, но крайнейшаго ума богословии Григориа, не точию града Назианза, но и всемирна светилника мудростихотворный
10 плод, его же и един стих проюдолит каменообразное сердце человеку умословесну.

Не Есопа фригийскаго зде смехотворныя узрите басни типографско зримы, но обрящете себе предложен стостепенный в небо восход, стоглав глаголю Геннадиа патриарха
15 святаго, его же к благочестию возвождение, аще Иаковле лествице уподобит кто, не погрешит негли, яко возводящ в горний Сион и человеки многоплотны, аки ангел безплотны. Можете наконец обрести и речений по видем различных к познанию греколатинска языка число немало, к поощре-
20 нию бесед, и на вышшее к наукам возшествие, с лучшим греческа и славенска языка поправлением, от сия меншия книжицы.

1701

# ПЕТР I

1672–1725

## 11 Письмо к Ивану Алексеевичу Мусину-Пушкину

Писмо ваше, писанное октября от 31-го дня, до нас дошло купно и с обрасцовыми литерами, ис которых мы, выбрав слова и наклея на листу, при сем к вам посылаем. Против которых вели напечатать азбуку полную, толко «буки» да
5 «иже» зделать почище, а над «ї» поставить маленкие две точечки; «еры» зделать вновь таким подобием, как здесь «ы»; «ѿ, юс, ѡ҆» выбрав и(с) старых. Толко смотрить, чтоб равны были з другими литерами, чего для вели потщитъся, дабы хорошенко зделали. И зделав ту азбуку, прислать
10 к нам купно с какою нибудь молитвою, напечатанною оными литерами. Такъже при сем посланную книшку вели напечатать Амстрадамскою печатью [а величиною чтоб оная была против кумплементалной книшки]. Такъже и чертежи вели, хорошенко вырезав, напечатать с одними
15 Рускими подписми [а Немецкие вели отставить] и вклеить в книшку в тех местах, где для знаку как в книшке, так и на чертежах назади поставлены Латинские литеры. А каким образом те чертежи в книшку вклеить, тому посылаем при сем образец.

20 Капитана, которой был з батарейками в Смоленску и от подполковника к вам отослан, пошли в сылку в Сибирь. А отпуск полковнику Леметр-де-Су учини по писму господина генерала князя Меншикова тогда, когда об нем к вам отпишет.

P. S. Чертежи с подписью о бывшей баталии с Левен-
25 гоптом вели продавать везде на Москве и в городех.

11 ноября 1708 (ст. ст.)

# ДВЕ АНОНИМНЫХ ЛЮБОВНЫХ ПЕСНИ ПЕТРОВСКОГО ВРЕМЕНИ

## 12 «Радость велика мне днесь явися...»

Радость велика мне днесь явися,
Яко орли юность обновися, —

Ибо зрю на красоту несказанну
И лепоту зело преизбранну;
5 Имею радость днесть нечаянну.

Ныне печаль от сердца отвергаю
И всею скорбь мою искореняю.
Яко явися днесь несказанная
Радость, в сердцы моем неизглаголанная,
10 Ибо вся скорбь от меня изгнанная.

Что вижду утеху аз прекраснейшу,
Яко же цвет благовоннейшу;
Красота бо яко цвет сияет
И добротою сердце пронзает,
15 В сем бо изрядстве прибывает.

За что аз с тобою, благополучна,
Желаю пребывать неразлучна,
И в радости великой и любви верной,
Сердечной же и нелицемерной,
20 Любви никогда ж пременной.

## 13 «Пойду ль я, младенка, во чистое поле...»

Пойду ль я, младенка, во чистое поле,
Гляну ль с печали во синее море, —
В синем море рыбы с рыбами плавают,
В чистом поле птицы с птицами летают.
5 А я, бедная, не могу радости имети,
И никакой утехи в сердце своем зрети.

Лицо свое смутное слезами обмываю,
Что друга сердечного давно не видаю.
Сердце как воск в печали тает,
10 Утробу як стрелою жалость пробивает.
— Заплакала младешенка и на землю пала,
Что друга сердешна давно не видала.

# АНОНИМНАЯ ПОВЕСТЬ РАННЕГО XVIII-ОГО ВЕКА

## 14 Гистория о российском матросе Василии Кориотском и о прекрасной королевне Иракли Флоренской земли

[начало]

В Российских Европиях некоторый живяше дворянин, имяше имя ему Иоан, па малай фамилии Кариотской. Имел у себя сына Василия лицем зело прекрасна. А оной дворянин в великую скудость прииде и не имеяше у себя 5 пищи.

Во едино же время оной ево сын рече отцу своему: «Государь мой батюшко! Прошу у тебе родителскаго благословления, изволь мене отпустить в службу, то мне будет в службе даватса жалованья, от котораго и вам буду присы- 10 лать на нужду и на прокормления». Выслушав же отец ево и даде ему благословление, отпустя от себе. Василей же, взяв от отца своего благословление, прииде в Санктпетербурх и записался в морской флот в матросы. И отослали ево на корабль по определению.

15 На корабле прибываше по обыкновению матроскому зело нелесно и протчих всех матросов в науках пребываше. И всем персонам знатным во услужени полюбилса, которого все любили и жаловали без меры. И слава об нем велика прошла за ево науку и услугу, понеже он знал в науках 20 мотроских велми остро: по морям, где острова и пучины морския, и мели, и быстрины, и ветры, и небесныя планеты, и воздухи. И за ту науку на кораблях старшим пребывал и от всех старших матрозов в великой славе прославлялся.

Во едино же время указал маршировать и одбирать 25 младших мотросов за моря в Галандию для наук арихметических и разных языков, токмо онаго Василия в старших не командровали с младшими мотросами, и оставлен был в Кранштате. Но токмо он по желанию своему просилса, чтоб ево с командированными матросами послал за моря

30 в Галандию для лутчаго познания наук. По ево прошению был командирован с протчими матросами, отпущен за моря в Галандию с младшими мотросами.

По отбыти ис Кранштата, по некоторых днех прошедших, прибыли в Галандию матросы на кораблях и с ними Василей 35 Кориотской. В Галанди учинили им квартеры и поставлены были все младшия мотросы по домам купецким. А ему, Василию, за ево услуги и за старшинство, — к знатному и богатому гостю в дом поставили равно штатами. И оной мотрос Василей у гостя стоял велми смирно и слушал ево 40 во всем. И оной галанской гость усмотрел ево в послушани и в науках зело остро и зело возлюбил, и послал ево на своих кораблях с товарами в Англию, которому лутче всех своих прикащиков стал верить, и во всем ему приказывал, и денги и товары ему вручил.

45 И как в Англию с кораблями пришли, то товары, по обычаю купецкому объявя, все испродав, и принадлежащии в Галандию товары на корабль и поехал обратно. В которой он, Василей, посылке великой прибыток гостю голанскому присовокупил, тако ж и накупи всякия восприял. И знатен 50 был в Англии и в Галанди от всех знатных персон. И по прибыти в Галандию ко отцу своему в Россию чрез вексель послал четыре тысячи ефимков златых двурублевых, которые отец ево и получил. И писал к нему, чтоб он к нему приехал повидатса, ко отцу своему, и благословение 55 принять.

А как урочной термин пришел, чтоб ученикам-матросам моршировать в Санкъпетербурх, в Россию, то все матросы поехали, а Василия Кориотскаго оной гость нача просити, чтоб в Рассию не ездил, понеже он, гость, ево, Василия, 60 возлюбил, яко сына роднаго. Но токмо он, Василей Кориотской, нача от гостя проситися в дом ко отцу для свидания. И обьявил ему, что отец ево в великой находится в древности; то он, гость, ево приятно увещевал, дабы от него не отлучился, и обещался во всем, яко роднаго сына, наслед- 65 никам учинить. И рече оной гость: «Любезнейши мой россиски мотрос, нареченный мой сын, изволь хотя еще чрез вексель послать ко отцу своему от имения моего, токмо ты, мой дражайший, не отлучайся от мене». Слышав же он, Василей, от него, зело прослезился и любезно просился, чтоб ево ко отцу в Россию отпустил и взять благословление, и обещался к нему обратно быть. Видев же гость несклонную ево прозбу, и просил ево, чтоб он во Францыю возвратился, то обещал ево в дом отпустить. По которому прошению он, Василей, не ослушався онаго гостя, взяв корабли и убрався с товары, и отиде во Францию. И во Франци был два года, испродав товары, возвратилса в Галандию и учинил оному гостю великой прибыток в хождении своем, что оной гость никогда такого прибытка не видал и сердечно ево возлюбил.

Но токмо он, Василей, нача еже с прилежанием в Рассию ко отцу своему проситса. И видев гость ево несклонную прозбу, и по желанию ево уволил ему ехать в Россию. И даде ему оной гость три корабля с разными товарами и суммы своей денежной казны доволно. И просил ево, чтоб, быв у отца своего, к нему возвратился, и отпустил ево с великою печалию. И оной матрос Василей Кориотской, приняв корабли и работников-матросов и подняв парусы, побежали к Российской Европи. И по отбыти на кораблях оной Василей, взяв тысячу червонцов, и зашил в кавтан свой в клинья тайно, чтоб никто не знал, для всякой приключающейся нужды.

И минувших семи днех как корабли из Голандии поплыли, воста велия и неукратимая буря, яко всему морю возлиятися, с песком смутитися, и корабли все врознь разбишася. И на котором корабле был Василей, и оной корабль волнами разбит, и люди все утопоша. Токмо Божиею помощию единаго Василия на доске корабелной прибило к некоему великому острову. И от великаго ужеса пав на землю, яко мертв. А как волны утишилися, два корабля, видевше, что корабль, на котором был Василей, разбиен был весь, и чаели, и что и Василей утопоша в волнах морских, возратишася назад в Галандию и поведоша гостю о приключившейся несчастии. Слышев же гость, велми нача

плакати и тужить не о караблях и не о товаре, но о Василии
105 Кориотском.

## ФЕОФАН ПРОКОПОВИЧ

1681–1736

**15** Епиникион

[отрывок]

Блисну огнем все поле; многия воскоре
Излетеша молния; не таков во море
Шум слышится, егда ветр на ветр ударяет,
Ниже тако гром з темных облаков рыкает,
5 Яко гримят армати, и гласом и страхом,
И уже день помрачи дым, смешен со прахом.
Страшное блистание, страшний и великий
Град падает железный; обаче толикий
Страх не может России сил храбрих сотерти:
10 Не боится, не радит о видимой смерти.
Но егда тя, о царю и воине силный,
Узре посреде огня, объять ю страх зелный,
Вострепета и крайней убояся страсти,
Да бы в едином лицу всем не пришло пасти.
15 Но не попусти прийти бедству таковому
Бог силный. Абие бо от горняго дому
Низпосла щит (щит, им же во лютое время
Хранит грады, и царства, и людское племя)
И вся на главу твою и на твоя силы
20 Летущия сотвори безделныя стрелы.

1709

**16** Слово в неделю осмуюнадесять, сказанное в Санктпитербурхе, в Церкви Живоначальныя Троицы, во время присутствия его Царскаго Величества, по долгом странствии возвратившагося, чрез ректора, честнейшаго отца Прокоповича [отрывки]

Яко же преста глаголя, рече
к Симону: поступи во глубину
Лука v, 4

Предложенная ныне евангельская повесть по внешнем своем деле ясная есть и к нашей пользе не мнится быти нуждна; понеже имеет в себе таинственную силу, того ради требует толкования. И аще оную прилежно разсудим, 5 обрящем себе не малую корысть спасенную.

Понеже бо глаголет апостол: «Вся елика писана суть, в наше наставление писана суть», то и повесть сия о ловитве рыб, повелением и благословением Господним благополучной бывшей, имеет быти к нашему наставлению угодная. 10 Что и от самаго повествуемаго дела является, ибо в ловитве сей апостольской велие чудо Божие бысть, егда тамо, идеже всю нощь труждавшеся Петр с подруги своими ничесоже яша, толикое получили рыб множество, яко и мреже их протерзатися. Вемы же, яко Бог всуе чудес не 15 действует, но разве к наставлению нашему.

Не без тайны же было и повеление сие Христово, к Петру изреченное: «поступи в глубину»; в той же бо глубине всю нощь рыбарие онии труждалися и вотще труд их был, яко же сами исповедуют, а однако ж велит Петру Господь: 20 «поступи в глубину». Той, который невидимою своею силою совокупи и в сети их согна рыбы в глубине, возмогл бы воистинну сотворити то и при самом брезе. Имеет убо некая тайна быти в сем слове: «поступи во глубину»…..

Не у брега мешкает и твой Петр, Россие, но в глубине 25 ищет корыстей твоих; тако устремлен к странствованию, аки бы ему речено было: «поступи в глубину». Коликая же от сего польза, коликая прибыль народу нашему, и легко разсудивши, всяк познает.

Яко же бо река, далей и далей проводя течение свое, 30 больше и больше растет, получая себе прибаву из припадающих потоков, и тако походом своим умножается и великую приемлет силу, тако и странствование человеку

благоразумному прибавляет много. Чего ж много прибавляет? Телесныя ли силы? Но тая подорожными неугодиами сла-
35 беет. Богатства ли? Кроме купцов единых, прочиим убыточно есть. Чего ж инаго? Того, еже есть и собственному и общему добру основание, — искусства. Не всуе бо славный оный стихотворец еллинский Омир в начале книг своих, «Одиссеа» нарицаемых, хотя кратко похвалити
40 Улисса, вожда греческого, о котором повесть долгую поет, нарицает его мужа, многих людей обычаи и грады видевшаго. Сокращенная похвала, но великая: многия бо и великия пользы сокращенно содержит. Отсюду умножается главная оная мудрость, еже от твари познавати творца.
45 Истинное бо слово Павлово, или паче Божие: «Невидимая его от создания мира твореньми видима, познаемая суть, и присносущная сила его и божество». И сию то философию свою сказал быти Антоний Великий, егда вопрошающым его языческим философом, где суть книги его, показал на
50 весь мир и рекл: «Сия есть книга моя». Молю же, тот ли книгу сию чтет лучше, которому где во очах горизонт кончится, там всего мира конец мнится быти, или той, который, странствуя, видел реки и моря, и земель различие, и времен разнствие, и дивных естеств множество? Что есть ли бы
55 не иную кую давано пользу, точию самое толь многих вещей познание, и сия была бы не малая корысть, наипаче мужу породы и чести высокия, которым ведение лучше всякаго сокровища стяжется. Но от сего познания твари восходит мысль, яко же рех, к познанию творца, и толико вышшей к
60 познанию Бога восходит, елико множайшая создания познает. О едином плавании морском что глаголет Псаломник: «Исходящии на море в кораблях, творящии делания в водах многих — тии видеша дела Господня и чудеса его во глубине; рече, и ста дух бурен, и вознесошася волны его.
65 Восходят до небес и нисходят до бездн». Аще же от единаго сего дела чудная Божыя познаются, кольми паче показует то странствие, обоих пути искусившее.

1717

# ERRATA

| *Page* | *Line* | *For* | *Read* |
|---|---|---|---|
| 19 | 12 | Да | да |
| 36 | 100 | 00 | 100 |
| 72 | 27 | Lower '5' by one line | |
| 75 | Heading | ЦЕЬРКОВНЫХ | ЦЕРЬКОВНЫХ |
| 80 | 34 | потомуто | потому-то |
| 94 | 10 | Leave in **43** a one-line gap after this line | |
| 133 | 315 | любови | любови! |
| | 316 | крови | крови, |
| 140 | Heading | РАДИЩЕБ | РАДИЩЕВ |
| 160 | 511 | хот | хотя |
| | 512 | освеща | освещал |
| 171 | 88 | и | из |
| | 94 | пока ывает, | показывает, |
| 177 | 3 | preposition (a1) | preposition(al) |
| 185 | 15 | л | л, |
| 186 | 2 | науало | начало |
| 224 | 33 | as ingle | a single |
| 250 | 36 | » | ») |
| 277 | Heading | SUMAROKO | SUMAROKOV |
| | 25 | Kiev | Kiy |
| 291 | 14 | epics. | epics, |
| 302 | 30 | ; | : |
| 309 | 25 | [kt̪] | [kt̥] |

**17** Плачет пастушок в долгом ненастьи

Коли дождусь я весела ведра
и дней красных,
Коли явится милость прещедра
небес ясных?
5 Ни с каких сторон света не видно, —
все ненастье.
Нет и надежды. О многобедно
мое щастье!
Хотя ж малую явит отраду
10 и поманит,
И будто нечто полготить стаду,
Да обманит.
Дрожу под дубом; а крайним гладом
овцы тают
15 И уже весма мокротным хладом
исчезают.
Прошол день пятый, а вод дождевных
нет отмены.
Нет же и конца воплей плачевных
20 и кручины.
Потщися, Боже, нас свободити
от печали,
Наши нас деды к тебе вопити
научали.

1730

## АНТИОХ ДМИТРИЕВИЧ КАНТЕМИР

1708–44

**18** Сатира I

На хулящих учения

К уму своему

Уме недозрелый, плод недолгой науки!
Покойся, не понуждай к перу мои руки:

Не писав летящи дни века проводити
Можно, и славу достать, хоть творцом не слыти.
5 Ведут к ней нетрудные в наш век пути многи,
На которых смелые не запнутся ноги;
Всех неприятнее тот, что босы проклали
Девять сестр. Многи на нем силу потеряли,
Не дошед; нужно на нем потеть и томиться,
10 И в тех трудах всяк тебя как мору чужится,
Смеется, гнушается. Кто над столом гнется,
Пяля на книгу глаза, больших не добьется
Палат, ни расцвеченна марморами саду;
Овцу не прибавит он к отцовскому стаду.
15 Правда, в нашем молодом монархе надежда
Всходит музам немала; со стыдом невежда
Бежит его. Аполлин славы в нем защиту
Своей не слабу почул, чтяща свою свиту
Видел его самого, и во всем обильно
20 Тщится множить жителей парнасских он сильно.
Но та беда: многие в царе похваляют
За страх то, что в подданном дерзко осуждают.
«Расколы и ереси науки суть дети;
Больше врет, кому далось больше разумети;
25 Приходит в безбожие, кто над книгой тает, —
Критон с четками в руках ворчит и вздыхает,
И просит, свята душа, с горькими слезами
Смотреть, сколь семя наук вредно между нами:
Дети наши, что пред тем, тихи и покорны,
30 Праотческим шли следом к Божией проворны
Службе, с страхом слушая, что сами не знали,
Теперь, к церкви соблазну, Библию честь стали;
Толкуют, всему хотят знать повод, причину,
Мало веры подая священному чину;
35 Потеряли добрый нрав, забыли пить квасу,
Не прибьешь их палкою к соленому мясу;
Уже свечек не кладут, постных дней не знают;
Мирскую в церковных власть руках лишну чают,
Шепча, что тем, что мирской жизни уж отстали,

40 Поместья и вотчины весьма не пристали».
Силван другую вину наукам находит.
«Учение, — говорит, — нам голод наводит;
Живали мы преж сего, не зная латыне,
Гораздо обильнее, чем мы живем ныне;
45 Гораздо в невежестве больше хлеба жали;
Переняв чужой язык, свой хлеб потеряли.
Буде речь моя слаба, буде нет в ней чину,
Ни связи, — должно ль о том тужить дворянину?
Довод, порядок в словах — подлых то есть дело,
50 Знатным полно подтверждать иль отрицать смело.
С ума сошел, кто души силу и пределы
Испытает; кто в поту томится дни целы,
Чтоб строй мира и вещей выведать премену
Иль причину, — глупо он лепит горох в стену.
55 Прирастет ли мне с того день к жизни, иль в ящик
Хотя грош? могу ль чрез то узнать, что приказчик,
Что дворецкий крадет в год? как прибавить воду
В мой пруд? как бочек число с винного заводу?
Не умнее, кто глаза, полон беспокойства,
60 Коптит, печась при огне, чтоб вызнать руд свойства,
Ведь не теперь мы твердим, что буки, что веди —
Можно знать различие злата, сребра, меди.
Трав, болезней знание — голы все то враки;
Глава ль болит — тому врач ищет в руке знаки;
65 Всему в нас виновна кровь, буде ему веру
Дать хочешь. Слабеем ли — кровь тихо чрезмеру
Течет; если спешно — жар в теле; ответ смело
Дает, хотя внутрь никто видел живо тело.
А пока в баснях таких время он проводит,
70 Лучший сок из нашего мешка в его входит.
К чему звезд течение числить, и ни к делу,
Ни кстати за одним ночь пятном не спать целу,
За любопытством одним лишиться покою,
Ища, солнце ль движется, или мы с землею?
75 В часовнике можно честь на всякий день года
Число месяца и час солнечного всхода.

Землю в четверти делить без Евклида смыслим,
Сколько копеек в рубле — без алгебры счислим».
Силван одно знание слично людям хвалит:
80 Что учит множить доход и расходы малит;
Трудиться в том, с чего вдруг карман не толстеет,
Гражданству вредным весьма безумством звать смеет.
Румяный, трожды рыгнув, Лука подпевает:
«Наука содружество людей разрушает;
85 Люди мы к сообществу Божия тварь стали,
Не в нашу пользу одну смысла дар прияли.
Что же пользы иному, когда я запрусь
В чулан, для мертвых друзей — живущих лишуся,
Когда все содружество, вся моя ватага
90 Будет чернило, перо, песок да бумага?
В веселье, в пирах мы жизнь должны провождати:
И так она недолга — на что коротати,
Крушиться над книгою и повреждать очи?
Не лучше ли с кубком дни прогулять и ночи?
95 Вино — дар божественный, много в нем провору:
Дружит людей, подает повод к разговору,
Веселит, все тяжкие мысли отымает,
Скудость знает облегчать, слабых ободряет,
Жестоких мягчит сердца, угрюмость отводит,
100 Любовник легче вином в цель свою доходит.
Когда по небу сохой бразды водить станут,
А с поверхности земли звезды уж проглянут,
Когда будут течь к ключам своим быстры реки
И возвратятся назад минувшие веки,
105 Когда в пост чернец одну есть станет вязигу, —
Тогда, оставя стакан, примуся за книгу».
Медор тужит, что чресчур бумаги исходит
На письмо, на печать книг, а ему приходит,
Что не в чем уж завертеть завитые кудри;
110 Не сменит на Сенеку он фунт доброй пудры;
Пред Егором двух денег Виргилий не стоит;
Рексу — не Цицерону похвала достоит.
Вот часть речей, что на всяк день звенят мне в уши;

Вот для чего я, уме, немее быть клуши
115 Советую. Когда нет пользы, ободряет
К трудам хвала, — без того сердце унывает.
Сколько ж больше вместо хвал да хулы терпети!
Трудней то, неж пьянице вина не имети,
Нежли не славить попу святую неделю,
120 Нежли купцу пиво пить не в три пуда хмелю.
Знаю, что можешь, уме, смело мне представить,
Что трудно злонравному добродетель славить,
Что щеголь, скупец, ханжа и таким подобны
Науку должны хулить, — да речи их злобны
125 Умным людям не устав, плюнуть на них можно;
Изряден, хвален твой суд; так бы то быть должно,
Да в наш век злобных слова умными владеют.
А к тому ж не только тех науки имеют
Недрузей, которых я, краткости радея,
130 Исчел иль, правду сказать, мог исчесть смелея.
Полно ль того? Райских врат ключари святые,
И им же Фемис вески вверила златые,
Мало любят, чуть не все, истинну украсу.
Епископом хочешь быть — уберися в рясу,
135 Сверх той тело с гордостью риза полосата
Пусть прикроет; повесь цепь на шею от злата,
Клобуком покрой главу, брюхо — бородою,
Клюку пышно повели везти пред тобою;
В карете раздувшися, когда сердце с гневу
140 Трещит, всех благословлять нудь праву и леву.
Должен архипастырем всяк тя в сих познати
Знаках, благоговейно отцом называти.
Что в науке? что с нее пользы церкви будет?
Иной, пиша проповедь, выпись позабудет,
145 От чего доходам вред; а в них церкви пра́ва
Лучшие основаны, и вся церкви слава.
Хочешь ли судьею стать — вздень перук с узлами,
Брани того, кто просит с пустыми руками,
Твердо сердце бедных пусть слезы презирает,
150 Спи на стуле, когда дьяк выписку читает.

Если ж кто вспомнит тебе граждански уставы,
Иль естественный закон, иль народны правы —
Плюнь ему в рожу, скажи, что врет околесну,
Налагая на судей ту тягость несносну,
155 Что подьячим должно лезть на бумажны горы,
А судье довольно знать крепить приговоры.
К нам не дошло время то, в коем председала
Над всем мудрость и венцы одна разделяла,
Будучи способ одна к высшему восходу.
160 Златой век до нашего не дотянул роду;
Гордость, леность, богатство — мудрость одолело,
Науку невежество местом уж посело,
Под митрой гордится то, в шитом платье ходит,
Судит за красным сукном, смело полки водит.
165 Наука ободрана, в лоскутах обшита,
Изо всех почти домов с ругательством сбита;
Знаться с нею не хотят, бегут ея дружбы,
Как, страдавши на море, корабельной службы.
Все кричат: «Никакой плод не видим с науки,
170 Ученых хоть голова полна — пусты руки».
Коли кто карты мешать, разных вин вкус знает,
Танцует, на дудочке песни три играет,
Смыслит искусно прибрать в своем платье цветы,
Тому уж и в самые молодые леты
175 Всякая высша степень — мзда уж невелика,
Семи мудрецов себя достойным мнит лика.
«Нет правды в людях, — кричит безмозглый церковник, —
Еще не епископ я, а знаю часовник,
Псалтырь и послания бегло честь умею,
180 В Златоусте не запнусь, хоть не разумею».
Воин ропщет, что своим полком не владеет,
Когда уж имя свое подписать умеет.
Писец тужит, за сукном что не сидит красным,
Смысля дело набело списать письмом ясным.
185 Обидно себе быть, мнит, в незнати старети,
Кому в роде семь бояр случилось имети

И две тысячи дворов за собой считает,
Хотя в прочем ни читать, ни писать не знает.
Таковы слыша слова и примеры видя,
190 Молчи, уме, не скучай, в незнатности сидя.
Бесстрашно того житье, хоть и тяжко мнится,
Кто в тихом своем углу молчалив таится;
Коли что дала ти знать мудрость всеблагая,
Весели тайно себя, в себе рассуждая
195 Пользу наук; не ищи, изъясняя тую,
Вместо похвал, что ты ждешь, достать хулу злую.

1729–43

## 19 Петрида,
## или описание стихотворное смерти Петра Великого, Императора Всероссийского

[начало]

### Книга I

Я той, иже некогда забавными слоги,
Не зол, устремлял свои с охотою роги,
Бодя иль злонравия мерзкие преступки,
Иль обычьем ствердимы не в пользу поступки, —
5 Печаль неутешную России рыдаю:
Смеху дав прежде вину, к слезам побуждаю;
Плачу гибель чрезмерну в роксолян народе,
Юже введе смерть Петра перва в царском роде.
Петра когда глаголю — что не заключаю
10 В той самой речи? Мудрость, мужество к случаю
Злу и благополучну, осторожность сильну,
Любовь, попечение, приятность умильну,
Правдивого судию, царя домостройна,
Друга верна, воина, всех лавров достойна, —
15 Словом, все, что либо звать совершенным можно.
О бы плачь сей мой быть могл, в стыд мне, нечто ложно!
Музы! аще когда бысть иным просить вольно
Вас в помощь, мне паче всех причины довольно

Требовать то: и дела бо мужа списати
20 Толь чудны, где страх смертный смысл взвыкл одоляти,
Нелеть смертну, и силы печаль отымает:
Когда скорбь сердце теснит, ум мыслить не знает.

1730

## 20 Письмо Харитона Макентина к приятелю о сложении стихов русских

[отрывки]

Государь мой!

Я не знаю, для какой причины отправленные вами книги в прошлом годе только на сей неделе ко мне дошли; но вы из того изволите узнать, для чего я медлил удовольство-
5 вать желание ваше в том, что касается до книжицы под титлом «Нового и краткого способа к составлению стихов русских».

Приложенный от остроумного ея сочинителя труд столь больше хвален, что в самом деле народ наш до сих пор ли-
10 шается некаким образом предводителя в стихотворном течении, многие часто с прямой дороги сбивалися. Наипаче же хвален, что с необыкновенною стихотворцам умеренностию представляет опыт свой к испытанию и исправлению тех, кои из нас имеют какое-либо искусство в стихо-
15 творстве.

Тем данным от него позволением пользуясь, больше же еще ревности его споспешествуя, отважился я некакие примечанийцы составить, которые к тому ж концу, *то есть к установлению правил стихосложения русского*, служить могут
20 и притом меня окажут послушным к приказам вашим.

### *Глава I*

### О родах стихов

#### Стихи степенные

§ 1. Я стихи русские разделяю на *три рода. Первого*

составлены, наподобие греческих и латинских, стопами без рифм, каков есть следующий:

Христе любви пламень един еси Вышнего Сыне.

25 § 2. Правда, что тот род стихов никто из наших стихотворцев не употреблял; но, однако ж, я не вижу, для чего б они не могли иметь места в русском стихотворстве. Различие русского языка с греческим в составе грамматическом не столь велико, чтоб то было довольным поводом смеяться
30 Максимовской количественной просодии.

§ 3. Я к ней отсылаю тех, кои любопытны отведать свои силы в том роде стихов, и не советую презирать вещь какую для того только, что до сих пор не было в употреблении. Может быть, что по употреблении найдется приятна.

Стихи свободные

35 § 4. *Второго рода* стихи состоят из некоего определенного числа слогов, хранящих некую определенную же меру в ударении голоса, и которые я бы назвал, итальянцам последуя, *свободными*, каковы суть следующие:

Долго думай, что о ком и кому имеешь
40 Сказать. Любопытного беги: говорлив он;
Бесперечь отверстые уши не умеют
Вверенное сохранять; а слово, однажды
Выпущенное из уст, летит невозвратно.

§ 5. Как я не чаю, что стихотворство русское *одно и тое*
45 *же с французским*, так и не могу согласиться, что *такие, без рифм, стихи некрасивы на русском языке* для того, что у французов не в обыкновении. Язык французский 1) не имеет стихотворного наречия; те ж речи в стихах и в простосложном сочинении принужден он употреблять. К тому ж 2)
50 непременно поставлять местоимение прежде имени, имя прежде слова, слово прежде наречия, и, наконец, управляемую словом речь в своем падеже, то есть не позволено на французском языке *преложение* частей слова, без которых двух помочей необходимо нужно украшать стих рифмою;
55 а инако был бы он речь простосложная.

Наш язык, напротиву, изрядно от славенского занимает отменные слова, чтоб отдалиться в стихотворстве от обыкновенного простого слога и укрепить тем стихи свои; также полную власть имеет в преложении, которое не только стих, 60 но и простую речь украшает. Итальянцы, гишпанцы, англичане и, может быть, другие еще, коих язык мне незнаком, имея подобные нам способы, были много удачливы в *свободных стихах*. Для чего ж бы нам не предпочесть суд стольких народов?

Стихи однокончательные

65 § 6. *Третьего рода* стихи совсем предыдущим подобны, только что по меньшей мере всякие два должны кончаться рифмою; каковы суть следующие:

Ездок, что в чужой земле, ему неизвестной,
Видит на пути своем лес вкруг себя тесной,
70 Реки, болоты, горы и страшны стремнины
И, оставя битый путь, ищет пути ины,
Бедный, блудит, многие, где меньше он чает,
Трудности и наконец погибель встречает;
Так в течение житья, где предлежат многи
75 Бедства и страх, гинет тот, конечно, кто ноги
Сведет с пути, где свои расставила вехи
Добродетель, сгладив все опасны помехи.

§ 7. О сих двух последних родах стихов у нас слово впредь будет; но прежде нежели к правилам оных при-
80 ступим, чаю, не должно миновать некакие примечании о рифмах.

. . . . .

## *Глава IV*

## О мере стихов

### Скольких видов стихи

§ 19. Стихи русские могут составлены быть от тринадцати до четырех слогов.

### Стоп рассуждение не нужно

§ 20. По моему мнению, рассуждение стоп в составлении
85 всех оных излишно. Но нужно наблюдать, чтоб во всяком
стихе на некоторых двух слогах лежало ударение голоса.

### Что слог долгий и короткий?

§ 21. Такие слоги называю я *долгими*, а прочие все *короткими*. Например, в речи *изрядная*, слог *ря* есть долгий, *из*, *дна*, *я* — короткие.

### Перенос позволен

90 § 22. Я не вижу, для чего б *перенос* речи из первого стиха
в другой, следующий, когда одним целое разумение речи
кончить не можно, был запрещен. Греки, латины, итальянцы, ишпанцы, англичане не только в порок то не ставят,
но и украшение стихам почитают. Перенос не мешает
95 чувствовать ударение рифмы доброму чтецу, а весьма он
нужен в сатирах, в комедиях, в трагедиях и в баснях, чтоб
речь могла приближаться к простому разговору. К тому же
без такого переносу долгое сочинение на рифмах становится уху докучно частым рифмы повторением, от которого
100 напоследок происходит не знаю какая неприятная монотония, как то французы своим стихотворцам сами обличают.

. . . . .

### Правила тринадцатисложного стиха

§ 25. *Тринадцатисложный* стих, который изрядно *эроическим*
назван, для того что всех способнее соответствует эксаметру греческому и латинскому, должен состоять из двух
105 полустиший.

§ 26. Речь, которая кончает первое полустишие, должна
быть связана с предыдущими, а не следующими в последнем, так, что все союзы, предлоги, местоимения возносительные не могут быть слогом пресечения. И сие правило есть
110 общее сечениям и прочих стихов.

§ 27. Первое полустишие имеет семь слогов, второе —
шесть.

Тот/ лишь/ в жи/зни/ сей/ бла/жен,//
1 2 3 4 5 6 7
кто/ ма/лым /до/во/лен.
1 2 3 4 5 6

115 § 28. Слоги первого полустишия по четвертый могут быть долгие и короткие, как ни случатся; но неотменно нужно, чтоб или *седьмой* был долгий, или *пятый.* И в сем последнем случае — чтоб *шестой* и *седьмой* были короткие.

§ 29. Второго полустишия *предпоследний* слог всегда дол-
120 жен быть долгий; так, что ежели рифмами пишется, то была бы она неотменно двухсложная, ибо мне мнится, что тупые рифмы в таких стихах весьма уху несносны.

Пример:

– ◡ ◡ – ◡
Что/ поль/зу/ет/ мно/же/ство // лю/дей/ без/рас/суд/но
1 2 3 4 5 6 7 1 2 3 4 5 6
Привесть в удивление, когда в оном трудно.

– – ◡
125 Час/ о/ни/ мо/гут/ сто/ять // и/ что/ те/перь/ хва/лят,
1 2 3 4 5 6 7 1 2 3 4 5 6
Величают, спустя час низят уж и малят,
Когда честный, мудрый муж, сколь часто случится
Ему на нас вскинуть глаз, от дел наших рдится.

§ 30. Но буде кому угодно кончить сей стих тупою
130 рифмою, то должен последнее полустишие таким образом учреждать, чтоб *третий* и *шестой* слог были долгие, а *четвертый* и *пятый* — короткие неотменно.

Пример:

– ◡ ◡ – ◡ ◡ –
Что/ поль/зу/ет/ мно/же/ство // без/рас/суд/но/ лю/дей.
1 2 3 4 5 6 7 1 2 3 4 5 6

. . . . .

## Правила стиха осьмисложного

§ 51. *Осьмисложные* стихи сечения не имеют, но нужно
135 примечать, чтоб *третий* и *седьмой* слог были долгие.

Пример:

Сколь/ко/ бед/ный/ су/е/тит/ся
1 2 3 4 5 6 7 8
Человек за малу славу.
Ночь не спит, и день томится,
Чтоб не сел сосед по праву,
140 Чтоб народ ему дивился
И с хвостом всегда тащился;
Знатно бедный забывает,
Что по смерти прах бывает.

§ 52. Красивее еще будет сей стих, ежели хранить будет
145 *первый*, *четвертый* и *седьмой* слог долгие, а прочие все — короткие.

Пример:

Тва/ри/ вла/ды/ко/ все/моч/ный,
1 2 3 4 5 6 7 8
Если мой глас тебе внятен,
Нуждам доход моим точный,
150 Кратку хоть жизнь, но без пятен,
В здравом дай теле мысль здраву,
В страшный день дай стать по праву.

§ 53. Собою явно, что и сей стих требует рифму простую.

§ 54. Но ежели желаешь, чтоб кончился тупою, то долж-
155 но, чтоб *пятый* и *осьмой* слог были долгие, а *шестой* и *седьмой* — короткие неотменно, и еще лучше, ежели и *второй* слог будет долгий.

Пример:

Не/дол/го/ чис/ло/ на/ших/ дней,
1 2 3 4 5 6 7 8
За днем другой бегло летит.

160 § 55. Кто умеет сочинять стихи тринадцати-, двенадцати-, одиннадцати- и десятисложные, то уже легко может сочинять стихи *семи-*, *шести-*, *пяти-* и *четырехсложные*, понеже сии суть полустишия первых и сечений не требуют.

1743

## ВАСИЛИЙ КИРИЛЛОВИЧ ТРЕДИАКОВСКИЙ

1703–69

**21** Стихи похвальные Парижу

Красное место! Драгой берег Сенски!
Тебя не лучше поля Элисейски:
Всех радостей дом и сла́дка покоя,
Где ни зимня нет, ни летнего зноя.

5 Над тобой солнце по небу катает
Смеясь, а лучше нигде не блистает.
Зефир приятный одевает цве́ты
Красны и во́нны чрез многие леты.

Чрез тебя лимфы текут все прохладны,
10 Нимфы гуляя поют песни складны.
Любо играет и Аполлон с музы
В лиры и в гусли, также и в флейдузы.

Красное место! Драгой берег Сенски!
Где быть не смеет манер деревенски:
15 Ибо всё держишь в себе благородно,
Богам, богиням ты место природно.

Лавр напояют твои сладко воды!
В тебе желают всегда быть все роды:
Точишь млеко, мед и веселье мило,
20 Какого нигде истинно не было.

Красное место! Драгой берег Сенски!
Кто тя не любит? разве был дух зверски!
А я не могу никогда забыти,
Пока имею здесь на земли быти.

между 1727 и 1730

## 22 Езда в остров Любви

### Предисловие

[отрывок]

На меня, прошу вас покорно, не извольте погневаться (буде вы еще глубокословныя держитесь славенщизны), что я оную не славенским языком перевел, но почти самым простым русским словом, то есть, каковым мы меж собой
5 говорим. Сие я учинил следующих ради причин. Первая: язык славенской у нас есть язык церковной; а сия книга мирская. Другая: язык славенской в нынешнем веке у нас очюнь темен, и многие его наши читая не разумеют; а сия книга есть сладкия любви, того ради всем должна быть
10 вразумительна. Третия: которая вам покажется может быть самая легкая, но которая у меня идет за самую важную, то есть, что язык славенской ныне жесток моим ушам слышится, хотя прежде сего не только я им писывал, но и разговаривал со всеми: но зато у всех я прошу прощения, при
15 которых я с глупословием моим славенским особым речеточцем хотел себя показывать.

Ежели вам, доброжелательный читателю, покажется, что я еще здесь в свойство нашего природного языка не уметил, то хотя могу только похвалиться, что все мое хотение имел,
20 дабы то учинить; а колиже не учинил, то бессилие меня к тому не допустило, и сего, видится мне, довольно есть к моему оправданию.

1730

## 23 Ода торжественная о сдаче города Гданска

Кое трезвое мне пианство
Слово дает к славной причине?
Чистое Парнаса убранство,
Музы! не вас ли вижу ныне?
5 И звон ваших струн сладкогласных,
И силу ликов слышу красных;

Все чинит во мне речь избранну.
Народы! радостно внемлите;
Бурливые ветры! молчите:
10 Храбру прославлять хощу Анну.

В своих песнях, в вечность преславных,
Пиндар, Гораций несравненны
Взнеслися до звезд в небе явных,
Как орлы быстры, дерзновенны.
15 Но буде б ревности сердечной,
Что имеет к Анне жар вечный,
Моея глас лиры сравнился,
То бы сам и Орфей фракийский,
Амфион купно б и фивийский
20 Сладости ее удивился.

Воспевай же, лира, песнь сладку,
Анну, то есть благополучну,
К вящему всех врагов упадку,
К несчастию в веки тем скучну.
25 О ее и храбрость, и сила!
О всех подданных радость мила!
Страшит храбрость, всё побеждая,
В дивный восторг радость приводит,
Печальну и мысль нам отводит,
30 Все наши сердца расширяя.

Не сам ли Нептун строил стены,
Что при близком толь горды море?
Нет ли троянским к ним примены,
Что хотели быть долго в споре
35 С оружием в действе пресильным,
И с воином в бой неумильным?
Все Вислою ныне рекою
Не Скамандр ли называют?
Не Иде ль имя налагают
40 Столценбергом тамо горою?

То не Троя басней причина:
Не один Ахиллес воюет;
Всяк Фетидина воин сына
Мужественнее тут штурмует.
45 Что ж чудным за власть шлемом блещет?
Не Минерва ль копие мещет?
Явно, что от небес посланна,
И богиня со всего вида,
Страшна и без щита эгида?
50 Императрица есть то Анна.

И воин то российский на мало
Окружил Гданск, город противный,
Марсом кажда назвать пристало,
В силе ж всяк паче Марса дивный;
55 Готов и кровь пролити смело,
Иль о Анне победить цело:
Счастием Анны все крепятся.
Анна токмо надежда тверда;
И что Анна к ним милосерда,
60 На ее врагов больше злятся.

Европска неба и азийска
Солнце красно, благоприятно!
О самодержица российска!
Благополучна многократно!
65 Что тако подданным любезна,
Что владеешь толь им полезна!
Имя уж страшно твое свету,
А славы не вместит вселенна,
Желая ти быть покоренна,
70 Красоты вся дивится цвету.

Но что вижу? не льстит ли око?
Отрок Геркулеса противу,
Подъемля бровь горду высоко,
Хочет стать всего света к диву!

75 Гданск, то есть, с помыслом неумным,
Будто б упившись питьем шумным,
Противится, и уже явно,
Императрице многомочной;
Не видит бездны, как в тьме но́чной,
80 Рассуждаючи неисправно.

В нутр самый своего округа,
Ищущего дважды корону
Станислава берет за друга;
Уповает на оборону
85 Чрез поля льющася Нептуна;
Но бояся ж росска Перуна,
Ищет и помощи в народе,
Что живет при брегах Секваны;
Тот в свой проигрыш барабаны
90 Се Вексельминды бьет в пригоде.

Гордый огнем Гданск и железом,
Купно воинами повсюду,
Уж махины ставит разрезом
В россов на раскатах вне уду;
95 И что богат многим припасом,
«Виват Станислав», — кричит гласом.
Ободряет в воинах злобу,
Храброго сердца не имущих,
Едино токмо стерегущих,
00 Соблюсти б ногами жизнь собу.

Ах! Гданск, ах! на что ты дерзаешь?
Воззови ум, с ним соберися:
К напасти себя приближаешь.
Что стал? что медлишь? покорися.
105 Откуда ты смелость имеешь,
Что пред Анною не бледнеешь?
Народы поддаются целы,
Своевольно, без всякой брани;

Чтоб не давать когда ей дани,
110 Чтут дважды ту хински пределы.

В милости нет Анне подобной,
Кто милости у нее просит;
К миру нет толико удобной
С тем, кто войны ей не наносит.
115 Меч ее, оливой обвитый,
Не в мире, но в брани сердитый.
Покинь, Гданск, покинь мысль ту злую;
Видишь, что Алциды готовы;
Жителей зришь беды суровы;
120 Гневну слышишь Анну саму́ю.

Тысячами храбрых атлетов
Окружен ты отвсюду тесно,
Молнии от частых полетов,
Что разбивает всё известно,
125 Устоять весьма ти не можно;
И что гром готов, то не ложно:
На раскатах нет уж защиты,
Земля пропасти растворяет;
Здание в воздух улетает;
130 И ограды многи отбиты.

Хотя б все государи стали
За тебя, Гданск, ныне сердечно;
Хоть бы стихии защищали;
Всего хоть бы света конечно
135 Солдаты храбры в тебе были
И кровь бы свою щедро лили, —
Но все оны тебя защитить,
Ей! не могут уже никако,
Старалися хотя бы всяко,
140 И из рук Анниных похити́ть.

Смотрите, противны народы,
Коль храбры российские люди!

Огнь не вредит им, ниже́ во́ды,
На всё открыты у них груди;
145 Зрите, как спешат до приступа!
Как и ломятся без отступа!
Не страшатся пушечна грома,
Лезут, как танцевать на браки,
И сквозь дымные видно мраки,
150 Кому вся храбрость есть знакома.

Еще умножаются страхи
При стенах бедна Гданска града:
Здания ломаются в прахи;
Премогает везде осада.
155 Магистрат, зря с стены последней,
Что им в помощи несоседней
И что в приятстве Станислава
Суетная была надежда,
Стоя без смысла, как невежда,
160 «Ах! — кричит, — пала наша слава».

Хочет сбыться, что я пророчил:
Начинает Гданск уж трястися;
Всяк сдаться так, биться как прочил,
Мыслит, купно чрез то спастися
165 От бомб летящих по возду́ху
И от смертоносного духу.
Всяк кричит: пора начинати, —
Всем несносно было то бремя;
Ах! все врата у града время
170 Аннину войску отворяти.

Сталося так. Видно знак к сдаче:
Повергся Гданск Анне под ноги;
Воин рад стал быть о удаче;
Огнь погас; всем вольны дороги.
175 Повсюду и Слава паряща
Се летит трубою гласяща:

«Анна счастием превосходна!
Анна, о наша! всех храбрейша!
Анна Августа августейша!
180 Красота и честь всенародна!»

Престань, лира! время скончити:
Великую Анну достойно
Кто может хваля возносити
И храбрость свыше при той стройно?
185 В сем хвала Анне есть многа,
Что любима от вышня Бога.
О сем побеждать ей желаю,
И побеждать всегда имеет,
Кто противен быть ни посмеет.
190 Тем «виват Анна!» восклицаю.

1734

## 24 Новый и краткий способ к сложению российских стихов с определениями до сего надлежащих званий

[отрывки]

В поэзии вообще две вещи надлежит примечать. Первое: материю, или дело, каковое пиита предприемлет писать. Второе: версификацию, то есть способ сложения стихов. Материя всем языкам в свете общая есть вещь, так что нико-
5 торый оную за собственную токмо одному себе почитать не может, ибо правила поэмы эпической не больше служат греческому языку в Гомеровой «Илиаде» и латинскому в Виргилиевой «Энеиде», как французскому в Вольтеровой «Генриаде», италиянскому в «Избавленном Иерусалиме» у
10 Тасса, и аглинскому в Мильтоновой поэме о потерянии рая. Но способ сложения стихов весьма есть различен по различию языков. И так автор славенской грамматики, которая обще называется большая и Максимовская, желая наше сложение стихов подобным учинить греческому и

15 латинскому, так свою просодию количественную смешно написал, что, сколько раз за оную ни примешься, никогда не можешь удержаться, чтоб не быть, смотря на оную, смеющимся Демокритом непрестанно. Ежели б он тогда рассудил, что свойство нашего языка того не терпит, никог-
20 да б таковой просодии не положил в своей грамматике.

Другие в сложении наших стихов доныне правильнее поступали, некоторое известное число слогов в стихе полагая, пресекая оный на две части и приводя согласие конечных между собою слогов. Но и таковые стихи толь недоста-
25 точны быть видятся, что приличнее их называть прозою, определенным числом идущею, а меры и падения, чем стих поется и разнится от прозы, то есть от того, что не стих, весьма не имеющею. Того ради за благо рассудилось, много прежде положив труда к изобретению прямых
30 наших стихов, сей новый и краткий способ к сложению российских стихов издать, которые и число слогов свойственное языку нашему иметь будут, и меру стоп с падением, приятным слуху, от чего стих стихом называется, содержать в себе имеют. Буде ж каковой недостаток и в сем найдется,
35 то покорно просятся благоразумные и искусные люди, чтоб объявить то Российскому собранию, которое всячески потщится или сомнения их в рассуждении стихов разрешить, или недостатки, находящиеся в сих новых, исправить, с возможным за таковое их приятство благодарением.

40 А понеже в сложении российских стихов также две вещи должно знать, то есть свойственное звание, при стихе употребляемое, и способ, как слагать, или сочинять, стих; того ради свойственные при стихе звания определениями объявятся, а на способ к сложению стиха кратчайшие и
45 ясные правила положатся.

И тако:

### Определение I

Чрез *стих* разумеется всякая особливо стиховная строка, что у латин называется versus, а у французов: vers.

## Определение II

Чрез *слог*: двух или многих согласных письмен, с каковым-
50 нибудь гласным или двугласным сложенных; или одного
гласного или двугласного одним и тем же временем, без
всякого разделения, уст с языком движение. У латин *слог*
называется syllaba, а у французов: syllabe. Полагается, что
письмена и оных разделение всякому ведомы из грамма-
55 тики; однако *письмя* по-латински именуется littera, а по-
французски: lettre.

## Определение III

Чрез *стопу*: мера, или часть стиха, состоящая из двух у
нас слогов; что у латин называется pes, а у французов: pied.

## Определение IV

Чрез *полстишие*: половина только стиха, в героическом из
60 седми слогов состоящая, и то первая; а вторая из шести.
Сие у латин с греческого называется hemistichium, а у
французов: hémistiche.

## Определение V

Чрез *пресечение*: разделение стиха на две части, первое
полстишие всегда, чтоб хорошим быть стиху, долгим слогом
65 кончащее. Но чрез долгий слог в российском стихотворстве
разумеется тот, на который просодия, или, как говорят,
сила ударяет. И тако в речении сем: *слагáю га* есть долгий
слог, а *сла* и *ю* короткие. Пресечение латины называют
cesura, а французы: césure, или: repos.

## Короллари́й 1

70 Отсюда следует, что все речения единосложные не могут
быть, как токмо долгие. Долгота и краткость слогов у
латин называется quantitas, а у французов: quantité, или
longueur et brièveté des syllabes.

## Королларий 2

Того ради чрез сие всяк ясно выразуметь может, что дол-
75 гота и краткость слогов, в новом сем российском стихосложении, не такая разумеется, какова у греков и у латин в
сложении стихов употребляется; но токмо *тóническая*, то
есть в едином ударении голоса состоящая, так что, сколь
греческое и латинское количество слогов с великим трудом
80 познавается, столь сие наше всякому из великороссиан легко,
способно, без всякой трудности и, наконец, от единого
только общего употребления знать можно; в чем вся сила
нового сего стихосложения содержится.

## Королларий 3

Итак, стопы, имеющие составлять новый наш стих, как
85 то в правилах объявится (из которых приемлется мною на
то, называемая обыкновенно спондей, который состоит из
двух долгих слогов и которого есть знак сей: – –; так же
и пиррихий, который состоит из двух коротких слогов и
которого есть знак сей: ◡ ◡; хорей или трохей, который
90 состоит из одного долгого и другого короткого слога и
которого есть знак сей: – ◡; напоследок иамб, который
состоит из одного короткого, а другого долгого слога и
которого есть знак сей: ◡ –), должно разуметь по силе и
разумению, положенном во втором королларии.

. . . . .

## Правило I

95 Стих героический российский состоит в тринадцати
слогах, а в шести стопах, в первой стопе приемлющий
*спондея* – –, *пиррихия* ◡ ◡, *хорея*, или инако *трохея* – ◡, *иамба*
◡ –; во второй, третией (после которой слогу пресечения
долгому надлежит быть), четвертой, пятой и шестой також-
100 де. Однако тот стих всеми числами совершен и лучше,
который состоит токмо из хореев или из большей части
оных; а тот весьма худ, который весь иамбы составляют

или большая часть оных. Состоящий из спондеев, пиррихиев или из большей части оных есть средней доброты
105 стих. Но что в тринадцати состоит слогах, тому причина: употребление от всех наших старых стихотворцев принятое. В пример тому будь стих первый из первой сатиры князя Антиоха Димитриевича Кантемира, без сомнения главнейшего и искуснейшего пииты российского.

| 1 | 2 | 3 | 4 | 5 | 6 | 7 | 8 | 9 | 10 | 11 | 12 | 13 |
|---|---|---|---|---|---|---|---|---|---|---|---|---|
| ум | толь | сла | бый | плод | тру | дов | крат | ки | я | на | у | ки. |

110

. . . . .

Стихи наши правильные из девяти, седми, пяти, также и неправильные из осьми, шести и четырех слогов состоящие, ничего в себе стиховного, кроме слогов и рифмы, не имеют, как то выше видно из пятисложного нашего стиха,
115 в сапфической строфе обще адоническим называемого; того ради о них ничего здесь больше и не предлагается.

Совестно признаваюсь всему российскому свету, что и я в эксаметре и пентаметре нашем много против предложенных мною правил погрешал, понеже я так был научен. Но
120 видя, что наши стихи все прозаичны и на стихи не походят, того ради неусыпным моим прилежанием и всегдашним о том рассуждением старался я всячески, чтоб нашим стихам недаром называться стихами, да уже и льщу себя, что я нашел в них силу. Итак, дерзаю надеяться, что благород-
125 нейшая, преславнейшая, величайшая и цветущая Россия удостоит меня, за прежние мои, прощения в тот образ, что и первый я, как мне кажется, привел в порядок наши стихи, да и первый же обещаюсь переправить, понеже самая большая часть стихов моих на свет не вышла, все мои стихи.

. . . . .

130 Некоторые, но несколько или, лучше, весьма неосновательно, только ж с хитрою насмешкою, предлагали мне, что буде, подняв брови и улыбаяся говорили, сочетание стихов не будет введено в новое твое стихосложение, то новое твое стихосложение не совсем будет походить на
135 французское. Сии господа знать, конечно, думали, что я

сие новое стихосложение взял с французского; но в том они толь далеко отстоят от истины, коль французское стихотворение отстоит от сего моего нового. Я, что сие праведно говорю, в том ссылаюсь на всех тех, которые французское 140 стихотворение знают: оные могут всем засвидетельствовать, что французское стихосложение ничем, кроме пресечения и рифмы, на сие мое новое не походит.

Пусть отныне перестанут противно думающие думать противно: ибо, поистине, всю я силу взял сего нового стихо- 145 творения из самых внутренностей свойства нашему стиху приличного; и буде желается знать, но мне надлежит объявить, то поэзия нашего простого народа к сему меня довела. Даром, что слог ее весьма не красный, от неискусства слагающих; но сладчайшее, приятнейшее и правильнейшее 150 разнообразных ее стоп, нежели иногда греческих и латинских, падение подало мне непогрешительное руководство к введению в новый мой эксаметр и пентаметр оных выше объявленных двусложных тонических стоп.

Подлинно, почти все звания, при стихе употребляемые, 155 занял я у французской версификации; но самое дело у самой нашей природной, наидревнейшей оной простых людей поэзии. И так всяк рассудит, что не может, в сем случае, подобнее сказаться, как только, что я французской версификации должен мешком, а старинной российской 160 поэзии всеми тысячью рублями. Однако Франции я должен и за слова; но искреннейше благодарю россианин России за самую вещь.

От вышереченного не можно заключить, что понеже в стихосложении нашем нельзя быть сочетанию стихов, то 165 следовательно и смешенной рифме, ибо рифма в стихе, какого б рода и каков бы стих ни был, состоит токмо в ладе звона, который может положиться подобен первому чрез стих или чрез два. Поляки, у которых стихотворение во всем сродное нашему, кроме падения и стоп, часто и красно 170 употребляют смешенную рифму в своих стихах, которую уже и я употребил в оде моей о сдаче города Гданска и в других многих стихах.

В песнях иногда нельзя и у нас миновать сочетания стихов; но то только в тех, которые на французский или
175 на немецкий голос сочиняются, для того что их голосы так от музыкантов кладутся, как идет версификация их у пиит. Предлагаю я здесь тому в пример из двух моих песен (которые сочинены на французские голосы и в которых по тону употреблено сочетание стихов) по одной первой
180 строфе, которые у французов в песнях называются couplets.

ПЕРВОЙ ПЕСНИ СТРОФА:

Худо тому жити,
Кто хулит любовь:
Век ему тужити,
Утирая бровь.

ВТОРОЙ ПЕСНИ СТРОФА:

185 Сколь долго, Климена,
Тебе не любить?
Времен бо премена
Не знает годить.
Ныне что есть можно,
190 Драгая моя,
То ж утре есть ложно,
И власть не своя.

Но в других песнях и в других наших стихах, которые для чтения токмо предлагаются, сочетания сего употреб-
195 лять не надлежит.

Полно уже мне теперь о способе моем к сложению новых наших стихов словом токмо предлагать: время оный самым делом и примерами объявить.

1735

## 25 Способ к сложению российских стихов, против выданного в 1735 годе исправленный и дополненный

### Заключение

Краткое сие руководство, но, по моему мнению, весьма есть довольное к изъяснению всего способа в составлении

наших стихов, для того что оно полное. Нет ничего, что до того касается, которое опущено б было: все представлено,
5 и самым ясным, по возможности, образом истолковано. Всяк искусный видит, что сей Способ к сложению наших стихов есть тот же самый, который был издан в 1735 годе, но дополненный и исправленный ныне. От некоторого времени слух носится, что будто охотники жалуются на
10 наше стихотворение, именно ж для того, что оно разнящееся так, что они не знают, чему последовать, и на чем утвердиться. Может быть жалуются они на разность нашего нынешнего стихотворения по сей причине, что в прямых и существенных наших стихах видят они ныне при хорее и сто-
15 пу иамб; а тогдашний мой Способ представлял токмо хорея: видят и сочетание стихов; но первый мой Способ токмо что об нем упомянул, дав ему то имя, а в действо в одних песенках произвел: видят наконец и во всех малых стихах стопы, коих, по оному моему Способу, не было в оных.
20 Признаваюсь искренно, сим тогдашний мой Способ был недостаточен: чего ради в сем весь оный недостаток дополнен и исправлен. Впрочем да не мнят охотники, что сей Способ есть разный от первого: ибо на том же тоническом количестве слогов, что есть душа и жизнь всего нашего
25 стихотворения, есть основан. Хотя хорей, хотя иамб, хотя дактиль, или анапест употребится в дело, но во всех сих стопах тот есть слог долгий, на который сила бьет. Да предпочитается иамб, понеже в некоторых такое есть благоволение; однако и иамб утверждается, во всех наших
30 нынешних стихах, на моем количестве слогов, как то видно в стихотворческих сочинениях на свет изданных, и как предложено мною в сем Способе. Правда, весь сей Способ составлен как не теми словами (выключая технические звания), кои были в первом, так и не таким порядком: но
35 грунт и основание есть все то ж, и за тем и он сам весь тот же, да только, повторяю, дополненный и исправленный. Мню, что позволено всякому свое пересматривать, дополнять, исправлять, и в совершеннейшем виде выдавать обществу.

1752

**26** Тилемахида,
или странствование Тилемаха, сына Одиссеева
[отрывок]

Если б болезнь и печаль тогда о пленении нашем
Нас не лишили ко всем веселиям чувствий природных,
То б усладились наши глаза Египта землею.
Коя подобна весьма из прекрасных прекрасному саду,
5 Саду, несчетным множеством вод напаяему тамо.
Мы куда ни воззрим на брега Египетски оба,
Видим всюду на тех стоящи богатыи грады,
Сельныи домы везде приятно расставлены видим,
Нивы на каждый год желтеющи жатвой обильной,
10 А никогда, отдохнуть бы себе, не хотящие земли:
Зрим поля исполнены стад и людей земледельцов,
Всех не могущих убрать плодов от земли изнесенных,
Множество пастырей зрим, на свирелях своих и цевницах,
Сладким гласом играющих песнь, и по ликам поющих,
15 Звон же их зыком своим повторяли ихи окрестны.
1766

## МИХАЙЛО ВАСИЛЬЕВИЧ ЛОМОНОСОВ

1711–65

**27** Ода Государыне Императрице Анне Иоанновне
на победу над турками и татарами и на взятие
Хотина 1739 года

Восторг внезапный ум пленил,
Ведет на верьх горы высокой,
Где ветр в лесах шуметь забыл;
В долине тишина глубокой.
5 Внимая нечто, ключ молчит,
Которой завсегда журчит

И с шумом вниз с холмов стремится.
Лавровы вьются там венцы,
Там слух спешит во все концы;
10 Далече дым в полях курится.

Не Пинд ли под ногами зрю?
Я слышу чистых сестр музыку!
Пермесским жаром я горю,
Теку поспешно к оных лику.
15 Врачебной дали мне воды:
Испей и все забудь труды;
Умой росой Кастальской очи,
Чрез степь и горы взор простри
И дух свой к тем странам впери,
20 Где всходит день по темной ночи.

Корабль как ярых волн среди,
Которые хотят покрыти,
Бежит, срывая с них верьхи,
Претит с пути себя склонити;
25 Седая пена вкруг шумит;
В пучине след его горит;
К российской силе так стремятся,
Кругом объехав тьмы татар;
Скрывает небо конской пар!
30 Что ж в том? стремглав без душ валятся.

Крепит отечества любовь
Сынов российских дух и руку;
Желает всяк пролить всю кровь,
От грозного бодрится звуку.
35 Как сильный лев стада волков,
Что кажут острых яд зубов,
Очей горящих гонит страхом,
От реву лес и брег дрожит,
И хвост песок и пыль мутит,
40 Разит извившись сильным махом.

Не медь ли в чреве Этны ржет,
И с серою кипя, клокочет?
Не ад ли тяжки узы рвет
И челюсти разинуть хочет?
45 То род отверженной рабы,
В горах огнем наполнив рвы,
Металл и пламень в дол бросает,
Где в труд избранный наш народ
Среди врагов, среди болот
50 Чрез быстрой ток на огнь дерзает.

За холмы, где паляща хлябь
Дым, пепел, пламень, смерть рыгает,
За Тигр, Стамбул, своих заграбь,
Что камни с берегов сдирает;
55 Но чтоб орлов сдержать полет,
Таких препон на свете нет.
Им воды, лес, бугры, стремнины,
Глухие степи равен путь.
Где только ветры могут дуть,
60 Доступят там полки орлины.

Пускай земля как понт трясет,
Пускай везде громады стонут,
Премрачный дым покроет свет,
В крови Молдавски горы тонут;
65 Но вам не может то вредить,
О россы, вас сам рок покрыть
Желает для счастливой Анны.
Уже ваш к ней усердный жар
Быстро̀ проходит сквозь татар,
70 И путь отворен вам пространный.

Скрывает луч свой в волны день,
Оставив бой ночным пожарам;
Мурза упал на долгу тень;
Взят купно свет и дух татарам.

75 Из лыв густых выходит волк
На бледный труп в турецкий полк.
Иной в последни видя зорю,
Закрой, кричит, багряной вид
И купно с ним Магметов стыд;
80 Спустись поспешно с солнцем к морю.

Что так теснит боязнь мой дух?
Хладнеют жилы, сердце ноет!
Что бьет за странной шум в мой слух?
Пустыня, лес и воздух воет!
85 В пещеру скрыл свирепство зверь,
Небесная отверзлась дверь,
Над войском облак вдруг развился,
Блеснул горящим вдруг лицем,
Умытым кровию мечем
90 Гоня врагов, Герой открылся.

Не сей ли при Донских струях
Рассыпал вредны россам стены?
И персы в жаждущих степях
Не сим ли пали пораженны?
95 Он так к своим взирал врагам,
Как к готфским приплывал брегам,
Так сильну возносил десницу;
Так быстрой конь его скакал,
Когда он те поля топтал,
100 Где зрим всходящу к нам денницу.

Кругом его из облаков
Гремящие перуны блещут,
И чувствуя приход Петров,
Дубравы и поля трепещут.
105 Кто с ним толь грозно зрит на юг,
Одеян страшным громом вкруг?
Никак Смиритель стран Казанских?
Каспийски воды, сей при вас

Селима гордого потряс,
110 Наполнил степь голов поганских.

Герою молвил тут Герой:
«Нетщетно я с тобой трудился,
Нетщетен подвиг мой и твой,
Чтоб россов целой свет страшился.
115 Чрез нас предел наш стал широк
На север, запад и восток.
На юге Анна торжествует,
Покрыв своих победой сей».
Свилася мгла, Герои в ней;
120 Не зрит их око, слух не чует.

Крутит река татарску кровь,
Что протекала между ними;
Не смея в бой пуститься вновь,
Местами враг бежит пустыми,
125 Забыв и меч, и стан, и стыд,
И представляет страшный вид
В крови другов своих лежащих.
Уже тряхнувшись, легкий лист
Страшит его, как ярый свист
130 Быстро сквозь воздух ядр летящих.

Шумит с ручьями бор и дол:
Победа, росская победа!
Но враг, что от меча ушел,
Боится собственного следа.
135 Тогда увидев бег своих,
Луна стыдилась сраму их
И в мрак лице, зардевшись, скрыла.
Летает слава в тьме ночной,
Звучит во всех землях трубой,
140 Коль росская ужасна сила.

Вливаясь в понт Дунай ревет,
И россов плеску отвещает;

Ярясь волнами турка льет,
Что стыд свой за него скрывает.
145 Он рыщет, как пронзенный зверь,
И чает, что уже теперь
В последней раз заносит ногу,
И что земля его носить
Не хочет, что не мог покрыть.
150 Смущает мрак и страх дорогу.

Где ныне похвальба твоя?
Где дерзость? где в бою упорство?
Где злость на северны края?
Стамбул, где наших войск презорство?
155 Ты лишь своим велел ступить,
Нас тотчас чаял победить;
Янычар твой свирепо злился,
Как тигр на росский полк скакал.
Но что? внезапно мертв упал,
160 В крови своей пронзен залился.

Целуйте ногу ту в слезах,
Что вас, агаряне, попрала,
Целуйте руку, что вам страх
Мечем кровавым показала.
165 Великой Анны грозной взор
Отраду дать просящим скор;
По страшной туче воссияет,
К себе повинность вашу зря.
К своим любовию горя,
170 Вам казнь и милость обещает.

Златой уже денницы перст
Завесу света вскрыл с звездами;
От встока скачет по сту верст,
Пуская искры конь ноздрями.
175 Лицем сияет Феб на том.
Он пламенным потряс верхом;

Преславно дело зря, дивится:
Я мало таковых видал
Побед, коль долго я блистал,
180 Коль долго круг веков катится.

Как в клуб змия себя крутит,
Шипит, под камень жало кроет,
Орел когда шумя летит
И там парит, где ветр не воет;
185 Превыше молний, бурь, снегов
Зверей он видит, рыб, гадóв.
Пред росской так дрожит Орлицей,
Стесняет внутрь Хотин своих.
Но что? в стенах ли может сих
190 Пред сильной устоять царицей.

Кто скоро толь тебя, Калчак,
Учит российской вдаться власти,
Ключи вручить в подданства знак
И большей избежать напасти?
195 Правдивой Аннин гнев велит,
Что падших перед ней щадит.
Ея взошли и там оливы,
Где Вислы ток, где славный Рен,
Мечем противник где смирен,
200 Извергли дух серца кичливы.

О как красуются места,
Что иго лютое сбросили
И что на турках тягота,
Которую от них носили;
205 И варварские руки те,
Что их держали в тесноте,
В полон уже несут оковы;
Что ноги узами звучат,
Которы для отгнанья стад
210 Чужи поля топтать готовы.

Не вся твоя тут, Порта, казнь,
Не так тебя смирять достойно,
Но большу нанести боязнь,
Что жить нам не дала спокойно.
215 Еще высоких мыслей страсть
Претит тебе пред Анной пасть?
Где можешь ты от ней укрыться?
Дамаск, Каир, Алепп сгорит;
Обставят росским флотом Крит;
220 Евфрат в твоей крови смутится.

Чинит премену что во всем?
Что очи блеском проницает?
Чистейшим с неба что лучем
И дневну ясность превышает?
225 Героев слышу весел клик!
Одеян в славу Аннин лик
Над звездны вечность взносит круги;
И правда взяв перо злато,
В нетленной книге пишет то,
230 Велики коль ея заслуги.

Витийство, Пиндар, уст твоих
Тяжчае б Фивы обвинили,
Затем что о победах сих
Они б громчае возгласили,
235 Как прежде о красе Афин;
Россия как прекрасный крин
Цветет под Анниной державой.
В Китайских чтут ее стенах,
И свет во всех своих концах
240 Исполнен храбрых россов славой.

Россия, коль счастлива ты
Под сильным Анниным покровом!
Какие видишь красоты
При сем торжестваньи новом!

245 Военных не страшися бед:
Бежит оттуду бранный вред,
Народ где Анну прославляет.
Пусть злобна зависть яд свой льет,
Пусть свой язык, ярясь, грызет;
250 То наша радость презирает.

Козацких поль заднестрской тать
Разбит, прогнан, как прах развеян,
Не смеет больше уж топтать,
С пшеницой где покой насеян.
255 Безбедно едет в путь купец,
И видит край волнам пловец,
Нигде не знал, плывя, препятства.
Красуется велик и мал;
Жить хочет век, кто в гроб желал;
260 Влекут к тому торжеств изрядства.

Пастух стада гоняет в луг
И лесом без боязни ходит;
Пришед, овец пасет где друг,
С ним песню новую заводит.
265 Солдатску храбрость хвалит в ней,
И жизни часть блажит своей,
И вечно тишины желает
Местам, где толь спокойно спит;
И ту, что от врагов хранит,
270 Простым усердьем прославляет.

Любовь России, страх врагов,
Страны полночной Героиня,
Седми пространных морь брегов
Надежда, радость и богиня,
275 Велика Анна, ты доброт
Сияешь светом и щедрот:
Прости, что раб твой к громкой славе,
Звучит что крепость сил твоих,

Придать дерзнул некрасной стих
280 В подданства знак твоей державе.

1739

## 28 Письмо о правилах российского стихотворства

Почтеннейшие господа!

Ода, которую вашему рассуждению вручить ныне высокую честь имею, не что иное есть, как только превеликия оныя радости плод, которую непобедимейшия нашея мо-
5 нархини преславная над неприятелями победа в верном и ревностном моем сердце возбудила. Моя продерзость вас неискусным пером утруждать только от усердныя к отечеству и его слову любви происходит. Подлинно, что для скудости к сему предприятию моих сил лучше бы мне молчать было.
10 Однако не сомневаясь, что ваше сердечное радение к распространению и исправлению российского языка и мое в сем неискусство и в российском стихотворстве недовольную способность извинит, а доброе мое намерение за благо примет, дерзнул наималейший сей мой труд купно со сле-
15 дующим *о нашей версификации вообще рассуждением* вашему предложить искусству. Не пристрастие меня к сему понудило, чтобы большее искусство имеющим правила давать, но искренное усердие заставило от вас самих научиться, правдивы ли оные мнения, что я о нашем стихосложении имею
20 и по которым доныне, стихи сочиняя, поступаю. И так, начиная оное вам, мои господа, предлагать, прежде кратко объявляю, на каких я основаниях оные утверждаю.

Первое и главнейшее мне кажется быть сие: российские стихи надлежит сочинять по природному нашего языка
25 свойству; а того, что ему весьма несвойственно, из других языков не вносить.

Второе: чем российской язык изобилен и что в нем к версификации угодно и способно, того, смотря на скудость другой какой-нибудь речи или на небрежение в оной нахо-
30 дящихся стихотворцев, не отнимать; но как собственное и природное употреблять надлежит.

Третие: понеже наше стихотворство только лишь начинается, того ради, чтобы ничего неугодного не ввести, а хорошего не оставить, надобно смотреть, кому и в чем
35 лучше последовать.

На сих трех основаниях утверждаю я следующие правила.

Первое: в российском языке те только слоги долги, над которыми стоит сила, а прочие все коротки. Сие самое природное произношение нам очень легко показывает. Того
40 ради совсем худо и свойству славенского языка, которой с нынешним нашим не много разнится, противно учинил Смотрицкий, когда он *е*, *о* за короткие, *а*, *i*, *v* за общие, *и*, *ѣ*, *ω* с некоторыми двугласными и со всеми гласными, что пред двумя или многими согласными стоят, за долгие почел. Его,
45 как из первого параграфа его просодии видно, обманула Матфея Стриковского Сарматская хронология, или он, может быть, на сих Овидиевых стихах утверждался: de Ponto, lib. IV, eleg. 13.

A! pudet, et Getico scripsi sermone libellum,
50 Structaque sunt nostris barbara verba modis,
Et placui, — gratare mihi — coepique poetae
Inter inhumanos nomen habere Getas.

Ежели Овидий, будучи в ссылке в Томах, старинным славенским, или болгарским, или сарматским языком стихи
55 на латинскую стать писал, то откуду Славенския грамматики автору на ум пришло долгость и краткость слогов совсем греческую, а не латинскую принять, не вижу. И хотя Овидий в своих стихах, по обыкновению латинских стихотворцев, стопы и, сколько из сего гексаметра

60 Materiam quaeris? Laudes de Caesare dixi (*ibidem*).

заключить можно, двоесложные и троесложные в героическом своем поэмате употреблял, однако толь высокого разума пиита не надеюсь, что так погрешил, чтобы ему долгость и краткость слогов, латинскому или греческому
65 языку свойственную, в оные стихи ввести, которые он на чужом и весьма особливом языке писал. И ежели древней оный язык от нынешнего нашего не очень был различен, то

употреблял остроумный тот стихотворец в стихах своих не иные, как только те за долгие слоги, на которых акцент стоит, а прочие все за краткие. Следовательно, гексаметры, употребляя вместо спондеев для их малости хореи, тем же образом писал, которым следующие российские сочинены:

> Счастлива красна была весна, все лето приятно.
> Только мутился песок, лишь белая пена кипела.

А пентаметры:

> Как обличаешь, смотри больше свои на дела.
> Ходишь с кем всегда, бойся того подопнуть.

А не так, как Славенския грамматики автор:

> Сарматски новорастныя музы стопу перву,
> Тщащуюся Парнас во обитель вечну заяти,
> Христе царю, приими и, благоволив тебе с отцем, и проч.

Сии стихи коль славенского языка свойству противны, всяк видеть может, кто оной разумеет. Однако не могу я и оных сим предпочитать, в которых все односложные слова за долгие почитаются. Причина сего всякому россиянину известна. Кто будет протягивать единосложные союзы и многие во многих случаях предлоги? Самые имена, местоимения и наречия, стоя при других словах, свою силу теряют. Например: за сто лет; под мост упал; ревет как лев. Что ты знаешь? По оному королларию, в котором сие правило счастливо предложено, сочиненные стихи, хотя быть гексаметрами, в истые и изрядные, из анапестов и ямбов состоящие пентаметры попали, например:

> ◡ ◡ – ◡ – ◡ – ◡ ◡ – ◡ – ◡
> Не возможно сердцу, ах! не иметь печали.

По моему мнению, наши единосложные слова иные всегда долги, как: *Бог*, *храм*, *свят*; иные кратки, например союзы: *же*, *да*, *и*; а иные иногда кратки, иногда долги, например: *на море*, *по году*, *на волю*, *по горé*.

Второе правило: во всех российских правильных стихах, долгих и коротких, надлежит нашему языку свойственные стопы, определенным числом и порядком учрежденные,

употреблять. Оные каковы быть должны, свойство в нашем языке находящихся слов оному учит. Доброхотная природа как во всем, так и в оных довольное России дала изобилие.
105 В сокровище нашего языка имеем мы долгих и кратких речений неисчерпаемое богатство; так что в наши стихи без всякия нужды двоесложные и троесложные стопы внести, и в том грекам, римлянам, немцам и другим народам, в версификации правильно поступающим, последовать
110 можем. Не знаю, чего бы ради иного наши гексаметры и все другие стихи, с одной стороны, так запереть, чтобы они ни больше, ни меньше определенного числа слогов не имели, а с другой, такую волю дать, чтобы вместо хорея свободно было положить ямба, пиррихия и спондея, а сле-
115 довательно, и всякую прозу стихом называть, как только разве последуя на рифмы кончащимся польским и французским строчкам? Неосновательное оное употребление, которое в Московские школы из Польши принесено, никакого нашему стихосложению закона и правил дать не может.
120 Как оным стихам последовать, о которых правильном порядке тех же творцы не радеют? Французы, которые во всем хотят натурально поступать, однако почти всегда противно своему намерению чинят, нам в том, что до стоп надлежит, примером быть не могут: понеже, надеясь на
125 свою фантазию, а не на правила, толь криво и косо в своих стихах слова склеивают, что ни прозой, ни стихами назвать нельзя. И хотя они так же, как и немцы, могли бы стопы употреблять, что сама природа иногда им в рот кладет, как видно в первой строфе оды, которую Боало Депро на сдачу
130 Намура сочинил:

> Quelle docte et sainte ivresse
> Aujourd'hui me fait la loi?
> Chastes Nymphes du Permesse *etc.*

однако нежные те господа, на то не смотря, почти однеми
135 рифмами себя довольствуют. Пристойным весьма символом французскую поэзию некто изобразил, представив оную на театре под видом некоторыя женщины, что, сугорбившись и

раскарячившись, при музыке играющего на скрыпице сатира танцует. Я не могу довольно о том нарадоваться, что рос-
140 сийский наш язык не токмо бодростию и героическим звоном греческому, латинскому и немецкому не уступает, но и подобную оным, а себе купно природную и свойственную версификацию иметь может. Сие толь долго пренебреженное счастие чтобы совсем в забвении не осталось, умыслил
145 я наши правильные стихи из некоторых определенных стоп составлять и от тех, как в вышеозначенных трех языках обыкновенно, оным имена дать.

Первый род стихов называю *ямбическим*, которой из одних только ямбов состоит:

∪ –∪ – ∪ – ∪ –

150 Белеет будто снег лицом.

Второй *анапестическим*, в котором только одни анапесты находятся:

∪ ∪ – ∪ ∪ – ∪ ∪ – ∪ ∪ –

Начертан многократно в бегущих волнах.

Третий из *ямбов и анапестов смешенным*, в котором, по нужде или
155 произволению, поставлены быть могут, как случится:

∪ – ∪ ∪ – ∪ – ∪ –

Во пищу себе червей хватать.

Четвертый *хореическим*, что одни хореи составляют:

– ∪ –∪ – ∪ – ∪

Свет мой, знаю, что пылает.

– ∪– ∪ – ∪ –∪

Мне моя не служит доля.

160 Пятой *дактилическим*, которой из единых только дактилей состоит:

– ∪ ∪– ∪ ∪– ∪ ∪ – ∪ ∪ – ∪ ∪ –∪ ∪

Вьется кругами змиа по траве, обновившись в расселине.

Шестой из *хореев и дактилей смешенным*, где, по нужде или по изволению, ту и другую употреблять можно стóпу.

– ∪ ∪– ∪ – ∪ – ∪ – ∪ ∪ – ∪

165 Ежель боится, кто не стал бы силен безмерно.

Сим образом расположив правильные наши стихи, нахожу шесть родов гексаметров, столько ж родов *пентаметров*, *тетраметров*, *триметров* и *диметров*, а следовательно, всех тридцать родов.

Неправильными и вольными стихами те называю, в которых вместо ямба или хорея можно пиррихия положить. Оные стихи употребляю я только в песнях, где всегда определенное число слогов быть надлежит. Например, в сем стихе вместо ямба пиррихий положен:

◡ – ◡ – ◡ ◡ ◡ – ◡
Цветы, румянец умножайте.

А здесь вместо хорея:

– ◡ ◡ ◡ – ◡ – ◡
Солнцева сестра забыла.

Хорея вместо ямба и ямба вместо хорея в вольных стихах употребляю я очень редко, да и то ради необходимыя нужды или великия скорости: понеже они совсем друг другу противны.

Что до *цезуры* надлежит, оную, как мне видится, в средине правильных наших стихов употреблять и оставлять можно. Долженствует ли она в нашем гексаметре для одного только отдыху быть неотменно, то может рассудить всяк по своей силе. Тому в своих стихах оную всегда оставить позволено, кто одним духом тринадцати слогов прочитать не может. За наилучшие, велелепнейшие и к сочинению легчайшие, во всех случаях скорость и тихость действия и состояния всякого пристрастия изобразить наиспособнейшие оные стихи почитаю, которые из анапестов и ямбов состоят.

Чистые ямбические стихи хотя и трудновато сочинять, однако, поднимаяся тихо вверьх, материи благородство, великолепие и высоту умножают. Оных нигде не можно лучше употреблять, как в торжественных одах, что я в моей нынешней и учинил. Очень также способны и падающие, или из хореев и дактилев составленные, стихи к изображению крепких и слабых аффектов, скорых и тихих действий быть видятся. Пример скорого и ярого действия:

200 Бре́вна катайте наверьх, каменья и го́ры валите,
Лес бросайте, живучей выжав дух, задавите.

Протчие роды стихов, рассуждая состояние и важность материи, также очень пристойно употреблять можно, о чем подробну упоминать для краткости времени оставляю.

205 Третие: российские стихи красно и свойственно на *мужеские*, *женские и три литеры гласные*, *в себе имеющие рифмы*, подобные италианским, могут кончиться. Хотя до сего времени только одне женские рифмы в российских стихах употребляемы были, а мужеские и от третьего слога начина- 210 ющиеся заказаны, однако сей заказ толь праведен и нашей версификации так свойствен и природен, как ежели бы кто обеими ногами здоровому человеку всегда на одной скакать велел. Оное правило начало свое имеет, как видно, в Польше, откуду пришед в Москву, нарочито вкоренилось. 215 Неосновательному оному обыкновению так мало можно последовать, как самим польским рифмам, которые не могут иными быть, как только женскими: понеже все польские слова, выключая некоторые односложные, силу над предкончаемом слоге имеют. В нашем языке толь же довольно 220 на последнем и третием, коль над предкончаемом слоге силу имеющих слов находится: то для чего нам оное богатство пренебрегать, без всякия причины самовольную нищету терпеть и только однеми женскими побрякивать, а мужеских бодрость и силу, тригласных устремление и высоту остав- 225 лять? Причины тому никакой не вижу, для чего бы мужеские рифмы толь смешны и подлы были, чтобы их только в комическом и сатирическом стихе, да и то еще редко, употреблять можно было? и чем бы святее сии женские рифмы: *красовулях*, *ходулях* следующих мужеских: *восток*, 230 *высок* были? по моему мнению, подлость рифмов не в том состоит, что они больше или меньше слогов имеют, но что оных слова подлое или простое что значат.

Четвертое: российские стихи так же кстати, красно и свойственно сочетоваться могут, как и немецкие. Понеже 235 мы *мужеские*, *женские* и *тригласные* рифмы иметь можем, то услаждающая всегда человеческие чувства перемена оные

меж собою перемешивать пристойно велит, что я почти во всех моих стихах чинил. Подлинно, что всякому, кто одне женские рифмы употребляет, сочетание и перемешка стихов
240 странны кажутся; однако ежели бы он к сему только применился, то скоро бы увидел, что оное толь же приятно и красно, коль в других европейских языках. Никогда бы мужеская рифма перед женскою не показалася, как дряхлой, черной и девяносто лет старой арап перед наипоклоняемою,
245 наинежною и самым цветом младости сияющею европейскою красавицею.

Здесь предлагаю я некоторые строфы из моих стихов в пример стоп и сочетания. Тетраметры, из анапестов и ямбов сложенные:

250 На восходе солнце как зардится,
Вылетает вспыльчиво хищный вcovered

Глаза кровавы, сам вертится;
Удара не сносит север в бок,
Господство дает своему победителю,
255 Пресильному вод морских возбудителю,
Свои тот зыби на прежни возводит,
Являет полность силы своей,
Что южной страной владеет всей,
Индийски быстро острова проходит.

260 Вольные встающие тетраметры:

Одна с Нарциссом мне судьбина,
Однака с ним любовь моя.
Хоть я не сам тоя причина,
Люблю Миртиллу, как себя.

265 Вольные падающие тетраметры:

Нимфы окол нас кругами
Танцовали поючи,
Всплескиваючи руками,
Нашей искренной любви
270 Веселяся привечали
И цветами нас венчали.

Ямбические триметры:

Весна тепло ведет,
Приятной запад веет,
275 Всю землю солнце греет;
В моем лишь сердце лед,
Грусть прочь забавы бьет.

Но, мои господа, опасаяся, чтобы неважным сим моим письмом вам очень долго не наскучить, с покорным проше-
280 нием заключаю. Ваше великодушие, ежели мои предложенные *о российской версификации мнения* нашему языку несвойственны и непристойны, меня извинит. Не с иным коим намерением я сие учинить дерзнул, как только чтобы оных благосклонное исправление или беспристрастное подкреп-
285 ление для большего к поэзии поощрения от вас получить. Чего несомненно надеясь, остаюсь, почтеннейшие господа,

ваш покорнейший слуга

*Михайло Ломоносов*

1739

## 29 Ода на день восшествия на всероссийский престол ея Величества Государыни Императрицы Елисаветы Петровны, 1747 года

Царей и царств земных отрада,
Возлюбленная тишина,
Блаженство сел, градов ограда,
Коль ты полезна и красна!
5 Вокруг тебя цветы пестреют,
И класы на полях желтеют;
Сокровищ полны корабли
Дерзают в море за тобою;
Ты сыплешь щедрою рукою
10 Свое богатство по земли.

Великое светило миру,
Блистая с вечной высоты
На бисер, злато и порфиру,

На все земные красоты,
15 Во все страны свой взор возводит,
Но краше в свете не находит
Елисаветы и тебя.
Ты кроме той всего превыше;
Душа ея зефира тише,
20 И зрак прекраснее рая́.

Когда на трон она вступила,
Как Вышний подал ей венец,
Тебя в Россию возвратила,
Войне поставила конец;
25 Тебя прияв облобызала:
Мне полно тех побед, сказала,
Для коих крови льется ток.
Я россов счастьем услаждаюсь,
Я их спокойством не меняюсь
30 На целый запад и восток.

Божественным устам приличен,
Монархиня, сей кроткий глас:
О коль достойно возвеличен
Сей день и тот блаженный час,
35 Когда от радостной премены
Петровы возвышали стены
До звезд плескание и клик!
Когда ты крест несла рукою
И на престол взвела с собою
40 Доброт твоих прекрасный лик!

Чтоб слову с оными сравняться
Достаток силы нашей мал;
Но мы не можем удержаться
От пения твоих похвал.
45 Твои щедроты ободряют
Наш дух и к бегу устремляют,
Как в понт пловца способный ветр

Чрез яры волны порывает;
Он брег с весельем оставляет;
50 Летит корма меж водных недр.

Молчите, пламенные звуки,
И колебать престаньте свет;
Здесь в мире расширять науки
Изволила Елисавет.
55 Вы, наглы вихри, не дерзайте
Реветь, но кротко разглашайте
Прекрасны наши времена.
В безмолвии внимай, вселенна:
Се хощет лира восхищенна
60 Гласить велики имена.

Ужасный чудными делами
Зиждитель мира искони
Своими положил судьбами
Себя прославить в наши дни;
65 Послал в Россию Человека,
Каков неслыхан был от века.
Сквозь все препятства он вознес
Главу, победами венчанну,
Россию, грубостью попранну,
70 С собой возвысил до небес.

В полях кровавых Марс страшился,
Свой меч в Петровых зря руках,
И с трепетом Нептун чудился,
Взирая на российский флаг.
75 В стенах внезапно укрепленна
И зданиями окруженна
Сомненная Нева рекла:
Или я ныне позабылась
И с оного пути склонилась,
80 Которым прежде я текла?

Тогда божественны науки,
Чрез горы, реки и моря
В Россию простирали руки,
К сему монарху говоря:
85 Мы с крайним тщанием готовы
Подать в российском роде новы
Чистейшего ума плоды.
Монарх к себе их призывает,
Уже Россия ожидает
90 Полезны видеть их труды.

Но ах, жестокая судьбина!
Бессмертия достойный муж,
Блаженства нашего причина,
К несносной скорби наших душ
95 Завистливым отторжен роком,
Нас в плаче погрузил глубоком!
Внушив рыданий наших слух,
Верьхи Парнасски восстенали,
И музы воплем провождали
100 В небесну дверь пресветлый дух.

В толикой праведной печали
Сомненный их смущался путь;
И токмо шествуя желали
На гроб и на дела взглянуть.
105 Но кроткая Екатерина,
Отрада по Петре едина,
Приемлет щедрой их рукой.
Ах, если б жизнь ея продлилась,
Давно б Секвана постыдилась
110 С своим искусством пред Невой!

Какая светлость окружает
В толикой горести Парнас?
О коль согласно там бряцает
Приятных струн сладчайший глас!

115 Все холмы покрывают лики;
В долинах раздаются клики:
Великая Петрова дщерь
Щедроты отчи превышает,
Довольство муз усугубляет
120 И к счастью отверзает дверь.

Великой похвалы достоин,
Когда число своих побед
Сравнить сраженьям может воин
И в поле весь свой век живет;
125 Но ратники ему подвластны
Всегда хвалы его причастны,
И шум в полках со всех сторон
Звучащу славу заглушает,
И грому труб ея мешает
130 Плачевный побежденных стон.

Сия тебе единой слава,
Монархиня, принадлежит,
Пространная твоя держава
О как тебе благодарит!
135 Воззри на горы превысоки,
Воззри в поля свои широки,
Где Волга, Днепр, где Обь течет;
Богатство в оных потаенно
Наукой будет откровенно,
140 Что щедростью твоей цветет.

Толикое земель пространство
Когда Всевышний поручил
Тебе в счастливое подданство,
Тогда сокровища открыл,
145 Какими хвалится Инди́я;
Но требует к тому Россия
Искусством утвержденных рук.
Сие злату́ очистит жилу;

Почувствуют и камни силу
150 Тобой восставленных наук.

Хотя всегдашними снегами
Покрыта северна страна,
Где мерзлыми борей крылами
Твои взвевает знамена;
155 Но Бог меж льдистыми горами
Велик своими чудесами:
Там Лена чистой быстриной,
Как Нил, народы напаяет
И бреги наконец теряет,
160 Сравнившись морю шириной.

Коль многи смертным неизвестны
Творит натура чудеса,
Где густостью животным тесны
Стоят глубокие леса,
165 Где в роскоши прохладных теней
На паства скачущих еленей
Ловящих крик не разгонял;
Охотник где не метил луком;
Секирным земледелец стуком
170 Поющих птиц не устрашал.

Широкое открыто поле,
Где музам путь свой простирать!
Твоей великодушной воле
Что можем за сие воздать?
175 Мы дар твой до небес прославим
И знак щедрот твоих поставим,
Где солнца всход и где Амур
В зеленых берегах крутится,
Желая паки возвратиться
180 В твою державу от Манжур.

Се мрачной вечности запону
Надежда отверзает нам!

Где нет ни правил, ни закону,
Премудрость тамо зиждет храм;
185 Невежество пред ней бледнеет.
Там влажный флота путь белеет,
И море тщится уступить:
Колумб российский через воды
Спешит в неведомы народы
190 Твои щедроты возвестить.

Там тьмою островов посеян,
Реке подобен Океан;
Небесной синевой одеян,
Павлина посрамляет вран.
195 Там тучи разных птиц летают,
Что пестротою превышают
Одежду нежныя весны;
Питаясь в рощах ароматных
И плавая в струях приятных,
200 Не знают строгия зимы.

И се Минерва ударяет
В верьхи Рифейски копием;
Сребро и злато истекает
Во всем наследии твоем.
205 Плутон в расселинах мятется,
Что россам в руки предается
Драгой его металл из гор,
Которой там натура скрыла;
От блеску дневного светила
210 Он мрачный отвращает взор.

О вы, которых ожидает
Отечество от недр своих
И видеть таковых желает,
Каких зовет от стран чужих,
215 О ваши дни благословенны!
Дерзайте ныне ободренны

Раченьем вашим показать,
Что может собственных Платонов
И быстрых разумом Невтонов
220 Российская земля раждать.

Науки юношей питают,
Отраду старым подают,
В счастливой жизни украшают,
В несчастной случай берегут;
225 В домашних трудностях утеха
И в дальних странствах не помеха.
Науки пользуют везде,
Среди народов и в пустыне,
В градском шуму́ и на еди́не,
230 В покое сладки и в труде.

Тебе, о милости источник,
О ангел мирных наших лет!
Всевышний на того помощник,
Кто гордостью своей дерзнет,
235 Завидя нашему покою,
Против тебя восстать войною;
Тебя Зиждитель сохранит
Во всех путях беспреткновенну
И жизнь твою благословенну
240 С числом щедрот твоих сравнит.

1747

## 30 Преложение Псалма I

Блажен, кто к злым в совет не ходит,
Не хочет грешным в след ступать
И с тем, кто в пагубу приводит,
В согласных мыслях заседать,

5 Но волю токмо подвергает
Закону Божию во всем

И сердцем оный наблюдает
Во всем течении своем.

Как древо, он распространится,
10 Что близ текущих вод растет,
Плодом своим обогатится,
И лист его не отпадет.

Он узрит следствия поспешны
В незлобивых своих делах;
15 Но пагубой смятутся грешны,
Как вихрем восхищенный прах.

И так злодеи не восстанут
Пред вышняго Творца на суд,
И праведны не воспомянут
20 В своем соборе их отнюд.

Господь на праведных взирает
И их в пути своем хранит;
От грешных взор свой отвращает
И злобный путь их погубит.

между 1749 и 1751

## 31 Собрание разных сочинений в стихах и в прозе
## Предисловие
## О пользе книг церьковных в российском языке

[начало]

В древние времена, когда славенский народ не знал употребления письменно изображать свои мысли, которые тогда были тесно ограничены для неведения многих вещей 5 и действий, ученым народам известных, тогда и язык его не мог изобиловать таким множеством речений и выражений разума, как ныне читаем. Сие богатство больше всего приобретено купно с греческим христианским законом, когда

церьковные книги переведены с греческого языка на славенский для славословия Божия. Отменная красота, изобилие,
10 важность и сила эллинского слова коль высоко почитается, о том довольно свидетельствуют словесных наук любители. На нем, кроме древних Гомеров, Пиндаров, Демосфенов и других в эллинском языке героев, витийствовали великие христианския церькви учители и творцы, возвышая древнее
15 красноречие высокими богословскими догматами и парением усердного пения к Богу. Ясно сие видеть можно вникнувшим в книги церьковные на славенском языке, коль много мы от переводу ветхого и нового завета, поучений отеческих, духовных песней Дамаскиновых и других твор-
20 цев канонов видим в славенском языке греческого изобилия и оттуду умножаем довольство российского слова, которое и собственным своим достатком велико и к приятию греческих красот посредством славенского сродно. Правда, что многие места оных переводов не довольно вразумительны;
25 однако польза наша весьма велика. При сем хотя нельзя прекословить, что сначала переводившие с греческого языка книги на славенский не могли миновать и довольно остеречься, чтобы не принять в перевод свойств греческих, славенскому языку странных, однако оные чрез долготу времени
30 слуху славенскому перестали быть противны, но вошли в обычай. И так что предкам нашим казалось невразумительно, то нам ныне стало приятно и полезно.

Справедливость сего доказывается сравнением российского языка с другими, ему сродными. Поляки, преклонясь
35 издавна в католицкую веру, отправляют службу по своему обряду на латинском языке, на котором их стихи и молитвы сочинены во времена варварские по большой части от худых авторов, и потому ни из Греции, ни от Рима не могли снискать подобных преимуществ, каковы в нашем языке от
40 греческого приобретены. Немецкой язык по то время был убог, прост и бессилен, пока в служении употреблялся язык латинской. Но как немецкой народ стал священные книги читать и службу слушать на своем языке, тогда богатство его умножилось, и произошли искусные писатели. Напротив

45 того, в католицких областях, где только одну латынь, и то варварскую, в служении употребляют, подобного успеха в чистоте немецкого языка не находим.

Как материи, которые словом человеческим изображаются, различествуют по мере разной своей важности, так и 50 российский язык чрез употребление книг церьковных по приличности имеет разные степени, *высокой*, *посредственной и низкой*. Сие происходит от трех родов речений российского языка. К первому причитаются, которые у древних славян и ныне у россиян общеупотребительны, например: *Бог*, *слава*, 55 *рука*, *ныне*, *почитаю*. Ко второму принадлежат, кои хотя обще употребляются мало, а особливо в разговорах, однако всем грамотным людям вразумительны, например: *отверзаю*, *Господень*, *насажденный*, *взываю*. Неупотребительные и весьма обетшалые отсюда выключаются, как: *обаваю*, *рясны*, *овогда*, 60 *свене* и сим подобные. К третьему роду относятся, которых нет в остатках славенского языка, то есть в церьковных книгах, например: *говорю*, *ручей*, *которой*, *пока*, *лишь*. Выключаются отсюда презренные слова, которых ни в каком штиле употребить не пристойно, как только в подлых 65 комедиях.

От рассудительного употребления и разбору сих трех родов речений раждаются три штиля, *высокой*, *посредственной и низкой*. Первой составляется из речений славенороссийских, то есть употребительных в обоих наречиях, и из 70 славенских, россиянам вразумительных и не весьма обетшалых. Сим штилем составляться должны героические поэмы, оды, прозаичные речи о важных материях, которым они от обыкновенной простоты к важному великолепию возвышаются. Сим штилем преимуществует российский язык 75 перед многими нынешними европейскими, пользуясь языком славенским из книг церьковных.

Средней штиль состоять должен из речений, больше в российском языке употребительных, куда можно принять некоторые речения славенские, в высоком штиле употре-80 бительные, однако с великою осторожностию, чтобы слог не казался надутым. Равным образом употребить в нем можно низкие слова; однако остерегаться, чтобы не опуститься в подлость. И словом, в сем штиле должно наблюдать всевозможную равность, которая особливо тем теряется, 85 когда речение славенское положено будет подле российского простонародного. Сим штилем писать все театральные сочинения, в которых требуется обыкновенное человеческое слово к живому представлению действия. Однако может и первого рода штиль иметь в них место, где потребно 90 изобразить геройство и высокие мысли; в нежностях должно от того удаляться. Стихотворные дружеские письма, сатиры, эклоги и элегии сего штиля больше должны держаться. В прозе предлагать им пристойно описания дел достопамятных и учений благородных.

95 Низкой штиль принимает речения третьего рода, то есть которых нет в славенском диалекте, смешивая со средними, а от славенских обще неупотребительных вовсе удаляться, по пристойности материй, каковы суть комедии, увеселительные эпиграммы, песни; в прозе дружеские письма, 100 описания обыкновенных дел. Простонародные низкие слова могут иметь в них место по рассмотрению. Но всего сего подробное показание надлежит до нарочного наставления о чистоте российского штиля.

1758

## 32 Петр Великий

### Героическая поэма

[начало]

Начало моего великого труда
Прими, предстатель муз, как принимал всегда
Сложения мои, любя российско слово,
И тем стремление к стихам давал мне ново.
5 Тобою поощрен в сей путь пустился я:
Ты будешь оного споспешник и судья.

И многи и сия дана тебе добро́та,
К словесным знаниям прехвальная охота.
Природный видит твой и просвещенный ум,
10 Где мысли важные и где пустых слов шум.
Мне нужен твоего рассудок тонкой слуха,
Чтоб слабость своего возмог признать я духа.
Когда под бременем поникну утомлен,
Вниманием твоим восстану ободрен.
15 Хотя вослед иду Виргилию, Гомеру,
Не нахожу и в них довольного примеру.
Не вымышленных петь намерен я богов,
Но истинны дела, великий труд Петров.
Достойную хвалу воздать сему Герою
20 Труднее, нежели как в десять лет взять Трою.
О если б было то в возможности моей;
Беглец Виргилиев из отчества Эней
Едва б с Мазепою в стихах моих сравнился,
И басней бы своих Виргилий устыдился.
25 Улиссовых сирен и Ахиллесов гнев
Вовек бы заглушил попранный ревом Лев.
За кем же я пойду? вслед подвигам Петровым
И возвышением стихов геройских новым
Уверю целые вселенныя концы,
30 Что тем я заслужу парнасские венцы:
Что первый пел дела такого Человека,
Каков во всех странах не слыхан был от века.
Хотя за знание служил мне в том талан,
Однако скажут все: я был судьбой избран.
35 Желая в ум вперить дела Петровы громки,
Описаны в моих стихах прочтут потомки.
Обильные луга, прекрасны бреги рек,
И только где живет российской человек
И почитающи Россию все язы́ки,
40 У коих по трудам прославлен Петр Великий,
Достойну для него дадут сим честь стихам
И станут их гласить по рощам и лесам.

1756–60

# АЛЕКСАНДР ПЕТРОВИЧ СУМАРОКОВ

1717–77

**33**

## Хорев

### Трагедия в пяти действиях

Действующие лица

Кий, князь российский
Хорев, брат и наследник его
Завлох, бывший князь Киева-града
Оснельда, дочь Завлохова
Сталверх, первый боярин Киев
Велькар, наперсник Хоревов
Астрада, мамка Оснельдина
Два стража
Три воина
Пленник

Действие в Киеве, в княжеском доме

### Действие I, явление 3

[начало]

Оснельда и Хорев

Хорев

Готовься к радостям, княжна, в сей день желанный,
Уж час приближился, тобой толь часто званный,
Уже открылся путь тебе из здешних стен,
Ступай и покидай места сии и плен,
5 Родитель твой в сей день тебя к себе желает,
А Кий, мой брат, на то уже соизволяет.
Внимай из уст моих желаемый отъезд,
Но, отлучаяся из сих противных мест,
Которые тебя в неволе содержали,
10 Когда дни счастливы Завлоха пробежали,
Хотя единою утробой я рожден
Со князем, коим твой родитель побежден,
Не ставь меня врагом. Мной, сколько можно было,
Несчастие тебя под стражею щадило;
15 Я тщился оное вседневно облегчать...
Ты плачешь, но к чему так сердце отягчать?

Или воспомнила ты Киеву досаду?
Но я противного не подавал и взгляду.

Оснельда

Я плачу, что тебе бессильна отслужить;
20 Но верь мне, верь, мой князь, где я ни буду жить,
Я милостей твоих вовеки не забуду
И с ними вспоминать тебя по гроб мой буду.
О солнце, кое здесь в последний раз я зрю!
О солнце! Ты то зришь, от сердца ль говорю!
25 В том ты свидетель будь, что имя милосердо,
Доколе я жива, пребудет очень твердо.

Хорев

Впоследние уже любезный слыша глас
И видя пред собой тебя в последний раз,
Прошу тебя, скажи, скажи, княжна драгая,
30 Мои усердия в уме располагая,
Возмог ли сердце я твое когда тронýть?
И чувствовала ли твоя хоть мало грудь
Тобой в моей крови произведенный пламень?
Но можно ль воспалить огнем любовным камень?!
35 Я многажды тебе горячность открывал,
Которою меня твой сильно взор терзал.
Открытие сие мя паче тяготило,
Что слово на него ни разу не польстило.
Но кая красота мне язву подала
40 И во отчаянном уме моем жила?
Я чаял, я рожден к единой только брани,
Противников карать и налагати дани,
Но бог любви тобой ту ярость умягчил,
Твой взор меня вздыхать во славе научил.
45 Когда твои глаза надежду мне давали,
А беспристрастные слова мне сердце рвали,
Я слабости своей стыдился и стенал
И в горести моей, что делати, не знал,
Против тебя, против себя вооружался,

50 И пламень мой тобой вседневно умножался.
Я тщился много раз, дабы тебя забыть,
И мнился иногда уже свободен быть,
Но, вспомнив, я опять то чувствовал, что страстен.
Сей гордый дух тебе стал вечно быть подвластен.

Оснельда

55 Ах, князь, к чему уж то, что я тебе мила?
К чему тебе желать, чтоб я склонна была?
Не мучь меня, не мучь, не извлекай слез реки;
Уж больше не видать тебе меня вовеки.
Когда тебе судьба претит меня любить,
60 Старайся ты меня из мысли истребить.

Хорев

Коль любишь, так скажи, исполнь мое желанье;
Пускай останется хотя воспоминанье.

Оснельда

Люблю... Доволен ли? Поди из глаз моих,
Оставь меня в тоске, останься в мыслях сих.
65 Я все вздыхания свои напрасно трачу.
Мне время отъезжать, а я лишь только плачу.
Ищи другой любви. Довольно в свете дев,
Которым будет мил любезный мой Хорев.

1747

## 34 Лисица и статуя

*К Елисавете Васильевне Херасковой*

Я ведаю, что ты парнасским духом дышишь,
Стихи ты пишешь.
Не возложил никто на женский разум уз.
Чтоб дамам не писать, в котором то законе?
5 Минерва — женщина, и вся беседа муз
Не пола мужеска на Геликоне.
Пиши! Не будешь тем ты меньше хороша,

В прекрасной быть должна прекрасна и душа,
А я скажу то смело,
10 Что самое прекраснейшее тело
Без разума — посредственное дело.
Послушай, что тебе я ныне донесу
Про Лису:
В каком-то Статую она нашла лесу;
15 Венера то была работы Праксителя.
С полпуда говорит Лисица слов ей, меля:
«Промолви, кумушка!» — Лисица ей ворчит,
А кумушка молчит.
Пошла Лисица прочь, и говорит Лисица:
20 «Прости, прекрасная девица,
В которой нет ни капельки ума!
Прости, прекрасная и глупая кума!»
А ты то ведаешь, Хераскова, сама,
Что кум таких довольно мы имеем,
25 Хотя мы дур и дураков не сеем.

1761

**35**

## Опекун

### Комедия в одном действии

Действующие лица

Чужехват, дворянин
Сострата, дворянская дочь
Валерий, любовник Состратин
Ниса, дворянка и служанка Чужехватова
Пасквин, слуга Чужехватов
Палемон, друг покойного отца Валериева
Секретарь
Солдаты

Действие в Санктпетербурге

### Явление 10

Чужехват, Валерий и Сострата

Чужехват. С роду моего я себе не представлял этого, чтобы женщина могла сопротивляться любви такого человека, у которого много денег, и это мне совсем неестественно кажется; деньги всего преимущественнее в мире, и потомуто,

5 что человек их иметь может, и создан он по образу и по подобию Божию. Естество две имеет души: солнце и деньги; солнце сотворил Бог, а деньги сотворил человек; и потому-то он уподобляется создателю подсолнечныя, для того, что во всей подсолнечной ничего нет полезнее солнца
10 и денег.

Сострата. Что это, сударь, такое?

Чужехват. Надобно скорее послать за лекарем: Ниcаньке надобно кровь пустить.

Сострата. Да она совсем здорова, я ее теперь видела.

15 Чужехват. Даром то, что ты ее теперь видела; однако она в жестокой горячке и бредит, и в уме совсем повредилася.

Сострата. Из чего вы это заключаете?

Чужехват. Из того, что я хочу на ней жениться, она за
20 меня нейдет.

Валерий (*особливо*). Кровь-то пустить надобно ему, а не ей.

Сострата. Это, сударь, удивительно, что она за вас нейдет.

25 Чужехват. Чудно и непонятно.

Валерий. Это мне чудно и непонятно, что она за вас не выходит; однако и то мне чудно ж и непонятно, ради чего вы за меня Сострату выдать не хотите?

Сострата. И предпочитаете ему многих безумцев, ко-
30 торых вы мне в женихи избираете.

Чужехват. Коли вы меня это сказать принуждаете, так я вам это на прямые выговорю денежки: те, которых я избираю, люди или совершенно староманерные, или совершенно новоманерные; а ты, друг мой, ни то ни се, ни мясо ни рыба
35 и не следуешь никакой моде, ни прародительской, ни нынешней.

Валерий. Я следую, сударь, только чистосердечию, здравому рассудку, простоте природы и благопристойности вкуса; а эта мода никогда не переменяется, хотя и не всеми,
40 да только одними теми последуема, которые достойны имени человеческого.

Чужехват. Однако кафтан-ат на тебе не по простоте природы сделан; волосы-то у тебя не по простоте природы; а о маншетах-то природа и не думывала.

45 Валерий. Я, сударь, и в этом не скоропостижен; а в таких мелочах на что от людей отставать: выдумывать моды — мелочь, отставать от моды — такая же мелочь. На что платье выдумывать, когда такая выдумка ни малейшия славы не приносит? а отставать от моды разве ради того,

50 чтобы дураки имели причину пересмехать и досаждать.

Сострата. Не моды, сударь, у вас в уме, да для того вы меня хотите выдать за какого-нибудь дурака, чтобы вам можно было моего мужа обмануть и удержати мое имение, мне после моего отца принадлежащее.

55 Чужехват. Да меня и ты, государь мой, не перетягаешь, и не впрямь-то я так стар, что не могу ни жениться, ни кнута вытерпеть.

Валерий. Пойдем, сударыня, во твои комнаты, пускай он об этом другому говорит, а не мне; а я этого слушать не

60 могу.

Чужехват. А, а! эдакой молодец! еще не дошло до того, а он уже испугался; а я, хотя и старик, однако ударов пятьдесят еще вытерплю.

### Явление 11

Чужехват (*один*). Кнута я не боюсь, да боюсь я вечной

65 муки, а мне ее, как видно, не миновать. О великий Боже! хорошо бы жить было на свете, ежели бы тебя в нем не было; не давали бы мы ни в чем никому по сокровенным делам отчета; а ныне от тебя никаким образом не можно укрыться. На что такая в законе строгость: не бери чужого, вить я, и

70 овладев чужим, чужого из твоего мира не вынесу; так не все ли равно, что оно в того хозяина или в другого сундуках. Господня земля и все ее исполнение. (*Становится на колени.*) Великий Боже! не вниди в суд со рабом твоим! каюся пред тобою от всего моего сердца и от искренности души моей.

75 Отпусти мне мое согрешение, но не взыскивай от меня, чтобы я то, что я себе присвоил беззаконно, отдал назад;

ибо сие выше человечества. Вем, Господи, яко плут и бездушник есмь, и не имею ни к тебе, ни ко ближнему ни малейшия любви; однако, уповая на твое человеколюбие,
80 вопию к тебе: помяни мя, Господи, во царствии твоем. Спаси мя, Боже, аще хощу или не хощу! Аще бо от дел спасеши, несть се благодать и дар, но долг паче. Аще бо праведника спасеши, ничто же велие, и аще чистого помилуеши, ничто же дивно — достойни бо суть милости
85 твоея; на мне, плуте, удиви милость твою!

1765

## 36 Наставление хотящим быти писателями

Для общих благ мы то перед скотом имеем,
Что лучше, как они, друг друга разумеем
И помощию слов пространна языка
Всё можем изъяснить, как мысль ни глубока.
5 Описываем всё: и чувствие, и страсти,
И мысли голосом делим на мелки части.
Прияв драгой сей дар от щедрого творца,
Изображением вселяемся в сердца.
То, что постигнем мы, друг другу объявляем,
10 И в письмах то своих потомкам оставляем.
Но не такие так полезны языки,
Какими говорят мордва и вотяки.
Возьмем себе в пример словесных человеков:
Такой нам надобен язык, как был у греков,
15 Какой у римлян был и, следуя в том им,
Как ныне говорит Италия и Рим.
Каков в прошедший век прекрасен стал французский,
Иль, ближе объявить, каков способен русский.
Довольно наш язык себе имеет слов,
20 Но нет довольного на нем числа писцов.
Один, последуя несвойственному складу,
В Германию влечет Российскую Палладу,
И, мня, что тем он ей приятства придает,
Природну красоту с лица ея сотрет.

25 Другой, не выучась так грамоте, как должно,
По-русски, думает, всего сказать не можно,
И, взяв пригоршни слов чужих, сплетает речь
Языком собственным, достойну только сжечь.
Иль слово в слово он в слог русский переводит,
30 Которо на себя в обнове не походит.
Тот прозой скаредной стремится к небесам
И хитрости своей не понимает сам.
Тот прозой и стихом ползет, и письма оны,
Ругаючи себя, дает, пиша, в законы.
35 Кто пишет, должен мысль очистить наперед
И прежде самому себе подати свет,
Дабы писание воображалось ясно
И речи бы текли свободно и согласно.
По сем скажу, какой похвален перевод.
40 Имеет склада всяк различие народ:
Что очень хорошо на языке французском,
То может скаредно во складе быти русском.
Не мни, переводя, что склад тебе готов:
Творец дарует мысль, но не дарует слов.
45 Ты, путаясь, как твой творец письмом ни славен,
Не будешь никогда, французяся, исправен.
Хотя перед тобой в три пуда лексикон,
Не мни, чтоб помощью тебя снабжал и он,
Коль речи и слова поставишь без порядка,
50 И будет перевод твой некая загадка,
Которую никто не отгадает ввек,
Хотя и все слова исправно ты нарек.
Когда переводить захочешь беспорочно,
Во переводе мне яви ты силу точно.
55 Мысль эта кажется гораздо мне дика,
Что не имеем мы богатства языка.
Сердися: мало книг у нас, и делай пени.
Когда книг русских нет, за кем идти в степени?
Однако больше ты сердися на себя:
60 Пеняй отцу, что он не выучил тебя.
А если б юности не тратил добровольно,

В писании ты б мог искусен быть довольно.
Трудолюбивая пчела себе берет
Отвсюду то, что ей потребно в сладкий мед,
65 И, посещающа благоуханну розу,
В соты себе берет частицы и с навозу.
А вы, которые стремитесь на Парнас,
Нестройного гудка имея грубый глас,
Престаньте воспевать! Песнь ваша не прелестна,
70 Когда музы́ка вам прямая неизвестна!
Стихосложения не зная прямо мер,
Не мог бы быть Мальгерб, Расин и Молиер.
Стихи писать — не плод единыя охоты,
Но прилежания и тяжкия работы.
75 Однако тщетно всё, когда искусства нет,
Хотя творец, пиша, струями поты льет.
Без пользы на Парнас слагатель смелый всходит,
Коль Аполлон его на верх горы не взводит.
Когда искусства нет, иль ты не тем рожден,
80 Нестроен будет глас, и слаб, и принужден.
А если естество тебя и одарило,
Старайся, чтоб сей дар искусство повторило.
Во стихотворстве знай различие родов
И, что начнешь, ищи к тому приличных слов,
85 Не раздражая муз худым своим успехом:
Слезами Талию, а Мельпомену смехом.
Пастушка моется на чистом берегу,
Не перлы, но цветы сбирает на лугу.
Ни злато, ни сребро ее не утешает —
90 Она главу и грудь цветами украшает.
Подобно, каковой всегда на ней наряд,
Таков быть должен весь стихов пастушьих склад.
В них громкие слова чтеца ушам жестоки,
В лугах подымут вихрь и возмутят потоки.
95 Оставь свой пышный глас в идиллиях своих,
И в паствах не глуши трубой свирелок их.
Пан кроется в леса от звучной сей погоды,
И нимфы у поток уйдут от страха в воды.

Любовну ль пишешь речь или пастуший спор —
100 Чтоб не был ни учтив, ни грубым разговор,
Чтоб не был твой пастух крестьянину примером,
И не был бы, опять, придворным кавалером.
Вспевай в идиллии мне ясны небеса,
Зеленые луга, кустарники, леса,
105 Биющие ключи, источники и рощи,
Весну, приятный день и тихость темной нощи.
Дай чувствовати мне пастушью простоту
И позабыти всю мирскую суету.
Плачевной музы глас быстряе проницает,
110 Когда она, в любви стоная, восклицает,
Но весь ее восторг — Эрата чем горит, —
Едино только то, что сердце говорит.
Противнее всего элегии притворство,
И хладно в ней всегда без страсти стихотворство,
115 Колико мыслию в него ни углубись:
Коль хочешь то писать, так прежде ты влюбись.
Гремящий в оде звук, как вихорь, слух пронзает,
Кавказских гор верхи и Альпов осязает.
В ней молния делит напоы горизонт,
120 И в безднах корабли скрывает бурный понт.
Пресильный Геркулес злу Гидру низлагает,
А дерзкий Фаетон на небо возбегает,
Скамандрины брега богов зовут на брань,
Великий Александр кладет на персов дань,
125 Великий Петр свой гром с брегов Бальтийских мещет,
Екатеринин меч на Геллеспонте блещет.
В эпическом стихе Дияна — чистота,
Минерва — мудрость тут, Венера — красота.
Где гром и молния, там ярость возвещает
130 Разгневанный Зевес и землю возмущает.
Когда в морях шумит волнение и рев,
Не ветер то ревет, ревет Нептуна гнев.
И эха голосом отзывным лес не знает, —
То нимфа во слезах Нарцисса вспоминает.
135 Эней перенесен на африканский брег,

В страну, в которую имели ветры бег,
Не приключением; но гневная Юнона
Стремится погубить остаток Илиона.
Эол в угодность ей Средьземный понт ломал
140 И грозные валы до облак воздымал.
Он мстил Парисов суд за почести Венеры
И ветрам растворил глубокие пещеры.
По сем рассмотрим мы свойство и силу драм,
Как должен представлять творец пороки нам
145 И как должна цвести святая добродетель.
Посадский, дворянин, маркиз, граф, князь, владетель
Восходят на театр: творец находит путь
Смотрителей своих чрез действо ум тронýть.
Коль ток потребен слез, введи меня ты в жалость,
150 Для смеху предо мной представь мирскую шалость.
Не представляй двух действ моих на смеси дум:
Смотритель к одному тогда направит ум,
Ругается, смотря, единого он страстью
И беспокойствует единого напастью.
155 Афины и Париж, зря красну царску дщерь,
Котору умерщвлял отец, как лютый зверь,
В стенании своем единогласны были
И только лишь о ней потоки слезны лили.
Не тщись мои глаза различием прельстить
160 И бытие трех лет во три часа вместить:
Старайся мне в игре часы часами мерить,
Чтоб я, забывшися, возмог тебе поверить,
Что будто не игра то действие твое,
Но самое тогда случившесь бытие.
165 И не греми в стихах, летя под небесами;
Скажи мне только то, что страсти скажут сами.
Не сделай трудности и местом мне своим,
Чтоб я, зря, твой театр имеючи за Рим,
В Москву не полетел, а из Москвы к Пекину:
170 Всмотряся в Рим, я Рим так скоро не покину.
Для знающих людей не игрищи пиши:
Смешить без разума — дар подлыя души.

Представь бездушного подьячего в приказе,
Судью, не знающа, что писано в указе.
175 Комедией писец исправить должен нрав:
Смешить и пользовать — прямой ея устав.
Представь мне гордого, раздута, как лягушку,
Скупого: лезет он в удавку за полушку.
Представь картежника, который, снявши крест,
180 Кричит из-за руки, с фигурой сидя: «Рест!»
В сатире ты тому ж пекись, пиша, смеяться,
Коль ты рожден, мой друг, безумных не бояться,
И чтобы в страстные сердца она втекла:
Сие нам зеркало сто раз нужняй стекла.
185 А эпиграммы тем единым лишь богаты,
Когда сочинены остры и узловаты.
Склад басен Лафонтен со мною показал,
Иль эдак Аполлон писати приказал.
Нет гаже ничего и паче мер то гнусно,
190 Коль притчей говорит Эсоп, шутя невкусно.
Еще мы видим склад геройческих поэм,
И нечто помяну я ныне и о нем.
Он подлой женщиной Дидону превращает,
Или нам бурлака Энеем возвещает,
195 Являя рыцарьми буянов, забияк.
Итак, таких поэм шутливых склад двояк:
Или богатырей ведет отвага в драку,
Парис Фетидину дал сыну перебяку.
Гектор не в брань ведет, но во кулачный бой,
200 Не воинов — бойцов ведет на брань с собой.
Иль пучится буян: не подлая то ссора,
Но гонит Ахиллес прехраброго Гектора.
Замаранный кузнец во кузнице Вулькан,
А лужа от дождя не лужа — океан.
205 Робенка баба бьет, — то гневная Юнона.
Плетень вокруг гумна, — то стены Илиона.
Невежа, верь ты мне и брось перо ты прочь
Или учись писать стихи и день и ночь.

1774

# ФЕДОР АЛЕКСАНДРОВИЧ ЭМИН

1735–70

## 37 Письма Ернеста и Доравры

### Часть I, письмо 9

### К Доравре

[начало]

Нет большего несчастия, как иметь весьма чувствительную душу. Когда человек имеет чувства, то счастия в природе нет; ибо того только по справедливости счастливым назвать можно, кто своего зла не ощущает; когда же в
5 природе есть зло и чувства, то льзя ли быть счастливым человеку? Дражайшая Доравра, естество от смертных различные свойства имеющее, любезнейшая дщерь природы, которая ни одного своего тебя лишить не хотела преимущества, когда и созидания право тебе дозволено — ты
10 начинаешь претворять человеческое естество, новые совсем в бытие мое желая вкоренить чувства и такую добродетель, которая еще по днесь человечеству известна не была, то есть, чтобы любить ничего не надеясь. Увы! что мне делать осталось? Желал бы я исполнить твое повеление, но испол-
15 нить оного не можно. Ты желаешь меня видеть большим изо всех людей, то есть, несчастливейшим изо всех смертных. Я чрез слово человек разумею тварь к разным несчастиям назначенную, и потому оную почитаю за несчастливую, что она злополучие свое разуметь может и умеет оное
20 сделать еще большим, нежели оно есть в самом деле. Ежели рассудить и самые философические права, которым человек подвержен, то и по оным ему счастливым быть не можно. Ему должно презирать несчастия, равнять оные с благополучием, творить противу самого себя, и истреблять страсти,
25 которые в него внушило естество. Общую всех людей матерь, природу, должно ему почесть за подданную вещь

его разуму. Надлежит ему очень часто себя позабывать, и делать из себя что-нибудь другое; ибо сколько он увидит случаев, столько раз претворять себя должен, потому что 30 бесчеловечная философия гласит, что разумен только тот, кто во всяком случае и во всякое время спокойно жить может; следовательно и философию я не могу почесть за вещь с естеством согласную.

1766

## 38 Письма Ернеста и Доравры

### Часть I, письмо 19

### От Доравры к Ернесту

Сегодня в девять часов увидела я карету остановившуюся у наших ворот, из которой вышед великолепно одетый мужчина, спрашивал наших людей, не в нашем ли доме ты живешь. Когда они ему отвечали, что нет, то спросил их, 5 встал ли с постели ваш господин. В то самое время шел отец мой из саду, которого сей мне незнакомый человек увидя, подошел к нему, и я не знаю что они говорили. После отец мой привел его вверьх, но он и не присел, сколько его ни просили, так спешил ехать к тебе; тогда 10 батюшка приказал своему скороходу, чтоб ему показал твой дом, и он, не побыв у нас больше пяти минут, к тебе уехал. После сего я спросила батюшки, кто был сей гость, и я узнала, что то был П..., знатный дворянин, крайнюю нужду к тебе имеющий. Уведоми меня, мой свет, что это за человек; 15 если есть меж вами такая тайна, о которой никому, следовательно и мне, знать не надлежит, я тебя не прошу о объявлении оной; но скажи мне, нет ли в оной для меня какой опасности? Не за тобою ли он приехал? Сделай милость, уведоми меня поскорее: чего мне ожидать надле- 20 жит, радости ли или вечной печали?

1766

# СВ. ТИХОН ЗАДОНСКИЙ

1724–83

## 39 О истинном христианстве

### О благодарении Богу

[отрывок]

Пришла зима, одеялась земля снегом, мраз связал озера, реки и болота, и так везде свободный учинился путь, нет нужды в мостах и прочих к переправам надобностях, — Божие то благодеяние есть; твоей потребе служит сие: 5 благослови Дающего снег Свой яко волну (Псал. 147, 5). Проходит зима, и весна наступает, — тем тебе возвещается приближающееся как бы некое воскресение всея твари, мразом умершия: благослови Благоволившего тако. Наступила весна; тут новое открывается Божиих дарований 10 сокровище; солнце благоприятно сияет и греет, чувствуется благорастворенный воздух, земля из недр своих издает сокровища своя, семен и кореней плоды являются, и всем себя подают в употребление; луга, нивы, поля, леса одеваются и зеленеют, украшаются цветами и издают всякое благо- 15 ухание; протекают источники, и речная устремления не токмо видение, но и слух веселят; всюду слышится различный различных птиц глас, как сладкая некая музыка; расходятся по полям и степям скоты, не требуют от нас корма, питаются и насыщаются с довольствием, что рука Божия отверзла 20 им, довольствуются, ядят и играют, и тако как бы благости Божией благодарят; словом: вся поднебесная в новый прекрасный и веселый пременяется вид; бесчувственная и чувством одаренная тварь как бы вновь рождается.

1770–2

## 40 Письма келейные

### Письмо 100

### О качестве душевных болезней

Дивлюся я, что ты не знаешь душевных немощей и болезней: разве ты не чувствуешь их? и потому вопрошаешь:

какие-де душевные болезни? Малая ли болезнь слепота, которая лежит на душевных очесах, и не допущает человека 5 Бога судеб и чудес Его видети, и своего бедствия и окаянства не познавать? Малая ли болезнь глухота, что душа не слышит гласа Божия? Сколько душу ударяет глас Божия слова, но она не слышит того? Малая ли немощь гнев, который, как лихорадка тело, душу сокрушает? Смотри на 10 человека гневающегося, как весь трясется. Когда то на теле видится, что уже в душе делается? Зависть, ненависть и злоба, как чахотка тело, душу снедает так, что и тело бледнеет и истаявает от злых тех болезней. Словом: столько немощей и болезней в душе, сколько греховных и вредных 15 страстей. Что у тела уды, или члены, тое у души мысли. Немощно есть, и болезнует тело, когда немоществует душа, когда у нее худые мысли суть. Тако уязвил душу сатана: ослепил очи ея, и не видит света Божия; сего ради молится псаломник: открый очи мои, и уразумею чудеса от закона 20 твоего (Псал. 118). Заткнул уши ея, и не слышит слова Божия: и прочие многоразличные болезни нанесл ей, и оставил его еле жива бедного человека, на пути мира сего лежащего. Сего ради пришел милостивый Иисус, да возвратит души здравие. Слава милосердию Его со Отцем и 25 Духом Святым. *Спасайся.*

## МИХАИЛ МАТВЕЕВИЧ ХЕРАСКОВ

1733–1807

### **41** Ода II. Суета

О смертный, смыслом просвещенный,
Премудростью обогащенный!
Остави собственную лесть.
Представь, о смертный! что́ ты есть.
5 Пылинка ты одушевленна,
Мечта, при легком сне явленна,
Смешенье скорбей и сует,
Былинка, посеченный цвет.

Но, ах! всему уподобленна
10 Тебя я вижу паче тленна,
Спокойства непричастна тварь.
Когда оружий не имеешь,
Ни с кем сразиться ты не смеешь
И чаешь быть всех тварей царь.
15 Проснися, прах земной! проснися,
Войди в себя ты, оглянися,
И бедственной к себе любви
Дерзай, завесу разорви;
Тогда лучи потухнут славы,
20 Исчезнут чести и забавы,
Рассеется надменна мысль,
Пройдут и мертвы будут страсти;
Счисляй тогда свои напасти
И славу человек исчисль.
25 Богатство, разум и корона
От злых тебе не оборона;
Сия дражайша смертным часть
Преобращается в напасть;
Себя ты много величаешь,
30 В таких высоких мыслях чаешь
Иметь высокую степень;
Но всё, что в жизни ни получим,
За что, за что себя ни мучим,
То прах, мечта, пустая тень.

1769

**42**

## Чесмесский бой
### Песнь третья

[отрывок]

Тогда простер Орлов к «Евстафию» глаза,
Турецкий зрит корабль в дыму, в огне, в напасти,
У храбрых россиян почти уже во власти;
На помощь думает к Феодору лететь,

5 С ним вместе победить иль вместе умереть,
Но важные к тому препятства предлежали
И дружества его стремленье удержали;
Отважность братнину он внутренне винит,
А храбрость юноши в нем сердце веселит;
10 Он смотрит... пламень вдруг «Евстафия» объемлет;
Вздрогнуло сердце в нем, он вопль и громы внемлет;
Поколебалося и море и земля.
Взглянул на сей корабль — но нет уж корабля!
И брата больше нет! Удары раздаются.
15 Там части корабля волной морской несутся,
Покрылся облаком кровавым горизонт,
Казалось, падают из тучи люди в понт,
Какое зрелище герою, другу, брату!
Он вдруг восчувствовал невозвратиму трату!
20 «Погиб, любезный брат! погиб ты!» — вопиет;
И те слова твердя, беспамятен падет.

1771

**43**

## Россиада

### Поэма эпическая

### Песнь первая

[начало]

Пою от варваров Россию свобожденну,
Попранну власть татар и гордость низложенну;
Движенье древних сил, труды, кроваву брань,
России торжество, разрушенну Казань.
5 Из круга сих времен спокойных лет начало,
Как светлая заря, в России воссияло.

О ты, витающий превыше светлых звезд,
Стихотворенья дух! приди от горних мест,
На слабое мое и темное творенье
10 Пролей твои лучи, искусство, озаренье!
Отверзи, вечность! мне селений тех врата,
Где вся отвержена земная суета,

Где души праведных награду обретают,
Где славу, где венцы тщетою почитают;
15 Перед усыпанным звездами алтарем,
Где рядом предстоит последний раб с царем;
Где бедный нищету, несчастный скорбь забудет,
Где каждый человек другому равен будет.
Откройся, вечность, мне, да лирою моей
20 Вниманье привлеку народов и царей.
Завеса поднялась!.. Сияют пред очами
Герои, светлыми увенчанны лучами.
От них кровавая казанская луна
Низвергнута во мрак и славы лишена.
25 О вы, ликующи теперь в местах небесных,
Во прежних видах мне явитеся телесных!

1771–9

# ДЕНИС ИВАНОВИЧ ФОНВИЗИН

1745–92

**44**

## Бригадир

### Комедия в пяти действиях

Действующие лица

| | |
|---|---|
| Бригадир | Советница, жена его |
| Иванушка, сын его | Софья, дочь советничья |
| Бригадирша | Добролюбов, любовник Софьи |
| Советник | Слуга советничий |

Театр представляет комнату, убранную по-деревенски

Действие 3, явление 1

Бригадир. Слушай, Иван. Я редко смолоду краснелся, однако теперь от тебя, при старости, сгорел было.

Сын. Mon cher père! Или сносно мне слышать, что хотят женить меня на русской?

5 Бригадир. Да ты что за француз? Мне кажется, ты на Руси родился.

Сын. Тело мое родилося в России, это правда; однако дух мой принадлежал короне французской.

Бригадир. Однако ты все-таки России больше обязан, 10 нежели Франции. Вить в теле твоем гораздо больше связи, нежели в уме.

Сын. Вот, батюшка, теперь вы уже и льстить мне начинаете, когда увидели, что строгость вам не удалася.

Бригадир. Ну, не прямой ли ты болван? Я тебя назвал 15 дураком, а ты думаешь, что я льщу тебе: эдакой осел!

Сын. Эдакой осел! (*В сторону.*) Il ne me flatte pas... Я вам еще сказываю, батюшка, je vous le répète, что мои уши к таким терминам не привыкли. Я вас прошу, je vous en prie, не обходиться со мною так, как вы с вашим ефрейтором 20 обходились. Я такой же дворянин, как и вы, monsieur.

Бригадир. Дурачина, дурачина! Что ты ни скажешь, так все врешь, как лошадь. Ну кстати ли отцу с сыном считаться в дворянстве? Да хотя бы ты мне и чужой был, так тебе забывать того по крайней мере не надобно, что я 25 от армии бригадир.

Сын. Je m'en moque.

Бригадир. Что это за манмок?

Сын. То, что мне до вашего бригадирства дела нет. Я его забываю; а вы забудьте то, что сын ваш знает свет, что 30 он был в Париже.

Бригадир. О, ежели б это забыть можно было! Да нет, друг мой! Ты сам об этом напоминаешь каждую минуту новыми дурачествами, из которых за самое малое надлежит, по нашему военному уставу, прогнать тебя спицрутеном.

35 Сын. Батюшка, вам все кажется, будто вы стоите пред фрунтом и командуете. К чему так шуметь?

Бригадир. Твоя правда, не к чему; а вперед как ты что-нибудь соврешь, то влеплю тебе в спину сотни две русских палок. Понимаешь ли?

40 Сын. Понимаю, а вы сами поймете ли меня? Всякий галантом, а особливо кто был во Франции, не может парировать, чтоб он в жизнь свою не имел никогда дела с таким человеком, как вы; следовательно, не может парировать и

о том, чтоб он никогда бит не был. А вы, ежели вы зайдете
45 в лес и удастся вам наскочить на медведя, то он с вами так
же поступит, как вы меня трактовать хотите.

Бригадир. Эдакий урод! Отца применил к медведю: разве я на него похож?

Сын. Тут нет разве. Я сказал вам то, что я думаю:
50 voilà mon caractère. Да какое право имеете вы надо мною властвовать?

Бригадир. Дуралей! Я твой отец.

Сын. Скажите мне, батюшка, не все ли животные, les animaux, одинаковы?

55 Бригадир. Это к чему? Конечно, все. От человека до скота. Да что за вздор ты мне молоть хочешь?

Сын. Послушайте, ежели все животные одинаковы, то вить и я могу тут же включить себя?

Бригадир. Для чего нет? Я сказал тебе: от человека до
60 скота; так для чего тебе не поместить себя тут же?

Сын. Очень хорошо; а когда щенок не обязан респектовать того пса, кто был его отец, то должен ли я вам хотя малейшим респектом?

Бригадир. Что ты щенок, так в том никто не сомне-
65 вается; однако я тебе, Иван, как присяжный человек, клянусь, что ежели ты меня еще применишь к собаке, то скоро сам с рожи на человека походить не будешь. Я тебя научу, как с отцом и заслуженным человеком говорить должно. Жаль, что нет со мною палки, эдакой скосырь выехал!

1766

# МИХАИЛ ИВАНОВИЧ ПОПОВ

1742–ок. 1790

## 45 «Не голубушка в чистом поле воркует...»

Не голубушка в чистом поле воркует,
Не вечерняя заря луга смочила —

Молода жена во тереме тоскует,
Красоту свою слезами помрачила,
5 Непрестанно вспоминая мила друга,
Молодого друга милого, супруга.

«Ты, надёжа, ты надёжа, друг сердечный —
Она вопит тут, и плача и вздыхая,
Во жестокой своей грусти, неутешной. —
10 Мое сердце не змея сосет лихая,
Не отрава горемышну иссушает —
Со тобой, мой свет, разлука сокрушает.

Не постылого с тобой я отпустила,
Не лихого, не сварлива провожала,
15 Провожаючи, рвалася я, не льстила,
Не обманом слезы горьки проливала —
Свет очей моих пустила я с тобою,
Жизнь и смерть мою с твоею головою.

Не неволей ведь меня тебе вручали —
20 Ум и разум твой меня тебе вручили.
И не силой нас с тобою обручали —
Дружба наша и любовь нас обручили;
И совет наш увенчали не обеты —
Увенчали твои ласковы приветы.

25 Погадай же, мой сердешный друг, подумай,
Какова теперь печаль моя, надсада!
Вспомяни о мне, надёжа мóя, вздумай,
Что жена твоя и жизни уж не рада;
Что тобою я одним спокойство рушу;
30 Привези ко мне обратно мою душу».

1772

# НИКОЛАЙ ИВАНОВИЧ НОВИКОВ

1744–1818

## 46 Трутень

### Лист XV. Апреля 13 дня

Господин Трутень!

Кой чорт! что тебе сделалося? ты совсем стал не тот; разве тебе наскучило, что мы тебя хвалили, и захотелося послушать, как станем бранить? так послушай. — Ну, да 5 полно, шутки в сторону. Пожалуй скажи, для какой причины переменил ты прошлогодний свой план, чтобы издавать сатирические сочинения? Ежели для того, как ты сам жаловался, что тебя бранили, так знай, что ты превеликую ошибку сделал. Послушай ныне: тебя не бранят, но говорят, 10 что нынешний Трутень прошлогоднему не годится и в слуги; и что ты ныне так же бредишь, как и другие. Надобно знать, что хулы есть разные; одни происходят от зависти, а другие от истины; и так я советую лучше терпеть первые, нежели последние. Что тебе нужды смотреть на то, что 15 говорят другие; знай только сам себя. Пожалуй, г. новый Трутень, преобразись в старого и будь любезным нашим увеселением; ты увидишь, что и тебе от того больше будет пользы: а то ведь, я чаю, ты бедненький останешься в накладе. Мне сказывал твой книгопродавец, что нынешнего 20 года листов не покупают и в десятую долю против прежнего. Пожалуй послушайся меня и многих со мною; а буде не так, так прощай, Трутень, навсегда.

*Тот, кто написал.*

Апреля 6 дня,
1770 года.
В Санктпетербурге.

1770

**47**

## Утренний свет
## (Заключение. О нравоучении)

[отрывок]

.....Мы еще до начатия сего сочинения объявили публике, на какое употребление плата за журнал назначается. Оная определена была на заведение училища для неимущих детей, которые бы, может быть, без оного осталися навсегда 5 жертвою невежества и, следовательно, не столь полезными членами для общества. Всевышний благословил труды наши, что легко усмотреть можно из сообщаемых ежегодно нами известий о успехах. И, может быть, увидят скоро оных и плод в некоторых воспитанниках, соответствовавших наме- 10 рениям и желаниям нашим. Таким образом, когда все оные суетные намерения были от нас удаленными, то можем заключить, не нарушая скромности, что мы в предприятии своем не имели другой побуждающей причины, как истинное, а не слепое и безумное к заблуждению, стремление, 15 или ентузиасм, и любовь к отечеству, проистекающую из чистейших источников. Ласкалися мы изданием такового журнала, каков наш, искоренить и опровергнуть вкравшиеся правила вольномыслия, которого следствия как для самых зараженных оным, так и для общества весьма пагубны. В 20 сем намерении избирали мы только нравоучительные и умозрительные материи, о изящности, превосходстве и пользе которых уверены не только благоразумнейшие из наших соотчичей, но и вся Европа, и которые казалися нам способнейшими для вкоренения и утверждения добрых нравов и 25 истребления гнусных и страшных некоторых правил. Почему весьма для нас удивительно, что толь общие, толь драгоценными и полезными от всякого здраво мыслящего человека признанные материи могли неугодными быть для некоторой части наших соотчичей. Но хотя и не понрави- 30 лись некоторым, однако восчувствовали другие всю величность и важность оных во всем их виде. Самые служители и толкователи слова Божия познали цену некоторых отделений и мыслили толь благородно, что после говоренных

ими с великою похвалою проповедей, когда вопрошены
35 были, откуда почерпнули оные, то откровенно признались,
что одолжены оными «Утреннему свету».

Доселе сообщали мы более о самых материях нравственных и умозрительных, или метафизических, нежели о пользе оных; ибо надеялись мы, что достоинство оных может
40 говорить само за себя; но изведав опытом, что некоторому числу людей совсем неизвестна подлинная и существенная польза высоких оных истин, осмеливаемся теперь читателям нашим представить великую пользу, проистекающую от нравоучения и уверения о бессмертии души.

45 Нравоучение есть наука, которая наставляет нас, управляет действия наши к нашему благополучию и совершенству, которая внушает нам истинные правила великих должностей наших ко творцу, высочайшему нашему благодетелю, к ближним и к себе самим, которая предписывает сии долж-
50 ности и показывает средства исполнения оных. Такая наука не должна ли быть достойною всего нашего внимания? не должна ли составлять во всю жизнь главные наши упражнения? Так, без сомнения. Нравоучение есть первая, важнейшая и для всех полезнейшая наука; оной прежде и
55 паче всего должно научать юношество; в оной особенно должны упражняться пастыри и учители церковные, и оная по справедливости должна первое занимать место в христианских поучениях. Возьмем искуснейшего богословских систем учителя, который нравоучения не знает или не любит,
60 может ли он быть столь приятен Богу и полезен человеческому обществу, как тот почтенный и правдивый муж, который хотя никогда не углублялся в системе богословской, но знает нравоучение и любит оного правила и по оным поступает?

В каком виде мы ни рассматриваем нравоучение, оно
65 всего полезнее, нужнее и необходимее как для временной жизни, так и для вечности. Нравоучение, подобно дневному светилу, являющемуся на горизонте, освещает душу нашу от юности, от наступления дней, в продолжении, при конце оных и в самый час смерти. Оно распространяет свет свой
70 по всем душевным силам, оным управляемым; человек,

открывающий глаза свои при сем светильнике, видит всю великость своих должностей, употребление всех способностей и преимуществ и причину своего бытия. Оно есть не один токмо свет, освещающий разум, но пламя, воспа-
75 ляющее и оживляющее человеческое сердце: сия приятная теплота, подобно божественному огню, согревает добрые природные склонности, оживляет оные, питает совесть, умерщвляет страсти и преклоняет волю. Желание делать добро тем более в нас умножается, чем более знаем и чувствуем
80 силу побудительных к тому причин и изящность добродетели: от чего происходит неизвестное некоторое внутреннее удовольствие, первый плод, первое воздаяние добродетели. Нравоучение, подобно тихому источнику, производит плодородие в сердце нашем, питает находящиеся
85 в оном счастливые склонности, утверждает глубоко корни оных и приносит сладкие плоды. Умножается оным купно и отвращение к пороку; открывается его гнусность, и представляется злополучие, влекомое им за собою; сия ненависть бывает во искушениях нашею спутницею и помогает нам
90 восторжествовать над оными. И так нравоучение, просвещая разум, образует оный к мудрости, очищая сердце, готовит оное к добродетели и сими путями ведет человека к земному и, надежнее еще, к небесному блаженству. Кратко сказать, сие божественное учение не оставляет человеку
95 большего желания: ибо, наставляя его в должностях, показывает ему купно отношение его к предвечному существу; и сие познание, ведущее человека к любви, почитанию и повиновению божественным уставам и провидению, совершает его счастие. Таких понятий и чувствований
100 достигнувший человек готов бывает на всякие жертвы для исполнения своих должностей: ибо помогает ему Бог, подкрепляет его и утверждает. Удостоверенный человек о вечной жизни и совершенном блаженстве, яко о наградах за добродетель, в состоянии произвесть великие дела; сердце
105 его стремится к сему блаженству, силы его возвещают ему явно оное, а высочайшая благость совершенно уверяет.

1780

# ЕКАТЕРИНА II

1729–96

**48** О время!

Комедия в трех действиях

Действующие лица

Г-жа Ханжахина
Вестникова
Чудихина
Христина, внучка Ханжахиной
Мавра, служанка Ханжахиной
Непустов
Молокососов

Действие на Москве, в доме Ханжахиной

Действие I, явление 2

Г-жа Ханжахина, г. Непустов

Ханжахина. А, господин Непустов! Я и не знала, что вы здесь, сударь.

Непустов. Не погневайтесь, сударыня, что я пришел отдать вам мой поклон. Вы изволите знать, какую я до вас 5 нужду имею. В вашей воле теперь выдать внучку вашу за господина Молокососова, и со мною о приданом условиться.

Ханжахина. Ах, батька мой! Да как мне на это решиться сегодня! Ведь подумай-ка сам: это дело таково, что требует многого размышления. Я должна и того посмотреть, 10 с чем бы мне и самой остаться. Человек я бедный; вдовье мое дело: откуда мне что взять? Пусть злые люди хоть и говорят, хоть и кричат о моем богатстве, да Бог-то ведает, что я не могу наградить внучку свою большим приданым. К тому ж сегодня дух мой так беспокоен, что я и с мыслями 15 не могу собраться. У меня столько печали, столько нужд, что и конца им нет, так что и при молитве злой свет покою мне не дает. Рассудите сами, как мне бедной не горевать: все дорого, да к тому ж люди...

Непустов. Правда, сударыня, злых людей много в 20 свете; но нам их не переделать, оставим их, и станем о

своем деле говорить. Вы знаете, что нам долго здесь жить не можно. Срок близок: к команде ехать надобно. И так уже три дня вы изволили меня и Молокососова обнадеживать, что сегодня дадите нам решительный ответ; пожа-
25 луйте, исполните свое слово. Жалок этот молодой человек будет, если он попусту взад и вперед проскакать был должен!

Ханжахина. Я не то, сударь, говорю; изволь сам рассудить, можно ли спокойному быть духу, если с кем то слу-
30 чится, что сделалось сегодня со мною? Я обещалась, чтоб до вечерни положить пятьдесят поклонов перед образом, которым моя покойная бабушка благословила покойную мою матушку, — помяни их, Господи! И лишь только начала, ан гляжу, вошел мамин сын, и стоит, как демон, в
35 горнице. Я ему говорю: поди вон, не мешай мне, проклятый, молиться; а он мне в ноги; я и в другой раз ему молвила: поди ты, сатана, вон; а он, ничего не говоря, сов мне в руку бумажку, да сам и ушел. Как вы думаете? что в этой бумажке написано? О, несмысленная тварь! о, демон-
40 ское навождение!.. Он осмелился просить позволения жениться. Мне, дескать, тридцать уже лет; мать-де моя умерла, обшить, обмыть некому... И для того жениться! Экая негодница! И он жениться вздумал! Этим привел он меня в такое сердце, в такое, батька мой, сердце, что я и
45 число поклонов позабыла, и не знаю, сколько положила, и сколько еще класть надобно. Однакож велела его высечь и положить женитьбу ту на спине: позабудет он у меня мешать мне класть поклоны!

Непустов. Да ведь и он человек, сударыня; в том только
50 его неосторожность, что помешал вам считать поклоны. А может быть, он и не знал, что вы на молитве.

Ханжахина. Что за неосторожность! Как ему не знать, что я молюся? Я ведь всегда молюся. Зачем ему жениться? Я б его проклятого постригла, но то беда, что
55 ныне и не... О! я так осердилась, что вся и теперь еще дрожу!

Непустов. Такое великое движение может повредить

ваше здоровье. Оставим это; станем говорить о нашем деле и о приданом внучки вашей.

60 Ханжахина. Вы не можете поверить, как много мне досаждают! Я не ведаю, как я от сердца по сю пору еще не умерла. На малого-то я не столько еще сержуся; но поганая девка, которая — прости меня, Господи! — ему на шею вешается, та-то мне досадна! Да дам же я ей 65 замужство!

Непустов. А для чего ж бы ей нейти замуж, коли ея лета уже такие?

Ханжахина. О, какая она скверная тварь!

Непустов. Вы почитаете, сударыня, молитву долж-70 ностью, равно как и я; но ведь и снисхождение и любовь к ближнему есть также должности, законом нам предписанные.

Ханжахина. Очень хорошо! изрядное показал он ко мне снисхождение и любовь! Мерзкий малый! помешал 75 мне в счете поклонов!

Непустов. Девицу выдать замуж — стоит поклонов, сударыня.

Ханжахина. Хорошо, батька мой, со стороны так рассуждать. А мне ведь не бросать же на улицу деньги! Где 80 их возьмешь? Вот внучку надобно выдать, и самой также пожить еще хочется, да еще и этаких мерзких жени; а всетаки дай что-нибудь: только и затвердили, что дай да дай; а ведь что больше дашь, то больше у самой убудет. Надлежало бы правительству-то сделать такое учреждение, чтоб 85 оно, вместо нас, людей-то бы наших при женитьбе снабжало. Правду сказать, ведь оно обо всем в государстве-то печися должно; да полно что ныне ничего не смотрят!

Непустов. Правительство имеет довольно попечения и расходов и без того, чтоб снабжать наших людей, которые 90 нам служат и, следовательно, на наших руках быть должны. Но пожалуй, сударыня, забудь это, и станем говорить о нашей свадьбе и приданом внучки вашей. Господин Молокососов скоро сюда будет, и станет просить вашего на то соизволения.

95 Ханжахина. Он молодец изрядный; я его ни в чем не хулю и ничего порочного в нем не вижу. Когда б эти проклятые меня не рассердили, то, может быть, что б я и подумала, что́ бы за внучкою-то дать... (*Мавра входит*). Чего ты хочешь, Мавра?

Явление 3

Ханжахина, Непустов, Мавра

100 Мавра. Вас спрашивают, сударыня. Соседка ваша имеет нужду слова два-три с вами молвить.

Ханжахина (*Непустову*). Не прогневайся, пожалуй: я на час выйду; бедная вдова, жена дворянская, меня спрашивает: отказать не могу; люблю бедным помогать...
105 Мавра, побудь ты здесь; я тотчас назад приду.

1772

## ИППОЛИТ ФЕДОРОВИЧ БОГДАНОВИЧ

1743–1803

**49** Душенька

Древняя повесть в вольных стихах

Книга первая

[начало]

Не Ахиллесов гнев и не осаду Трои,
Где в шуме вечных ссор кончали дни герои,
Но Душеньку пою.
Тебя, о Душенька! на помощь призываю
5 Украсить песнь мою,
Котору в простоте и вольности слагаю.
Не лиры громкий звук — услышишь ты свирель.
Сойди ко мне, сойди от мест, тебе приятных,

Вдохни в меня твой жар и разум мой осмель
10 Коснуться счастия селений благодатных,
Где вечно ты без бед проводишь сладки дни,
Где царствуют без скук веселости одни.
У хладных берегов обильной льдом Славены,
Где Феб туманится и кроется от глаз,
15 Яви потоки мне чудесной Иппокрены.
Покрытый снежными буграми здесь Парнас
От взора твоего растаявал не раз.
С тобою нежные присутствуют зефиры,
Бегут от мест, где ты, докучные сатиры,
20 Хулы и критики, и грусти и беды;
Забавы без тебя приносят лишь труды:
Веселья морщатся, амуры плачут сиры.

О ты, певец богов,
Гомер, отец стихов,
25 Двойчатых, равных, стройных
И к пению пристойных!
Прости вину мою,
Когда я формой строк себя не беспокою
И мерных песней здесь порядочно не строю.
30 Черты, без равных стоп, по вольному покрою,
На разный образец крою,
И малой меры и большия,
И часто рифмы холостые,
Без сочетания законного в стихах,
35 Свободно ставлю на концах.
А если от того устану,
Беструдно и отважно стану,
Забыв чернил и перьев страх,
Забыв сатир и критик грозу,
40 Писать без рифм иль просто в прозу.
Любя свободу я мою,
Не для похвал себе пою;
Но чтоб в часы прохлад, веселья и покоя
Приятно рассмеялась Хлоя.

45 Издревле Апулей, потом де ла Фонтен,
На вечну память их имен,
Воспели Душеньку и в прозе и стихами,
Другим языком с нами.
В сей повести они
50 Острейших разумов приятности явили;
Пером их, кажется, что грации водили,
Иль сами грации писали то одни.
Но если подражать их слогу невозможно,
Потщусь за ними вслед, хотя в чертах простых,
55 Тому подобну тень представить осторожно
И в повесть иногда вместить забавный стих.

1775–83

# ЯКОВ БОРИСОВИЧ КНЯЖНИН

1740–91

## 50 Несчастие от кареты

Комическая опера в двух действиях

Действующие лица

Г. Фирюлин
Г-жа Фирюлина
Анюта, дочь Трофимова
Лукьян, ее любовник
Трофим, отец Анютин
Афанасий, шут
Клементий, приказчик
Толпа крестьян

Действие происходит в деревне г. Фирюлина, находящейся недалеко от Санкт-Петербурга

### Действие 2, явление 5

[начало]

Фирюлин

Варварский народ! дикая сторона! какое невежество! какие грубые имена! как ими деликатес моего слуха повреждается! Видно, что мне самому приняться за экономию и переменить все названия, которые портят уши; это 5 первое мое дело будет.

Фирюлина

Я удивляюсь, душа моя! наша деревня так близко от столицы, а никто здесь по-французски не умеет; а во Франции от столицы верст за сто все по-французски говорят.

Шут

10 Есть чему дивиться, вы, я думаю, с мужем скоро и тому станете удивляться, что собаки лают, а не говорят.

Фирюлин

Ха! ха! ха! как это хорошо сказано! по чести, здесь говорят, как лают. Какие врали! не правда ли?

Шут

То так, когда посмотришь на вас.

Фирюлин

15 Когда посмотришь на нас, великую разницу увидишь, не правда ли? А и мы еще, и мы, ах! — ничего перед французами.

Шут

Стоило ездить за тем, чтобы вывезти одно презрение, не только к землякам, да и к самим себе.

Фирюлин

20 Довольно бы, правду сказать, было и этого, но мы с женою вывезли еще много диковинок для просвещения грубого народа: красные каблуки я, а она чепчики.

Фирюлина

Которые почти все разошлися, и теперь надобно самой покупать; а денег...

Фирюлин

(*к приказчику*)

25 Клеман, дорогой Клеман нам поможет.

Приказчик

Извольте быть надежны, деньги будут.

Фирюлин

А девочка будет твоя, о которой ты просил.

Шут

Вывезли много вы диковинок, а жалости к слугам своим ничего не привезли, знать, там этого нет.

Фирюлин

30 Жалости к русским? Ты рехнулся, Буфон. Жалость моя вся осталась во Франции; и теперь от слез не могу воздержаться, вспомнив... о, Paris!

Шут

Это хорошо! плакать о том, что вы не там, а слуг своих без жалости мучить; и за что? Чтоб французскую карету 35 купить.

Фирюлин

Перестань, и не говори о этом! Нам, несчастным, возвратившимся из Франции в эту дикую сторону, одно только утешение и осталось, что на русскую дрянь, сделав честный оборот, можно достать что-нибудь порядочное француз-40 ское; да и того удовольствия хотят нас лишить.

Шут

Теперь живите как хотите; я вам сказываю, что от вас уйду; и можно ли при вас жить? Того и бойся, что променяют на красный французский каблук.

Фирюлин

Нет, нет, тебя я не отдам.

Шут

45 Да разве хуже меня продаете?

(*Указывая на Лукьяна*)

Посмотрите, какого молодца, который еще и по-французски знает!

Фирюлин

И по-французски! Mon Dieu! что я слышу!

Фирюлина

Ах! Mon coeur! он по-французски знает, а скован! это
50 никак нейдет.

Фирюлин

Это ужасно, horrible! снимите с него цепи. Mon ami! я перед тобой виноват.

Приказчик

А карета французская...

Шут

Молчи, плут.

Фирюлин

55 А это что за девочка? Она недурна.

Лукьян

Ах, сударь, это та, которую я люблю больше себя, которая меня любит и которую вы отдаете за приказчика.

Фирюлин

Что делать? Я слово дал.

Анюта

Отец твой нас любил, а сын его терзает.
60 Жестокий, жизнь мою в Лукьяне отнимает.

Лукьян

Вели ты умертвить меня в сию минуту,
А после уж отдай иному ты Анюту.

Вместе

На слезы посмотри
Тебе подвластных,
65 Страданье прекрати
Тобой несчастных.

Фирюлин

Parbleu! Я этому б не поверил, чтобы и русские люди могли так нежно любить; я вне себя от удивления! Да не во Франции ль я? Что он чувствует любовь, тому не так 70 дивлюсь: он говорит по-французски, а ты, девчоночка, а ты?

Шут

И она разумеет.

Фирюлин

И она! теперь меньше дивлюсь.

Лукьян
(*на коленях*)

Monseigneur! сжальтесь над нами.

Анюта
(*на коленях*)

Madame! вступитесь за нас.

Фирюлин

75 Monseigneur! Madame! Встаньте, вы меня этими словами в такую жалость привели, что я от слез удержаться не могу.

Шут

Оставленную жалость во Франции вытащили оттуда два французские слова: видите ли вы, какого сокровища лишал 80 вас плут приказчик?

Фирюлин
(*грозя приказчику*)

Monsieur Клеман, ты бездельник.

Фирюлина

Mon cher! соединим их; они достойны друг друга и достойны жить при нас.

1779

## ИВАН ИВАНОВИЧ ХЕМНИЦЕР

1745–84

**51**

### Друзья

Давно я знал, и вновь опять я научился,
Чтоб другом никого, не испытав, не звать.

Случилось мужику чрез лед переезжать,
И воз его сквозь лед, к несчастью, провалился.
5 Мужик метаться и кричать:
«Ой! батюшки, тону! тону! ой! помогите!»
— «Робята, что же вы стоите?
Поможемте», — один другому говорил,
Кто вместе с мужиком в одном обозе был.
10 «Поможем», — каждый подтвердил.
Но к возу между тем никто не подходил.
А должно знать, что все одной деревни были,
Друзьями меж собою слыли,
Не раз за братское здоровье вместе пили;
15 А сверх того между собой,
Для утверждения их дружбы круговой,
Крестами даже поменялись.
Друг друга братом всяк зовет,
А братний воз ко дну идет.
20 По счастью мужика, сторонние сбежались
И вытащили воз на лед.

1782

## ГАВРИЛА РОМАНОВИЧ ДЕРЖАВИН

1743–1816

**52**

### На смерть князя Мещерского

Глагол времен! металла звон!
Твой страшный глас меня смущает;

Зовет меня, зовет твой стон,
Зовет — и к гробу приближает.
5 Едва увидел я сей свет,
Уже зубами смерть скрежещет,
Как молнией, косою блещет,
И дни мои, как злак, сечет.

Ничто от роковых кохтей,
10 Никая тварь не убегает;
Монарх и узник — снедь червей,
Гробницы злость стихий снедает;
Зияет время славу стерть:
Как в море льются быстры воды,
15 Так в вечность льются дни и годы;
Глотает царства алчна смерть.

Скользим мы бездны на краю,
В которую стремглав свалимся;
Приемлем с жизнью смерть свою,
20 На то, чтоб умереть, родимся.
Без жалости всё смерть разит:
И звезды ею сокрушатся,
И солнцы ею потушатся,
И всем мирам она грозит.

25 Не мнит лишь смертный умирать
И быть себя он вечным чает;
Приходит смерть к нему, как тать,
И жизнь внезапу похищает.
Увы! где меньше страха нам,
30 Там может смерть постичь скорее;
Ее и громы не быстрее
Слетают к гордым вышинам.

Сын роскоши, прохлад и нег,
Куда, Мещерской! ты сокрылся?
35 Оставил ты сей жизни брег,

К брегам ты мертвых удалился;
Здесь персть твоя, а духа нет.
Где ж он? — Он там. — Где там? — Не знаем.
Мы только плачем и взываем:
40 «О, горе нам, рожденным в свет!»

Утехи, радость и любовь
Где купно с здравием блистали,
У всех там цепенеет кровь
И дух мятется от печали.
45 Где стол был яств, там гроб стоит;
Где пиршеств раздавались лики,
Надгробные там воют клики,
И бледна смерть на всех глядит.

Глядит на всех — и на царей,
50 Кому в державу тесны миры;
Глядит на пышных богачей,
Что в злате и сребре кумиры;
Глядит на прелесть и красы,
Глядит на разум возвышенный,
55 Глядит на силы дерзновенны
И точит лезвие косы.

Смерть, трепет естества и страх!
Мы — гордость с бедностью совместна;
Сегодня Бог, а завтра прах;
60 Сегодня льстит надежда лестна,
А завтра: где ты, человек?
Едва часы протечь успели,
Хаоса в бездну улетели,
И весь, как сон, прошел твой век.

65 Как сон, как сладкая мечта,
Исчезла и моя уж младость;
Не сильно нежит красота,
Не столько восхищает радость,

Не столько легкомыслен ум,
70 Не столько я благополучен;
Желанием честей размучен,
Зовет, я слышу, славы шум.

Но так и мужество пройдет
И вместе к славе с ним стремленье;
75 Богатств стяжание минет,
И в сердце всех страстей волненье
Прейдет, прейдет в чреду свою.
Подите счастьи прочь возможны,
Вы все пременны здесь и ложны:
80 Я в дверях вечности стою.

Сей день, иль завтра умереть,
Перфильев! должно нам конечно, —
Почто ж терзаться и скорбеть,
Что смертный друг твой жил не вечно?
85 Жизнь есть небес мгновенный дар;
Устрой ее себе к покою,
И с чистою твоей душою
Благословляй судеб удар.

1779

## 53 Фелица

Богоподобная царевна
Киргиз-Кайсацкия орды!
Которой мудрость несравненна
Открыла верные следы
5 Царевичу младому Хлору
Взойти на ту высоку гору,
Где роза без шипов растет,
Где добродетель обитает, —
Она мой дух и ум пленяет,
10 Подай найти ее совет.

Подай, Фелица! наставленье:
Как пышно и правдиво жить,
Как укрощать страстей волненье
И счастливым на свете быть?
15 Меня твой голос возбуждает,
Меня твой сын препровождает;
Но им последовать я слаб.
Мятясь житейской суетою,
Сегодня властвую собою,
20 А завтра прихотям я раб.

Мурзам твоим не подражая,
Почасту ходишь ты пешком,
И пища самая простая
Бывает за твоим столом;
25 Не дорожа твоим покоем,
Читаешь, пишешь пред налоем
И всем из твоего пера
Блаженство смертным проливаешь;
Подобно в карты не играешь,
30 Как я, от утра до утра.

Не слишком любишь маскарады,
А в клоб не ступишь и ногой;
Храня обычаи, обряды,
Не донкишотствуешь собой;
35 Коня парнасска не седлаешь,
К духа́м в собранье не въезжаешь,
Не ходишь с трона на Восток;
Но кротости ходя стезею,
Благотворящею душою,
40 Полезных дней проводишь ток.

А я, проспавши до полудни,
Курю табак и кофе пью;
Преобращая в праздник будни,
Кружу в химерах мысль мою:

45 То плен от персов похищаю,
То стрелы к туркам обращаю;
То, возмечтав, что я султан,
Вселенну устрашаю взглядом;
То вдруг, прельщаяся нарядом,
50 Скачу к портному по кафтан.

Или в пиру я пребогатом,
Где праздник для меня дают,
Где блещет стол сребром и златом,
Где тысячи различных блюд;
55 Там славный окорок вестфальской,
Там звенья рыбы астраханской,
Там плов и пироги стоят,
Шампанским вафли запиваю;
И всё на свете забываю
60 Средь вин, сластей и аромат.

Или средь рощицы прекрасной
В беседке, где фонтан шумит,
При звоне арфы сладкогласной,
Где ветерок едва дышит,
65 Где всё мне роскошь представляет,
К утехам мысли уловляет,
Томит и оживляет кровь;
На бархатном диване лежа,
Младой девицы чувства нежа,
70 Вливаю в сердце ей любовь.

Или великолепным цугом
В карете англинской, златой,
С собакой, шутом или другом,
Или с красавицей какой
75 Я под качелями гуляю;
В шинки пить меду заезжаю;
Или, как то наскучит мне,
По склонности моей к премене,

Имея шапку набекрене,
80 Лечу на резвом бегуне.

Или музыкой и певцами,
Органом и волынкой вдруг,
Или кулачными бойцами
И пляской веселю мой дух;
85 Или, о всех делах заботу
Оставя, езжу на охоту
И забавляюсь лаем псов;
Или над невскими брегами
Я тешусь по ночам рогами
90 И греблей удалых гребцов.

Иль, сидя дома, я прокажу,
Играя в дураки с женой;
То с ней на голубятню лажу,
То в жмурки резвимся порой;
95 То в свайку с нею веселюся,
То ею в голове ищуся;
То в книгах рыться я люблю,
Мой ум и сердце просвещаю,
Полкана и Бову читаю;
100 За Библией, зевая, сплю.

Таков, Фелица, я развратен!
Но на меня весь свет похож.
Кто сколько мудростью ни знатен,
Но всякий человек есть ложь.
105 Не ходим света мы путями,
Бежим разврата за мечтами.
Между лентяем и брюзгой,
Между тщеславья и пороком
Нашел кто разве ненароком
110 Путь добродетели прямой.

Нашел, — но льзя ль не заблуждаться
Нам, слабым смертным, в сем пути,

Где сам рассудок спотыкаться
И должен вслед страстям идти;
115 Где нам ученые невежды,
Как мгла у путников, тмят вежды?
Везде соблазн и лесть живет,
Пашей всех роскошь угнетает. —
Где ж добродетель обитает?
120 Где роза без шипов растет?

Тебе единой лишь пристойно,
Царевна! свет из тьмы творить;
Деля Хаос на сферы стройно,
Союзом целость их крепить;
125 Из разногласия согласье
И из страстей свирепых счастье
Ты можешь только созидать.
Так кормщик, через понт плывущий,
Ловя под парус ветр ревущий,
130 Умеет судном управлять.

Едина ты лишь не обидишь,
Не оскорбляешь никого,
Дурачествы сквозь пальцы видишь,
Лишь зла не терпишь одного;
135 Проступки снисхожденьем правишь,
Как волк овец, людей не давишь,
Ты знаешь прямо цену их.
Царей они подвластны воле, —
Но Богу правосудну боле,
140 Живущему в законах их.

Ты здраво о заслугах мыслишь,
Достойным воздаешь ты честь,
Пророком ты того не числишь,
Кто только рифмы может плесть,
145 А что сия ума забава
Калифов добрых честь и слава.

Снисходишь ты на лирный лад;
Поэзия тебе любезна,
Приятна, сладостна, полезна,
150 Как летом вкусный лимонад.

Слух и́дет о твоих поступках,
Что ты нимало не горда;
Любезна и в делах и в шутках,
Приятна в дружбе и тверда;
155 Что ты в напастях равнодушна,
А в славе так великодушна,
Что отреклась и мудрой слыть.
Еще же говорят неложно,
Что будто завсегда возможно
160 Тебе и правду говорить.

Неслыханное также дело,
Достойное тебя одной,
Что будто ты народу смело
О всем, и въявь и под рукой,
165 И знать и мыслить позволяешь,
И о себе не запрещаешь
И быль и небыль говорить;
Что будто самым крокодилам,
Твоих всех милостей зоилам
170 Всегда склоняешься простить.

Стремятся слез приятных реки
Из глубины души моей.
О! коль счастливы человеки
Там должны быть судьбой своей,
175 Где ангел кроткий, ангел мирный,
Сокрытый в светлости порфирной,
С небес ниспослан скиптр носить!
Там можно пошептать в беседах
И, казни не боясь, в обедах
180 За здравие царей не пить.

Там с именем Фелицы можно
В строке описку поскоблить,
Или портрет неосторожно
Ее на землю уронить.
185 Там свадеб шутовских не парят,
В ледовых банях их не жарят,
Не щелкают в усы вельмож;
Князья наседками не клохчут,
Любимцы въявь им не хохочут
190 И сажей не марают рож.

Ты ведаешь, Фелица! правы
И человеков и царей;
Когда ты просвещаешь нравы,
Ты не дурачишь так людей;
195 В твои от дел отдохновеньи
Ты пишешь в сказках поученьи,
И Хлору в азбуке твердишь:
«Не делай ничего худого,
И самого сатира злого
200 Лжецом презренным сотворишь».

Стыдишься слыть ты тем великой,
Чтоб страшной, нелюбимой быть;
Медведице прилично дикой
Животных рвать и кровь их пить.
205 Без крайнего в горячке бедства
Тому ланцетов нужны ль средства,
Без них кто обойтися мог?
И славно ль быть тому тираном,
Великим в зверстве Тамерланом,
210 Кто благостью велик, как Бог?

Фелицы слава, слава Бога,
Который брани усмирил;
Который сира и убога
Покрыл, одел и накормил;

215 Который оком лучезарным
Шутам, трусам, неблагодарным
И праведным свой свет дарит;
Равно всех смертных просвещает,
Больных покоит, исцеляет,
220 Добро лишь для добра творит.

Который даровал свободу
В чужие области скакать,
Позволил своему народу
Сребра и золота искать;
225 Который воду разрешает,
И лес рубить не запрещает;
Велит и ткать, и прясть, и шить;
Развязывая ум и руки,
Велит любить торги, науки
230 И счастье дома находить;

Которого закон, десница
Дают и милости и суд. —
Вещай, премудрая Фелица!
Где отличен от честных плут?
235 Где старость по миру не бродит?
Заслуга хлеб себе находит?
Где месть не гонит никого?
Где совесть с правдой обитают?
Где добродетели сияют? —
240 У трона разве твоего!

Но где твой трон сияет в мире?
Где, ветвь небесная, цветешь?
В Багдаде, Смирне, Кашемире?
Послушай, где ты ни живешь, —
245 Хвалы мои тебе приметя,
Не мни, чтоб шапки иль бешметя
За них я от тебя желал.
Почувствовать добра приятство

Такое есть души богатство,
250 Какого Крез не собирал.

Прошу великого пророка,
Да праха ног твоих коснусь,
Да слов твоих сладчайша тока
И лицезренья насладжусь!
255 Небесные прошу я силы,
Да, их простря сафирны крылы,
Невидимо тебя хранят
От всех болезней, зол и скуки;
Да дел твоих в потомстве звуки,
260 Как в небе звезды, возблестят.

1782

## **54** На взятие Измаила

О, коль монарх благополучен,
Кто знает россами владеть!
Он будет в свете славой звучен
И всех сердца в руке иметь.
*Ода г. Ломоносова*

Везувий пламя изрыгает,
Столп огненный во тьме стоит,
Багрово зарево зияет,
Дым черный клубом вверх летит;
5 Краснеет понт, ревет гром ярый,
Ударам вслед звучат удары;
Дрожит земля, дождь искр течет;
Клокочут реки рдяной лавы, —
О росс! Таков твой образ славы,
10 Что зрел под Измаилом свет!

О росс! О род великодушный!
О твердокаменная грудь!

О исполин, царю послушный!
Когда и где ты досягнуть
15 Не мог тебя достойной славы?
Твои труды — тебе забавы;
Твои венцы — вкруг блеск громов;
В полях ли брань — ты тмишь свод звездный,
В морях ли бой — ты пенишь бездны, —
20 Везде ты страх твоих врагов.

На подвиг твой вождя веленьем
Ты идешь, как жених на брак.
Марс видит часто с изумленьем,
Что и в бедах твой весел зрак.
25 Где вкруг драконы медны ржали,
Из трех сот жерл огнем дышали,
Ты там прославился днесь вновь.
Вождь рек: «Се стены Измаила!
Да сокрушит твоя их сила!..»
30 И воскипела бранна кровь.

Как воды, с гор весной в долину
Низвержась, пенятся, ревут,
Волнами, льдом трясут плотину,
К твердыням россы так текут.
35 Ничто им путь не воспящает;
Смертей ли бледных полк встречает,
Иль ад скрежещет зевом к ним, —
Идут — как в тучах скрыты громы,
Как двигнуты безмолвны холмы;
40 Под ними стон, за ними — дым.

Идут в молчании глубоком,
Во мрачной страшной тишине,
Собой пренебрегают, роком;
Зарница только в вышине
45 По их оружию играет;
И только их душа сияет,

Когда на бой, на смерть идет.
Уж блещут молнии крылами,
Уж осыпаются громами —
50 Они молчат, — идут вперед.

Не бард ли древний, исступленный,
Волшебным их ведет жезлом?
Нет! свыше пастырь вдохновенный
Пред ними и́дет со крестом;
55 Венцы нетленны обещает
И кровь пролить благословляет
За честь, за веру, за царя;
За ним вождей ряд пред полками,
Как бурных дней пред облаками
60 Идет огнистая заря.

Идут. — Искусство зрит заслугу
И, сколь их дух был тут велик,
Вещает слух земному кругу,
Но мне их раздается крик;
65 По лествицам на град, на стогны,
Как шумны волны через волны,
Они возносятся челом;
Как угль — их взоры раскаленны;
Как львы на тигров устремленны,
70 Бегут, стеснясь, на огнь, на гром.

О! что за зрелище предстало!
О пагубный, о страшный час!
Злодейство что ни вымышляло,
Поверглось, россы, всё на вас!
75 Зрю камни, ядра, вар и бревны, —
Но чем герои устрашенны?
Чем может отражен быть росс?
Тот лезет по бревну на стену;
А тот летит с стены в геенну, —
80 Всяк Курций, Деций, Буароз!

Всяк помнит должность, честь и веру,
Всяк душу и живот кладет.
О россы! нет вам, нет примеру,
И смерть сама вам лавр дает.
85 Там в грудь, в сердца лежат пронзенны,
Без сил, без чувств, полмертвы, бледны,
Но мнят еще стерть вражий рог:
Иной движеньем ободряет,
А тот с победой восклицает:
90 Екатерина! — с нами Бог!

Какая в войсках храбрость рьяна!
Какой великий дух в вождях!
В одних душа рассудком льдяна,
У тех пылает огнь в сердцах.
95 В зиме рожденны под снегами,
Под молниями, под громами,
Которых с самых юных дней
Питала слава, верность, вера, —
Где можно вам сыскать примера?
100 Не посреди ль стихийных прей?

Представь: по светлости лазуря,
По наклонению небес
Взошла черно-багрова буря
И грозно возлегла на лес;
105 Как страшна нощь, надулась чревом,
Дохнула с свистом, воем, ревом,
Помчала воздух, прах и лист;
Под тяжкими ее крылами
Упали кедры вверх корнями
110 И затрещал Ливан кремнист.

Представь последний день природы,
Что пролилася звезд река;
На огнь пошли стеною воды,
Бугры взвились за облака;

115 Что вихри тучи к тучам гнали,
Что мрак лишь молньи освещали,
Что гром потряс всемирну ось,
Что солнце, мглою покровенно,
Ядро казалось раскаленно:
120 Се вид, как вшел в Измáил росс!

Вошел! «Не бойся», — рек, и всюды
Простер свой троегранный штык:
Повергли́сь тел кровавы груды,
Напрасно слышан жалоб крик;
125 Напрасно, бранны человеки!
Вы льете крови вашей реки,
Котору должно бы беречь;
Но с самого веков начала
Война народы пожирала,
130 Священ стал долг: рубить и жечь!

Тот мыслит овладеть всем миром,
Тот не принять его оков;
Вселенной царь стал врану пиром,
Герои — снедию волков.
135 Увы! пал крин, и пали терны. —
Почто ж? — Судьбы небесны темны, —
Я здесь пою лишь браней честь.
Нас горсть, — но полк лежит пред нами;
Нас полк, — но с тысячьми и тьмами
140 Мы низложили город в персть.

И се уже шумя стремится
Кровавой пены полн Дунай,
Пучина черная багрится,
Спершись от трупов, с краю в край;
145 Уже бледнеюща Мармора
Дрожит плывуща к ней позора,
Костры тел видя за костром!
Луна полна на башнях крови,

Поникли гордой Мекки брови;
150 Стамбул склонился вниз челом.

О! ежели издревле миру
Побед славнейших звук гремит,
И если приступ славен к Тиру, —
К Измайлу больше знаменит.
155 Там был вселенной покоритель,
Машин и башен сам строитель,
Горой он море запрудил,
А здесь вождя одно веленье
Свершило храбрых россов рвенье;
160 Великий дух был вместо крыл.

Услышь, услышь, о ты, вселенна!
Победу смертных выше сил;
Внимай Европа удивленна,
Каков сей россов подвиг был.
165 Языки, знайте, вразумляйтесь,
В надменных мыслях содрогайтесь;
Уверьтесь сим, что с нами Бог;
Уверьтесь, что его рукою
Один попрет вас росс войною,
170 Коль встать из бездны зол возмог!

Я вижу страшную годину:
Его три века держит сон,
Простертую под ним долину
Покрыл везде колючий терн;
175 Лице туман подернул бледный,
Ослабли мышцы удрученны,
Скатилась в мрак глава его;
Разбойники вокруг суровы
Взложили тяжкие оковы,
180 Змия на сердце у него.

Он спит — и несекомы гады
Румяный потемняют зрак,

Войны опустошают грады,
Раздоры пожирают злак;
185 Чуть зрится блеск его короны,
Страдает вера и законы,
И ты, к отечеству любовь!
Как зверь, его Батый рвет гладный,
Как змей, сосет лжецарь коварный, —
190 Повсюду пролилася кровь!

Лежал он во своей печали,
Как темная в пустыне ночь;
Враги его рукоплескали,
Друзья не мыслили помочь,
195 Соседи грабежом алкали;
Князья, бояра в неге спали
И ползали в пыли, как червь, —
Но Бог, но дух его великий
Сотряс с него беды толики, —
200 Расторгнул лев железну вервь!

Восстал! как утром холм высокой
Встает, подъемляся челом
Из мглы широкой и глубокой,
Разлитой вкруг его, и, гром
205 Поверх главы в ничто вменяя,
Ногами волны попирая,
Пошел — и кто возмог проти́в?
От шлема молнии скользили,
И океаны уступили,
210 Стопам его пути открыв.

Он сильны орды пхнул ногою,
Края азийски потряслись;
Упали царствы под рукою,
Цари, царицы в плен влеклись;
215 И победителей разитель,
Монархий света разрушитель

Простерся под его пятой;
В Европе грады брал, тряс троны,
Свергал царей, давал короны
220 Могущею своей душой.

Где есть народ в краях вселенны,
Кто б столько сил в себе имел:
Без помощи, от всех стесненный,
Ярем с себя низвергнуть смел
225 И, вырвав бы венцы лавровы,
Возверг на тех самих оковы,
Кто столько свету страшен был?
О росс! твоя лишь добродетель
Таких великих дел содетель;
230 Лишь твой орел луну затмил.

Лишь ты, простря твои победы,
Умел щедроты расточать:
Поляк, турк, перс, прус, хин и шведы
Тому примеры могут дать.
235 На тех ты зришь спокойно стены,
Тем паки отдал грады пленны;
Там унял прю, тут бунт смирил;
И сколь ты был их победитель,
Не меньше друг, благотворитель,
240 Свое лишь только возвратил.

О кровь славян! Сын предков славных!
Несокрушаемый колосс!
Кому в величестве нет равных,
Возросший на полсвете росс!
245 Твои коль славны древни следы!
Громчай суть нынешни победы:
Зрю вкруг тебя лавровый лес;
Кавказ и Тавр ты преклоняешь,
Вселенной на среду ступаешь
250 И досязаешь до небес.

Уже в Эвксине с полунощи
Меж вод и звезд лежит туман,
Под ним плывут дремучи рощи;
Средь них как гор отломок льдян
255 Иль мужа нека тень седая
Сидит, очами озирая:
Как полный месяц щит его,
Как сосна рында обожженна,
Глава до облак вознесенна, —
260 Орел над шлемом у него.

За ним златая колесница
По розовым летит зарям;
Сидящая на ней царица,
Великим равная мужам,
265 Рукою держит крест одною,
Возженный пламенник другою,
И сыплет блески на Босфор;
Уже от северного света
Лице бледнеет Магомета,
270 И мрачный отвратил он взор.

Не вновь ли то Олег к Востоку
Под парусами флот ведет,
И Ольга к древнему потоку
Занятый ею свет лиет?
275 Иль россов и́дет дух военный,
Христовой верой провожденный,
Ахеян спасть, агарян стерть? —
Я слышу, громы ударяют,
Пророки, камни возглашают:
280 То будет ныне или впредь!

О! вы, что в мыслях суетитесь
Столь славный россу путь претить,
Помочь врагу Христову тщитесь
И вере вашей изменить!

285 Чем столько поступать неправо,
Сперва исследуйте вы здраво
Свой путь, цель росса, суд небес;
Исследуйте и заключите:
Вы с кем и на кого хотите?
290 И что ваш року перевес?

Ничто — коль росс рожден судьбою
От варварских хранить вас уз,
Темиров попирать ногою,
Блюсть ваших от Омаров муз,
295 Отмстить крестовые походы,
Очистить иордански воды,
Священный гроб освободить,
Афинам возвратить Афину,
Град Константинов Константину
300 И мир Афету водворить.

Афету мир? — О труд избранный!
Достойнейший его детей,
Великими людьми желанный,
Свершишься ль ты средь наших дней?..
305 Доколь Европа просвещенна
С перуном будешь устремленна
На кровных братиев своих?
Не лучше ль внутрь раздор оставить
И с россом грудь одну составить
310 На общих супостат твоих?

Дай руку! — и пожди спокойно:
Сие и росс один свершит,
За беспрепятствие достойно
Тебя трофеем наградит.
315 Дай руку! дай залог любови
Не лей твоей и нашей крови
Да месть всем в грудь нам не взойдет;
Пусть только ум Екатерины,

Как Архимед, создаст машины;
320 А росс вселенной потрясет.

Чего не может род сей славный,
Любя царей своих, свершить?
Умейте лишь, главы венчанны!
Его бесценну кровь щадить.
325 Умейте дать ему вы льготу,
К делам великим дух, охоту
И правотой сердца пленить.
Вы можете его рукою
Всегда, войной и не войною,
330 Весь мир себя заставить чтить.

Война, как северно сиянье,
Лишь удивляет чернь одну:
Как светлой радуги блистанье,
Всяк мудрый любит тишину.
335 Что благовонней аромата?
Что слаще меда, краше злата
И драгоценнее порфир?
Не ты ль, которого всем взгляды
Лиют обилие, прохлады,
340 Прекрасный и полезный мир?

Приди, о кроткий житель неба,
Эдемской гражданин страны!
Приди! — и, как сопутник Феба,
Дух теплотворный, Бог весны,
345 Дохни везде твоей душою!
Дохни, — да расцветет тобою
Рай сладости в домах, в сердцах!
Под сению Екатерины
Венчанны лавром исполины
350 Возлягут на своих громах.

Премудрость царствы управляет;
Крепит их — вера, правый суд;

Их труд и мир обогащает,
Любовию они цветут.
355 О пол прекрасный и почтенный,
Кем россы рождены, кем пленны!
И вам днесь предлежат венцы.
Плоды побед суть звуки славы,
Побед основа — тверды нравы,
360 А добрых нравов вы творцы!

Когда на брани вы предметов
Лишилися любви своей,
И если без войны, наветов
Полна жизнь наша слез, скорбей, —
365 Утешьтесь! — Ветры в ветры дуют,
Стихии меж собой воюют;
Сей свет — училище терпеть.
И брань коль восстает судьбою,
Сын россиянки среди бою
370 Со славой должен умереть.

А слава тех не умирает,
Кто за отечество умрет;
Она так в вечности сияет,
Как в море ночью лунный свет.
375 Времен в глубоком отдаленьи
Потомство тех увидит тени,
Которых мужествен был дух.
С гробов их в души огнь польется,
Когда по рощам разнесется
380 Бессмертной лирой дел их звук.

конец 1790 или начало 1791

## 55 Памятник

Я памятник себе воздвиг чудесный, вечный,
Металлов тверже он и выше пирамид;

Ни вихрь его, ни гром не сломит быстротечный,
И времени полет его не сокрушит.

5 Так! — весь я не умру, но часть меня большая,
От тлена убежав, по смерти станет жить,
И слава возрастет моя, не увядая,
Доколь славянов род вселенна будет чтить.

Слух пройдет обо мне от Белых вод до Черных,
10 Где Волга, Дон, Нева, с Рифея льет Урал;
Всяк будет помнить то в народах неисчетных,
Как из безвестности я тем известен стал,

Что первый я дерзнул в забавном русском слоге
О добродетелях Фелицы возгласить,
15 В сердечной простоте беседовать о Боге
И истину царям с улыбкой говорить.

О муза! возгордись заслугой справедливой,
И презрит кто тебя, сама тех презирай;
Непринужденною рукой неторопливой
20 Чело твое зарей бессмертия венчай.

1795

## 56 Русские девушки

Зрел ли ты, певец Тииский!
Как в лугу весной бычка
Пляшут девушки российски
Под свирелью пастушка?
5 Как, склонясь главами, ходят,
Башмаками в лад стучат,
Тихо руки, взор поводят
И плечами говорят?
Как их лентами златыми
10 Челы белые блестят,
Под жемчугами драгими

Груди нежные дышáт?
Как сквозь жилки голубые
Льется розовая кровь,
15 На ланитах огневые
Ямки врезала любовь?
Как их брови соболины,
Полный искр соколий взгляд,
Их усмешка — души львины
20 И орлов сердца разят?
Коль бы видел дев сих красных,
Ты б гречанок позабыл
И на крыльях сладострастных
Твой Эрот прикован был.

весна 1799

**57** «Река времен в своем стремленьи...»

Река времен в своем стремленьи
Уносит все дела людей
И топит в пропасти забвенья
Народы, царства и царей.
5 А если что и остается
Чрез звуки лиры и трубы,
То вечности жерлом пожрется
И общей не уйдет судьбы.

6 июля 1816

## НИКОЛАЙ ПЕТРОВИЧ НИКОЛЕВ

1758–1815

**58** Сорена и Замир

Трагедия в пяти действиях

Действующие лица

Мстислав, царь российский
Замир, князь половецкий
Зенида, наперсница Соренина
Воины Мстиславовы

Сорена, его супруга
Премысл, наперсник Мстиславов
Воины Замировы

Действие в Полоцке в царских чертогах

## Действие 3, явление 4
[конец]

Мстислав. Вступите!
Замир. Умерщвляй! Замир перед тобой!
Мстислав. О небо! предузнал!
Замир. Замир! совместник твой!
Узнай его! узнав, исчисли оскорбленья,
Досады смертные! Исчисли преступленья,
5 Которые пред ним тобой учинены,
И ежели тебя для бедства сей страны,
Для истребления, для лютых мук и злобы,
Послали фурии из адския утробы,
То совершай скорей определенья их!
10 Искореня уже граждан — друзей моих,
Не чрез оружие, чрез подлые измены,
И мысля наконец лишить меня Сорены,
Дерзая льстить себе, что будешь той любим,
Которая давно мне с сердцем уж своим
15 В награду нежности свою вручила руку,
Ты должен осудить меня на смертну муку,
Или отдав мне меч и обнаживши свой,
Низвергнуться во ад Замировой рукой!
Умри! иль умерщвляй! мне жить теперь поносно.
20 Тиран в моих странах, а рабство мне несносно:
Свободы не лишусь, хоть весь восстанет мир;
С свободою рожден, и с ней умрет Замир.
Мстислав (*в сторону*).
От твердости его мой дух изнемогает!
Чем можно устрашить, коль смерть пренебрегает?
25 Но он совместник мой! он должен умереть.
Под стражу!

1784

# АЛЕКСАНДР НИКОЛАЕВИЧ РАДИЩЕВ

1749–1802

## 59 Путешествие из Петербурга в Москву

### Завидово

[начало]

Лошади были уже впряжены в кибитку, и я приготовлялся к отъезду, как вдруг сделался на улице великий шум. Люди начали бегать из края в край по деревне. На улице видел я воина в гранодерской шапке, гордо расхаживающего и, держа поднятую плеть, кричащего: «Лошадей скорее; где староста? его превосходительство будет здесь чрез минуту; подай мне старосту...». — Сняв шляпу за сто шагов, староста бежал во всю прыть на сделанный ему позыв. — «Лошадей скорее!» — «Тот час, батюшка: пожалуйте подорожную». — «На. Да скорее же, а то я тебя...» — говорил он, подняв плеть над головою дрожащего старосты. Недоконченная сия речь столь же была выражения исполнена, как у Виргилия в «Энеиде» речь Эола к ветрам: «Я вас!»... — и, сокращенный видом плети властновелительного гранодера, староста столь же живо ощущал мощь десницы грозящего воина, как бунтующие ветры ощущали над собою власть сильной Эоловой остроги. Возвращая новому Полкану подорожную, староста говорил: — «Его превосходительству с честною его фамилией потребно пятьдесят лошадей, а у нас только тридцать налицо, другие в разгоне». — «Роди, старый чорт. А не будет лошадей, то тебя изуродую». — «Да где же их взять, коли взять негде?» — «Разговорился еще... А вот лошади у меня будут»... и, схватя старика за бороду, начал его бить по плечам плетью нещадно. — «Полно ли с тебя? Да вот три свежие, — говорил строгий судья ямского стана, указывая на впряженных в мою повозку. — Выпряги их для нас». — «Коли барин-та

их отдаст». — «Как бы он не отдал! У меня и ему то же достанется. Да кто он таков?» — «Невесть какой-то...» — как
30 он меня величал, того не знаю.

Между тем я, вышед на улицу, воспретил храброму предтече его превосходительства исполнить его намерение и, выпрягая из повозки моей лошадей, меня заставить ночевать в почтовой избе.

1790

# ВАСИЛИЙ ВАСИЛЬЕВИЧ КАПНИСТ

1758–1823

**60**

## Ябеда

### Комедия в пяти действиях

Действующие лица

Праволов, отставной асессор
Кривосудов, председатель Гражданской палаты
Фекла, жена его
София, дочь его
Прямиков, подполковник служащий
Бульбулькин, Атуев, Радбын, Паролькин — члены Гражданской палаты
Хватайко, прокурор
Кохтин, секретарь Гражданской палаты
Добров, повытчик
Анна, служанка Софии
Наумыч, поверенный Праволова
Архип, слуга Праволова

Действие происходит в доме Кривосудова. В углу комнаты стоит стол, красным сукном покрытый. В комнате три двери.

Действие I, явление 1

[начало]

Прямиков

Я рад, мой друг, что мы с тобою здесь столкнулись.

Добров

Да вы, сударь, зачем в дом этот завернулись?
Неужли за грехи какая вас напасть
Иль тяжба, Бог храни, втащила в эту пасть?

Прямиков

5 Так именно: процесс на шею навязался;
Я от него уйти хоть всячески старался,
Мирился, уступал, но потерял весь труд.
И так уездный уж и верхний земский суд
Прошед, где моему не льстили супостату,
10 Вступило дело к вам в Гражданскую палату.

Добров

Боюсь я, чтоб оно не оступилось здесь.
Да с кем же вы, сударь, имеете процесс?

Прямиков

Сосед мой Праволов не ведь с чего вцепился...

Добров

Кто? Праволов?

Прямиков

Да, он. Чему ж ты удивился?

Добров

15 Дивлюся, право, я, как с умной головой
Могли связаться вы с такой, сударь, чумой?

Прямиков

Сутяга хитрой он, однако ж не опасен.

Добров

Кто? Он?

Прямиков

Уж в двух судах был труд его напрасен.

Добров

Не знаете, сударь, сего вы молодца.
20 Другого в свете нет такого удальца.
Напрасен в двух судах! Да там лишь разбирают,
А ведь в Гражданской вдруг решат и исполняют.
Что за беда ему, что в тех его винят;
Лишь только для него в Палате был бы лад.
25 То он получит вдруг и право и именье.
Вам с Праволовым в суд? Какое дерзновенье!

Прямиков

Да чем же страшен так он мне? Прошу сказать.
Я, в армии служа, не мог соседей знать.
По замирении я в отпуск отпросился;
30 Лишь в дом, — он на меня с процессом и взвалился,
И тут-то я узнал уж не от одного,
Что он злой ябедник; да только и всего.

Добров

Да только и всего! Так этого и мало?
Вы добрый человек; мне жаль, сударь, вас стало!
35 Покойный ваш отец мне благодетель был;
Я милостей его отнюдь не позабыл:
Я помню, что его хлеб-соль едал довольно.
В сетях сих видеть вас мне, право, очень больно.
Коль нужен в чем, готов для ваших я услуг.

Прямиков

40 Чувствительно тебя благодарю, мой друг!
Я должен искренно теперь тебе признаться,
Что я не знаю, как за дело мне приняться.
Во-первых, мне скажи: чем так соперник мой
Мне страшен?

Добров

Господи! что за вопрос такой!
45 Он ябедник: вот все уж этим вам сказали.

Но чтоб его, сударь, получше вы узнали,
То я здесь коротко его вам очерчу:
В делах, сударь, ему сам чорт не по плечу.
В Гражданской уж давно веду я протоколы;
50 Так видны все его тут шашни и крамолы,
Которы, зеркалу судебной правоты
Представ, невинности явили в нем черты.
А сверх того еще, глас Божий — глас народа,
Подлоги, грабежи, разбои разна рода,
55 Фальшивы рядные, уступки, векселя.
Там отмежована вдруг выросла земля;
Тут верхни мельницы все нижни потопили;
Там двести десятин два борова изрыли;
Здесь выморочных сел наследничек воскрес;
60 Там, на гумне, его дремучий срублен лес;
На брата иск за брань и за бесчестье взносит,
А пожилых с того и за умерших просит;
Там люди пойманы его на воровстве
Окраденным купцам сыскалися в родстве
65 И брали то, что им лишь по наследству должно.
Но всех его проказ пересказать не можно:
Довольно и того, что вам слегка сказал.
Притом, как знает он всех стряпчих наповал!
Как регламент нагнуть, как вывернуть указы!
70 Как все подьячески он ведает пролазы!
Как забежать к судье, с которого крыльца;
Кому бумажек пук, кому пуд сребреца;
Шестерку проиграть, четверку где иль тройку;
Как залучить кого в пирушку, на попойку;
75 И словом: дивное он знает ремесло
Неправду мрачную так чистить, как стекло.
Так вам возможно ли с сим молодцом тягаться?

Прямиков

И подлинно, его мне должно опасаться.

1792

# НИКОЛАЙ МИХАЙЛОВИЧ КАРАМЗИН

1766–1826

## 61 Письма русского путешественника

[начало]

*Тверь, 18 мая 1789*

Расстался я с вами, милые, расстался! Сердце мое привязано к вам всеми нежнейшими своими чувствами, а я беспрестанно от вас удаляюсь и буду удаляться!

О сердце, сердце! Кто знает: чего ты хочешь? — Сколько лет путешествие было приятнейшею мечтою моего воображения? Не в восторге ли сказал я самому себе: наконец ты поедешь? Не в радости ли просыпался всякое утро? Не с удовольствием ли засыпал, думая: ты поедешь? Сколько времени не мог ни о чем думать, ничем заниматься, кроме путешествия? Не считал ли дней и часов? Но — когда пришел желаемый день, я стал грустить, вообразив в первый раз живо, что мне надлежало расстаться с любезнейшими для меня людьми в свете и со всем, что, так сказать, входило в состав нравственного бытия моего. На что ни смотрел — на стол, где несколько лет изливались на бумагу незрелые мысли и чувства мои, на окно, под которым сиживал я подгорюнившись в припадках своей меланхолии и где так часто заставало меня восходящее солнце, на готический дом, любезный предмет глаз моих в часы ночные, — одним словом, все, что попадалось мне в глаза, было для меня драгоценным памятником прошедших лет моей жизни, не обильной делами, но зато мыслями и чувствами обильной. С вещами бездушными прощался я, как с друзьями; и в самое то время, как был размягчен, растроган, пришли люди мои, начали плакать и просить меня, чтобы я не забыл их и взял опять к себе, когда возвращусь. Слезы заразительны, мои милые, а особливо в таком случае.

Но вы мне всегда любезнее, и с вами надлежало расстаться. Сердце мое так много чувствовало, что я говорить

30 забывал. Но что вам сказывать! — Минута, в которую мы прощались, была такова, что тысячи приятных минут в будущем едва ли мне за нее заплатят.

Милый Птрв. провожал меня до заставы. Там обнялись мы с ним, и еще в первый раз видел я слезы его; там сел я 35 в кибитку, взглянул на Москву, где оставалось для меня столько любезного, и сказал: *прости*! Колокольчик зазвенел, лошади помчались... и друг ваш осиротел в мире, осиротел в душе своей!

Все прошедшее есть сон и тень: ах! где, где часы, в ко- 40 торые так хорошо бывало сердцу моему посреди вас, милые? — Если бы человеку, самому благополучному, вдруг открылось будущее, то замерло бы сердце его от ужаса и язык его онемел бы в самую ту минуту, в которую он думал назвать себя счастливейшим из смертных!..

45 Во всю дорогу не приходило мне в голову ни одной радостной мысли; а на последней станции к Твери грусть моя так усилилась, что я в деревенском трактире, стоя перед карикатурами королевы французской и римского императора, хотел бы, как говорит Шекспир, *выплакать сердце свое*. 50 Там-то все оставленное мною явилось мне в таком трогательном виде. — Но полно, полно! Мне опять становится чрезмерно грустно. — Простите! Дай Бог вам утешений. — Помните друга, но без всякого горестного чувства!

*С.-Петербург, 26 мая 1789*

Прожив здесь пять дней, друзья мои, через час поеду в 55 Ригу.

В Петербурге я не веселился. Приехав к своему Д*, нашел его в крайнем унынии. Сей достойный, любезный человек открыл мне свое сердце: оно чувствительно — он несчастлив!.. «Состояние мое совсем твоему противополож- 60 но, — сказал он со вздохом, — главное твое желание исполняется: ты едешь наслаждаться, веселиться; а я поеду искать смерти, которая одна может окончить мое страдание». Я не смел утешать его и довольствовался одним сердечным участием в его горести. «Но не думай, мой друг, — сказал

65 я ему, — чтобы ты видел перед собою человека, довольного своею судьбою; приобретая одно, лишаюсь другого и жалею». — Оба мы вместе от всего сердца жаловались на несчастный жребий человечества или молчали. По вечерам прохаживались в Летнем саду и всегда больше думали, нежели
70 говорили; каждый о своем думал. До обеда бывал я на бирже, чтобы видеться с знакомым своим англичанином, через которого надлежало мне получить вексели. Там, смотря на корабли, я вздумал было ехать водою, в Данциг, в Штетин или в Любек, чтобы скорее быть в Германии. Ан-
75 гличанин мне то же советовал и сыскал капитана, который через несколько дней хотел плыть в Штетин. Дело, казалось, было с концом; однако ж вышло не так. Надлежало объявить мой паспорт в адмиралтействе; но там не хотели надписать его, потому что он дан из московского, а не из
80 петербургского губернского правления и что в нем не сказано, как я поеду; то есть, не сказано, что поеду морем. Возражения мои не имели успеха — я не знал порядка, и мне оставалось ехать сухим путем или взять другой паспорт в Петербурге. Я решился на первое; взял подорожную — и
85 лошади готовы. Итак, простите, любезные друзья! Когда-то будет мне веселее! А до сей минуты все грустно. Простите!

## 62 Бедная Лиза

Может быть, никто из живущих в Москве не знает так хорошо окрестностей города сего, как я, потому что никто чаще моего не бывает в поле, никто более моего не бродит пешком, без плана, без цели — куда глаза глядят — по
5 лугам и рощам, по холмам и равнинам. Всякое лето нахожу новые приятные места или в старых новые красоты.

Но всего приятнее для меня то место, на котором возвышаются мрачные, готические башни Си...нова монастыря. Стоя на сей горе, видишь на правой стороне почти всю
10 Москву, сию ужасную громаду домов и церквей, которая

представляется глазам в образе величественного *амфитеатра*: великолепная картина, особливо когда светит на нее солнце, когда вечерние лучи его пылают на бесчисленных златых куполах, на бесчисленных крестах, к небу возносящихся! Внизу расстилаются тучные, густо-зеленые цветущие луга, а за ними, по желтым пескам, течет светлая река, волнуемая легкими веслами рыбачьих лодок или шумящая под рулем грузных стругов, которые плывут от плодоноснейших стран Российской империи и наделяют алчную Москву хлебом. На другой стороне реки видна дубовая роща, подле которой пасутся многочисленные стада; там молодые пастухи, сидя под тению дерев, поют простые, унылые песни и сокращают тем летние дни, столь для них единообразные. Подалее, в густой зелени древних вязов, блистает златоглавый Данилов монастырь; еще далее, почти на краю горизонта, синеются Воробьевы горы. На левой же стороне видны обширные, хлебом покрытые поля, лесочки, три или четыре деревеньки и вдали село Коломенское с высоким дворцом своим.

Часто прихожу на сие место и почти всегда встречаю там весну; туда же прихожу и в мрачные дни осени горевать вместе с природою. Страшно воют ветры в стенах опустевшего монастыря, между гробов, заросших высокою травою, и в темных переходах келий. Там, опершись на развалины гробных камней, внимаю глухому стону времен, бездною минувшего поглощенных, — стону, от которого сердце мое содрогается и трепещет. Иногда вхожу в келии и представляю себе тех, которые в них жили, — печальные картины! Здесь вижу седого старца, преклонившего колена перед распятием и молящегося о скором разрешении земных оков своих, ибо все удовольствия исчезли для него в жизни, все чувства его умерли, кроме чувства болезни и слабости. Там юный монах — с бледным лицом, с томным взором — смотрит в поле сквозь решетку окна, видит веселых птичек, свободно плавающих в море воздуха, видит — и проливает горькие слезы из глаз своих. Он томится, вянет, сохнет — и унылый звон колокола возвещает мне безвременную смерть

его. Иногда на вратах храма рассматриваю изображение
чудес, в сем монастыре случившихся, там рыбы падают с
50 неба для насыщения жителей монастыря, осажденного
многочисленными врагами; тут образ Богоматери обращает
неприятелей в бегство. Все сие обновляет в моей памяти
историю нашего отечества — печальную историю тех времен, когда свирепые татары и литовцы огнем и мечом опу-
55 стошали окрестности российской столицы и когда несчастная Москва, как беззащитная вдовица, от одного Бога
ожидала помощи в лютых своих бедствиях.

Но всего чаще привлекает меня к стенам Си...нова монастыря — воспоминание о плачевной судьбе Лизы, бедной
60 Лизы. Ах! Я люблю те предметы, которые трогают мое
сердце и заставляют меня проливать слезы нежной скорби!

Саженях в семидесяти от монастырской стены, подле
березовой рощицы, среди зеленого луга, стоит пустая хижина, без дверей, без окончин, без полу; кровля давно сгнила
65 и обвалилась. В этой хижине лет за тридцать перед сим
жила прекрасная, любезная Лиза с старушкою, матерью
своею.

Отец Лизин был довольно зажиточный поселянин, потому что он любил работу, пахал хорошо землю и вел всегда
70 трезвую жизнь. Но скоро по смерти его жена и дочь обеднями. Ленивая рука наемника худо обработывала поле, и
хлеб перестал хорошо родиться. Они принуждены были
отдать свою землю внаем, и за весьма небольшие деньги.
К тому же бедная вдова, почти беспрестанно проливая
75 слезы о смерти мужа своего — ибо и крестьянки любить
умеют! — день ото дня становилась слабее и совсем не
могла работать. Одна Лиза, — которая осталась после
отца пятнадцати лет, — одна Лиза, не щадя своей нежной
молодости, не щадя редкой красоты своей, трудилась день
80 и ночь — ткала холсты, вязала чулки, весною рвала цветы,
а летом брала ягоды — и продавала их в Москве. Чувствительная, добрая старушка, видя неутомимость дочери, часто
прижимала ее к слабо биющемуся сердцу, называла Божескою милостию, кормилицею, отрадою старости своей и

85 молила Бога, чтобы Он наградил ее за все то, что она делает для матери. «Бог дал мне руки, чтобы работать, — говорила Лиза, — ты кормила меня своею грудью и ходила за мною, когда я была ребенком; теперь пришла моя очередь ходить за тобою. Перестань только крушиться, перестань
90 плакать; слезы наши не оживят батюшки». Но часто нежная Лиза не могла удержать собственных слез своих — ах! она помнила, что у нее был отец и что его не стало, но для успокоения матери старалась таить печаль сердца своего и казаться покойною и веселою. — «На том свете, любезная
95 Лиза, — отвечала горестная старушка, — на том свете перестану я плакать. Там, сказывают, будут все веселы; я, верно, весела буду, когда увижу отца твоего. Только теперь не хочу умереть — что с тобою без меня будет? На кого тебя покинуть? Нет, дай Бог прежде пристроить тебя
100 к месту! Может быть, скоро сыщется добрый человек. Тогда, благословя вас, милых детей моих, перекрещусь и спокойно лягу в сырую землю».

Прошло два года после смерти отца Лизина. Луга покрылись цветами, и Лиза пришла в Москву с ландышами.
105 Молодой, хорошо одетый человек, приятного вида, встретился ей на улице. Она показала ему цветы — и закраснелась. «Ты продаешь их, девушка?» — спросил он с улыбкою. — «Продаю», — отвечала она. — «А что тебе надобно?» — «Пять копеек». — «Это слишком дешево. Вот тебе
110 рубль». — Лиза удивилась, осмелилась взглянуть на молодого человека, — еще более закраснелась и, потупив глаза в землю, сказала ему, что она не возьмет рубля. — «Для чего же?» — «Мне не надобно лишнего». — «Я думаю, что прекрасные ландыши, сорванные руками прекрасной девушки,
115 стоят рубля. Когда же ты не берешь его, вот тебе пять копеек. Я хотел бы всегда покупать у тебя цветы; хотел бы, чтоб ты рвала их только для меня». — Лиза отдала цветы, взяла пять копеек, поклонилась и хотела идти, но незнакомец остановил ее за руку. — «Куда же ты пойдешь, девуш-
120 ка?» — «Домой». — «А где дом твой?» — Лиза сказала, где она живет, сказала и пошла. Молодой человек не хотел

удерживать ее, может быть, для того, что мимоходящие на- чали останавливаться и, смотря на них, коварно усмехались.

Лиза, пришедши домой, рассказала матери, что с нею 125 случилось. «Ты хорошо сделала, что не взяла рубля. Может быть, это был какой-нибудь дурной человек...» — «Ах нет, матушка! Я этого не думаю. У него такое доброе лицо, такой голос...» — «Однако ж, Лиза, лучше кормиться трудами своими и ничего не брать даром. Ты еще не знаешь, 130 друг мой, как злые люди могут обидеть бедную девушку! У меня всегда сердце бывает не на своем месте, когда ты ходишь в город; я всегда ставлю свечу перед образ и молю Господа Бога, чтобы Он сохранил тебя от всякой беды и напасти». — У Лизы навернулись на глазах слезы; она 135 поцеловала мать свою.

На другой день нарвала Лиза самых лучших ландышей и опять пошла с ними в город. Глаза ее тихонько чего-то искали. Многие хотели у нее купить цветы, но она отвечала, что они непродажные, и смотрела то в ту, то в другую 140 сторону. Наступил вечер, надлежало возвратиться домой, и цветы были брошены в Москву-реку. «Никто не владей вами!» — сказала Лиза, чувствуя какую-то грусть в сердце своем. — На другой день ввечеру сидела она под окном, пряла и тихим голосом пела жалобные песни, но вдруг 145 вскочила и закричала: «Ах!..» Молодой незнакомец стоял под окном.

«Что с тобой сделалось?» — спросила испугавшаяся мать, которая подле нее сидела. — «Ничего, матушка, — отвечала Лиза робким голосом, — я только его увидела». — «Кого?» — 150 «Того господина, который купил у меня цветы». Старуха выглянула в окно. Молодой человек поклонился ей так учтиво, с таким приятным видом, что она не могла подумать об нем ничего, кроме хорошего. «Здравствуй, добрая старушка! — сказал он. — Я очень устал; нет ли у тебя све- 155 жего молока?» Услужливая Лиза, не дождавшись ответа от матери своей — может быть, для того, что она его знала наперед, — побежала на погреб — принесла чистую крин- ку, покрытую чистым деревянным кружком, — схватила

стакан, вымыла, вытерла его белым полотенцем, налила и
160 подала в окно, но сама смотрела в землю. Незнакомец
выпил — и нектар из рук Гебы не мог бы показаться ему
вкуснее. Всякий догадается, что он после того благодарил
Лизу и благодарил не столько словами, сколько взорами.
Между тем добродушная старушка успела рассказать ему
165 о своем горе и утешении — о смерти мужа и о милых
свойствах дочери своей, об ее трудолюбии и нежности, и
проч. и проч. Он слушал ее со вниманием, но глаза его
были — нужно ли сказывать где? И Лиза, робкая Лиза
посматривала изредка на молодого человека; но не так
170 скоро молния блестит и в облаке исчезает, как быстро голубые глаза ее обращались к земле, встречаясь с его взором. —
«Мне хотелось бы, — сказал он матери, — чтобы дочь твоя
никому, кроме меня, не продавала своей работы. Таким
образом, ей незачем будет часто ходить в город, и ты не
175 принуждена будешь с нею расставаться. Я сам по временам
могу заходить к вам». — Тут в глазах Лизиных блеснула
радость, которую она тщетно сокрыть хотела; щеки ее
пылали, как заря в ясный летний вечер; она смотрела на
левый рукав свой и щипала его правою рукою. Старушка
180 с охотою приняла сие предложение, не подозревая в нем
никакого худого намерения, и уверяла незнакомца, что по-
лотно, вытканное Лизой, и чулки, вывязанные Лизой, бывают отменно хороши и носятся долее всяких других. —
Становилось темно, и молодой человек хотел уже идти.
185 «Да как же нам называть тебя, добрый, ласковый барин?» —
спросила старуха. — «Меня зовут Эрастом», — отвечал он.
— «Эрастом, — сказала тихонько Лиза, — Эрастом!» Она
раз пять повторила сие имя, как будто бы стараясь затвер-
дить его. — Эраст простился с ними до свидания и пошел.
190 Лиза провожала его глазами, а мать сидела в задумчивости
и, взяв за руку дочь свою, сказала ей: «Ах, Лиза! Как он
хорош и добр! Если бы жених твой был таков!» Все Лизино
сердце затрепетало. «Матушка! Матушка! Как этому
статься? Он барин, а между крестьянами...» — Лиза не
195 договорила речи своей.

Теперь читатель должен знать, что сей молодой человек, сей Эраст был довольно богатый дворянин, с изрядным разумом и добрым сердцем, добрым от природы, но слабым и ветреным. Он вел рассеянную жизнь, думал только о
200 своем удовольствии, искал его в светских забавах, но часто не находил: скучал и жаловался на судьбу свою. Красота Лизы при первой встрече сделала впечатление в его сердце. Он читывал романы, идиллии, имел довольно живое воображение и часто переселялся мысленно в те времена (быв-
205 шие или не бывшие), в которые, если верить стихотворцам, все люди беспечно гуляли по лугам, купались в чистых источниках, целовались, как горлицы, отдыхали под розами и миртами и в счастливой праздности все дни свои провождали. Ему казалось, что он нашел в Лизе то, чего сердце
210 его давно искало. «Натура призывает меня в свои объятия, к чистым своим радостям», — думал он и решился — по крайней мере на время — оставить большой свет.

Обратимся к Лизе. Наступила ночь — мать благословила дочь свою и пожелала ей кроткого сна, но на сей раз желание
215 ее не исполнилось: Лиза спала очень худо. Новый гость души ее, образ Эрастов, столь живо ей представлялся, что она почти всякую минуту просыпалась, просыпалась и вздыхала. Еще до восхождения солнечного Лиза встала, сошла на берег Москвы-реки, села на траве и, подгорюнив-
220 шись, смотрела на белые туманы, которые волновались в воздухе и, подымаясь вверх, оставляли блестящие капли на зеленом покрове натуры. Везде царствовала тишина. Но скоро восходящее светило дня пробудило все творение: рощи, кусточки оживились, птички вспорхнули и запели,
225 цветы подняли свои головки, чтобы напитаться животворными лучами света. Но Лиза все еще сидела подгорюнившись. Ах, Лиза, Лиза! Что с тобою сделалось? До сего времени, просыпаясь вместе с птичками, ты вместе с ними веселилась утром, и чистая, радостная душа светилась в
230 глазах твоих, подобно как солнце светится в каплях росы небесной; но теперь ты задумчива, и общая радость природы чужда твоему сердцу. — Между тем молодой пастух

по берегу реки гнал стадо, играя на свирели. Лиза устремила на него взор свой и думала: «Если бы тот, кто занимает
235 теперь мысли мои, рожден был простым крестьянином, пастухом, — и если бы он теперь мимо меня гнал стадо свое: ах! я поклонилась бы ему с улыбкою и сказала бы приветливо: «Здравствуй, любезный пастушок! Куда гонишь ты стадо свое? И здесь растет зеленая трава для овец твоих, и
240 здесь алеют цветы, из которых можно сплести венок для шляпы твоей». Он взглянул бы на меня с видом ласковым — взял бы, может быть, руку мою... Мечта!» Пастух, играя на свирели, прошел мимо и с пестрым стадом своим скрылся за ближним холмом.

245 Вдруг Лиза услышала шум весел — взглянула на реку и увидела лодку, а в лодке — Эраста.

Все жилки в ней забились, и, конечно, не от страха. Она встала, хотела идти, но не могла. Эраст выскочил на берег, подошел к Лизе и — мечта ее отчасти исполнилась: ибо он
250 *взглянул на нее с видом ласковым, взял ее за руку*... А Лиза, Лиза стояла с потупленным взором, с огненными щеками, с трепещущим сердцем — не могла отнять у него руки — не могла отворотиться, когда он приближился к ней с розовыми губами своими... Ах! Он поцеловал ее, поцеловал с таким
255 жаром, что вся вселенная показалась ей в огне горящею! «Милая Лиза! — сказал Эраст. — Милая Лиза! Я люблю тебя!», и сии слова отозвались во глубине души ее, как небесная, восхитительная музыка; она едва смела верить ушам своим и... Но я бросаю кисть. Скажу только, что в
260 сию минуту восторга исчезла Лизина робость — Эраст узнал, что он любим, любим страстно новым, чистым, открытым сердцем.

Они сидели на траве, и так, что между ими оставалось не много места, — смотрели друг другу в глаза, говорили друг
265 другу: «Люби меня!», и два часа показались им мигом. Наконец Лиза вспомнила, что мать ее может об ней беспокоиться. Надлежало расстаться. «Ах, Эраст! — сказала она. — Всегда ли ты будешь любить меня?» — «Всегда, милая Лиза, всегда!» — отвечал он. — «И ты можешь мне

270 дать в этом клятву?» — «Могу, любезная Лиза, могу!» — «Нет! мне не надобно клятвы. Я верю тебе, Эраст, верю. Ужели ты обманешь бедную Лизу? Ведь этому нельзя быть?» — «Нельзя, нельзя, милая Лиза!» — «Как я счастлива, и как обрадуется матушка, когда узнает, что ты меня
275 любишь!» — «Ах нет, Лиза! Ей не надобно ничего сказывать». — «Для чего же?» — «Старые люди бывают подозрительны. Она вообразит себе что-нибудь худое». — «Нельзя статься». — «Однако ж прошу тебя не говорить ей об этом ни слова». — «Хорошо: надобно тебя послушаться, хотя мне
280 не хотелось бы ничего таить от нее». — Они простились, поцеловались в последний раз и обещались всякий день ввечеру видеться или на берегу реки, или в березовой роще, или где-нибудь близ Лизиной хижины, только верно, непременно видеться. Лиза пошла, но глаза ее сто раз
285 обращались на Эраста, который все еще стоял на берегу и смотрел вслед за нею.

Лиза возвратилась в хижину свою совсем не в таком расположении, в каком из нее вышла. На лице и во всех ее движениях обнаруживалась сердечная радость. «Он меня
290 любит!» — думала она и восхищалась сею мыслию. «Ах, матушка! — сказала Лиза матери своей, которая лишь только проснулась. — Ах, матушка! Какое прекрасное утро! Как все весело в поле! Никогда жаворонки так хорошо не певали, никогда солнце так светло не сияло, никогда
295 цветы так приятно не пахли!» — Старушка, подпираясь клюкою, вышла на луг, чтобы насладиться утром, которое Лиза такими прелестными красками описывала. Оно, в самом деле, показалось ей отменно приятным; любезная дочь весельем своим развеселяла для нее всю натуру. «Ах,
300 Лиза! — говорила она. — Как все хорошо у Господа Бога! Шестой десяток доживаю на свете, а все еще не могу наглядеться на дела Господни, не могу наглядеться на чистое небо, похожее на высокий шатер, и на землю, которая всякий год новою травою и новыми цветами покрывается.
305 Надобно, чтобы царь небесный очень любил человека, когда он так хорошо убрал для него здешний свет. Ах,

Лиза! Кто бы захотел умереть, если бы иногда не было нам горя?.. Видно, так надобно. Может быть, мы забыли бы душу свою, если бы из глаз наших никогда слезы не капали». А Лиза думала: «Ах! Я скорее забуду душу свою, нежели милого моего друга!»

После сего Эраст и Лиза, боясь не сдержать слова своего, всякий вечер виделись (тогда, как Лизина мать ложилась спать) или на берегу реки, или в березовой роще, но всего чаще под тению столетних дубов (саженях в осьмидесяти от хижины) — дубов, осеняющих глубокий чистый пруд, еще в древние времена ископанный. Там часто тихая луна, сквозь зеленые ветви, посребряла лучами своими светлые Лизины волосы, которыми играли зефиры и рука милого друга; часто лучи сии освещали в глазах нежной Лизы блестящую слезу любви, осушаемую всегда Эрастовым поцелуем. Они обнимались — но целомудренная, стыдливая Цинтия не скрывалась от них за облако: чисты и непорочны были их объятия. «Когда ты, — говорила Лиза Эрасту, — когда ты скажешь мне: «Люблю тебя, друг мой!», когда прижмешь меня к своему сердцу и взглянешь на меня умильными своими глазами, ах! тогда бывает мне так хорошо, так хорошо, что я себя забываю, забываю все, кроме — Эраста. Чудно́! Чудно́, мой друг, что я, не знав тебя, могла жить спокойно и весело! Теперь мне это непонятно, теперь думаю, что без тебя жизнь не жизнь, а грусть и скука. Без глаз твоих темен светлый месяц; без твоего голоса скучен соловей поющий; без твоего дыхания ветерок мне неприятен». — Эраст восхищался своей пастушкой — так называл Лизу — и, видя, сколь она любит его, казался сам себе любезнее. Все блестящие забавы большого света представлялись ему ничтожными в сравнении с теми удовольствиями, которыми *страстная дружба* невинной души питала сердце его. С отвращением помышлял он о презрительном сладострастии, которым прежде упивались его чувства. «Я буду жить с Лизою, как брат с сестрою, — думал он, — не употреблю во зло любви ее и буду всегда счастлив!» — Безрассудный молодой человек! Знаешь ли

ты свое сердце? Всегда ли можешь отвечать за свои дви-
345 жения? Всегда ли рассудок есть царь чувств твоих?

Лиза требовала, чтобы Эраст часто посещал мать ее. «Я люблю ее, — говорила она, — и хочу ей добра, а мне кажется, что видеть тебя есть великое благополучие для всякого». — Старушка в самом деле всегда радовалась, когда
350 его видела. Она любила говорить с ним о покойном муже и рассказывать ему о днях своей молодости, о том, как она в первый раз встретилась с милым своим Иваном, как он полюбил ее и в какой любви, в каком согласии жил с нею. «Ах! Мы никогда не могли друг на друга наглядеться — до
355 самого того часа, как лютая смерть подкосила ноги его. Он умер на руках моих!» — Эраст слушал ее с непритворным удовольствием. Он покупал у нее Лизину работу и хотел всегда платить в десять раз дороже назначаемой ею цены, но старушка никогда не брала лишнего.

360 Таким образом прошло несколько недель. Однажды ввечеру Эраст долго ждал своей Лизы. Наконец пришла она, но так невесела, что он испугался; глаза ее от слез покраснели. «Лиза, Лиза! Что с тобою сделалось?» — «Ах Эраст! Я плакала!» — «О чем? Что такое?» — «Я должна
365 сказать тебе все. За меня сватается жених, сын богатого крестьянина из соседней деревни; матушка хочет, чтобы я за него вышла». — «И ты соглашаешься?» — «Жестокий! Можешь ли об этом спрашивать? Да, мне жаль матушки; она плачет и говорит, что я не хочу ее спокойствия, что она
370 будет мучиться при смерти, если не выдаст меня при себе замуж. Ах! Матушка не знает, что у меня есть такой милый друг!» — Эраст целовал Лизу, говорил, что ее счастие дороже ему всего на свете, что по смерти матери ее он возьмет ее к себе и будет жить с нею неразлучно, в де-
375 ревне и в дремучих лесах, как в раю. — «Однако ж тебе нельзя быть моим мужем!» — сказала Лиза с тихим вздохом. — «Почему же?» — «Я крестьянка». — «Ты обижаешь меня. Для твоего друга важнее всего душа, чувствительная, невинная душа, — и Лиза будет всегда ближайшая к моему
380 сердцу».

Она бросилась в его объятия — и в сей час надлежало погибнуть непорочности! — Эраст чувствовал необыкновенное волнение в крови своей — никогда Лиза не казалась ему столь прелестною — никогда ласки ее не трогали его
385 так сильно — никогда ее поцелуи не были столь пламенны — она ничего не знала, ничего не подозревала, ничего не боялась — мрак вечера питал желания — ни одной звездочки не сияло на небе — никакой луч не мог осветить заблуждения. — Эраст чувствует в себе трепет — Лиза также,
390 не зная, отчего — не зная, что с нею делается… Ах, Лиза, Лиза! Где ангел-хранитель твой? Где — твоя невинность?

Заблуждение прошло в одну минуту. Лиза не понимала чувств своих, удивлялась и спрашивала. Эраст молчал — искал слов и не находил их. «Ах, я боюсь, — говорила
395 Лиза, — боюсь того, что случилось с нами! Мне казалось, что я умираю, что душа моя… Нет, не умею сказать этого!.. Ты молчишь, Эраст? Вздыхаешь?.. Боже мой! Что такое?» — Между тем блеснула молния и грянул гром. Лиза вся задрожала. «Эраст, Эраст! — сказала она. — Мне страш-
400 но! Я боюсь, чтобы гром не убил меня, как преступницу!» Грозно шумела буря, дождь лился из черных облаков — казалось, что натура сетовала о потерянной Лизиной невинности. — Эраст старался успокоить Лизу и проводил ее до хижины. Слезы катились из глаз ее, когда она прощалась
405 с ним. «Ах, Эраст! Уверь меня, что мы будем по-прежнему счастливы!» — «Будем, Лиза, будем!» — отвечал он. — «Дай Бог! Мне нельзя не верить словам твоим: ведь я люблю тебя! Только в сердце моем… Но полно! Прости! Завтра, завтра увидимся».

410 Свидания их продолжались; но как все переменилось! Эраст не мог уже доволен быть одними невинными ласками своей Лизы — одними ее любви исполненными взорами — одним прикосновением руки, одним поцелуем, одними чистыми объятиями. Он желал больше, больше и, наконец,
415 ничего желать не мог, — а кто знает сердце свое, кто размышлял о свойстве нежнейших его удовольствий, тот, конечно, согласится со мною, что исполнение *всех* желаний есть

самое опасное искушение любви. Лиза не была уже для Эраста сим ангелом непорочности, который прежде вос-
420 палял его воображение и восхищал душу. Платоническая любовь уступила место таким чувствам, которыми он не мог *гордиться* и которые были для него уже не новы. Что принадлежит до Лизы, то она, совершенно ему отдавшись, им только жила и дышала, во всем, как агнец, повиновалась
425 его воле и в удовольствии его полагала свое счастие. Она видела в нем перемену и часто говорила ему: «Прежде бывал ты веселее, прежде бывали мы покойнее и счастливее, и прежде я не так боялась потерять любовь твою!» — Иногда, прощаясь с ней, он говорил ей: «Завтра, Лиза, не могу
430 с тобою видеться: мне встретилось важное дело», — и всякий раз при сих словах Лиза вздыхала.

Наконец пять дней сряду она не видала его и была в величайшем беспокойстве; в шестой пришел он с печальным лицом и сказал ей: «Любезная Лиза! Мне должно на
435 несколько времени с тобою проститься. Ты знаешь, что у нас война, я в службе, полк мой идет в поход». — Лиза побледнела и едва не упала в обморок.

Эраст ласкал ее, говорил, что он всегда будет любить милую Лизу и надеется по возвращении своем уже никогда
440 с нею не расставаться. Долго она молчала, потом залилась горькими слезами, схватила руку его и, взглянув на него со всею нежностию любви, спросила: «Тебе нельзя остаться?» — «Могу, — отвечал он, — но только с величайшим бесславием, с величайшим пятном для моей чести. Все будут пре-
445 зирать меня; все будут гнушаться мною, как трусом, как недостойным сыном отечества». — «Ах, когда так, — сказала Лиза, — то поезжай, поезжай, куда Бог велит! Но тебя могут убить». — «Смерть за отечество не страшна, любезная Лиза». — «Я умру, как скоро тебя не будет на
450 свете». — «Но зачем это думать? Я надеюсь остаться жив, надеюсь возвратиться к тебе, моему другу». — «Дай Бог! Дай Бог! Всякий день, всякий час буду о том молиться. Ах, для чего не умею ни читать, ни писать! Ты бы уведомлял меня обо всем, что с тобою случится, а я писала бы к тебе —

о слезах своих!» — «Нет, береги себя, Лиза, береги для друга твоего. Я не хочу, чтобы ты без меня плакала». — «Жестокий человек! Ты думаешь лишить меня и этой отрады! Нет! Расставшись с тобою, разве тогда перестану плакать, когда высохнет сердце мое». — «Думай о приятной минуте, в которую опять мы увидимся». — «Буду, буду думать об ней! Ах, если бы она пришла скорее! Любезный, милый Эраст! Помни, помни свою бедную Лизу, которая любит тебя более нежели самое себя!»

Но я не могу описать всего, что они при сем случае говорили. На другой день надлежало быть последнему свиданию.

Эраст хотел проститься и с Лизиною матерью, которая не могла от слез удержаться, слыша, что *ласковый, пригожий барин* ее должен ехать на войну. Он принудил ее взять у него несколько денег, сказав: «Я не хочу, чтобы Лиза в мое отсутствие продавала работу свою, которая, по уговору, принадлежит мне». — Старушка осыпала его благословениями. «Дай Господи, — говорила она, — чтобы ты к нам благополучно возвратился и чтобы я тебя еще раз увидела в здешней жизни! Авось-либо моя Лиза к тому времени найдет себе жениха по мыслям. Как бы я благодарила Бога, если б ты приехал к нашей свадьбе! Когда же у Лизы будут дети, знай, барин, что ты должен крестить их! Ах! Мне бы очень хотелось дожить до этого!» — Лиза стояла подле матери и не смела взглянуть на нее. Читатель легко может вообразить себе, что она чувствовала в сию минуту.

Но что же чувствовала она тогда, когда Эраст, обняв ее в последний раз, в последний раз прижав к своему сердцу, сказал: «Прости, Лиза!..» Какая трогательная картина! Утренняя заря, как алое море, разливалась по восточному небу. Эраст стоял под ветвями высокого дуба, держа в объятиях свою бледную, томную, горестную подругу, которая, прощаясь с ним, прощалась с душою своею. Вся натура пребывала в молчании.

Лиза рыдала — Эраст плакал — оставил ее — она упала — стала на колени, подняла руки к небу и смотрела на

Эраста, который удалялся — далее — далее — и, наконец, скрылся — воссияло солнце, и Лиза, оставленная, бедная, лишилась чувств и памяти.

Она пришла в себя — и свет показался ей уныл и печален. Все приятности натуры сокрылись для нее вместе с любезным ее сердцу. «Ах! — думала она. — Для чего я осталась в этой пустыне? Что удерживает меня лететь вслед за милым Эрастом? Война не страшна для меня; страшно там, где нет моего друга. С ним жить, с ним умереть хочу или смертию своею спасти его драгоценную жизнь. Постой, постой, любезный! Я лечу к тебе!» — Уже хотела она бежать за Эрастом, но мысль: «У меня есть мать!» — остановила ее. Лиза вздохнула и, преклонив голову, тихими шагами пошла к своей хижине. — С сего часа дни ее были днями тоски и горести, которую надлежало скрывать от нежной матери: тем более страдало сердце ее! Тогда только облегчалось оно, когда Лиза, уединясь в густоту леса, могла свободно проливать слезы и стенать о разлуке с милым. Часто печальная горлица соединяла жалобный голос свой с ее стенанием. Но иногда — хотя весьма редко — златой луч надежды, луч утешения освещал мрак ее скорби. «Когда он возвратится ко мне, как я буду счастлива! Как все переменится!» — От сей мысли прояснялся взор ее, розы на щеках освежались, и Лиза улыбалась, как майское утро после бурной ночи. — Таким образом прошло около двух месяцев.

В один день Лиза должна была идти в Москву, затем чтобы купить розовой воды, которою мать ее лечила глаза свои. На одной из больших улиц встретилась ей великолепная карета, и в сей карете увидела она — Эраста. «Ах!» — закричала Лиза и бросилась к нему, но карета проехала мимо и поворотила на двор. Эраст вышел и хотел уже идти на крыльцо огромного дому, как вдруг почувствовал себя — в Лизиных объятиях. Он побледнел — потом, не отвечая ни слова на ее восклицания, взял ее за руку, привел в свой кабинет, запер дверь и сказал ей: «Лиза! Обстоятельства переменились; я помолвил жениться; ты должна оставить

меня в покое и для собственного своего спокойствия забыть
530 меня. Я любил тебя и теперь люблю, то есть желаю тебе
всякого добра. Вот сто рублей — возьми их, — он положил
ей деньги в карман, — позволь мне поцеловать тебя в последний раз — и поди домой». — Прежде нежели Лиза
могла опомниться, он вывел ее из кабинета и сказал слуге:
535 «Проводи эту девушку со двора».

Сердце мое обливается кровью в сию минуту. Я забываю
человека в Эрасте — готов проклинать его — но язык мой не
движется — смотрю на небо, и слеза катится по лицу
моему. Ах! Для чего пишу не роман, а печальную быль?

540 Итак, Эраст обманул Лизу, сказав ей, что он едет в армию? — Нет, он в самом деле был в армии, но, вместо того
чтобы сражаться с неприятелем, играл в карты и проиграл
почти все свое имение. Скоро заключили мир, и Эраст возвратился в Москву, отягченный долгами. Ему оставался
545 один способ поправить свои обстоятельства — жениться на
пожилой богатой вдове, которая давно была влюблена в
него. Он решился на то и переехал жить к ней в дом, посвятив искренний вздох Лизе своей. Но все сие может ли
оправдать его?

550 Лиза очутилась на улице и в таком положении, которого
никакое перо описать не может. «Он, он выгнал меня? Он
любит другую? Я погибла!» — вот ее мысли, ее чувства!
Жестокий обморок перервал их на время. Одна добрая
женщина, которая шла по улице, остановилась над Лизою,
555 лежавшею на земле, и старалась привести ее в память. Несчастная открыла глаза — встала с помощию сей доброй
женщины, — благодарила ее и пошла, сама не зная куда.
«Мне нельзя жить, — думала Лиза, — нельзя!.. О, если бы
упало на меня небо! Если бы земля поглотила бедную!..
560 Нет! небо не падает; земля не колеблется! Горе мне!» —
Она вышла из города и вдруг увидела себя на берегу глубокого пруда, под тению древних дубов, которые за несколько недель перед тем были безмолвными свидетелями ее
восторгов. Сие воспоминание потрясло ее душу; страш-
565 нейшее сердечное мучение изобразилось на лице ее. Но

через несколько минут погрузилась она в некоторую задумчивость — осмотрелась вокруг себя, увидела дочь своего соседа (пятнадцатилетнюю девушку), идущую по дороге, — кликнула ее, вынула из кармана десять империалов и,
570 подавая ей, сказала: «Любезная Анюта, любезная подружка! Отнеси эти деньги к матушке — они не краденые — скажи ей, что Лиза против нее виновата, что я таила от нее любовь свою к одному жестокому человеку, — к Э... На что знать его имя? — Скажи, что он изменил мне, — попроси,
575 чтобы она меня простила, — Бог будет ее помощником, — поцелуй у нее руку так, как я теперь твою целую, — скажи, что бедная Лиза велела поцеловать ее, — скажи, что я...» Тут она бросилась в воду. Анюта закричала, заплакала, но не могла спасти ее, побежала в деревню — собрались люди
580 и вытащили Лизу, но она была уже мертвая.

Таким образом скончала жизнь свою прекрасная душою и телом. Когда мы *там*, в новой жизни увидимся, я узнаю тебя, нежная Лиза!

Ее погребли близ пруда, под мрачным дубом, и поставили
585 деревянный крест на ее могиле. Тут часто сижу в задумчивости, опершись на вместилище Лизина праха; в глазах моих струится пруд; надо мною шумят листья.

Лизина мать услышала о страшной смерти дочери своей, и кровь ее от ужаса охладела — глаза навек закрылись. —
590 Хижина опустела. В ней воет ветер, и суеверные поселяне, слыша по ночам сей шум, говорят: «Там стонет мертвец; там стонет бедная Лиза!»

Эраст был до конца жизни своей несчастлив. Узнав о судьбе Лизиной, он не мог утешиться и почитал себя убий-
595 цею. Я познакомился с ним за год до его смерти. Он сам рассказал мне сию историю и привел меня к Лизиной могиле. — Теперь, может быть, они уже примирились!

1792

## 63 Что нужно автору?

Говорят, что автору нужны таланты и знания: острый,

проницательный разум, живое воображение и проч. Справедливо: но сего не довольно. Ему надобно иметь и доброе, нежное сердце, если он хочет быть другом и любимцем 5 души нашей; если хочет, чтобы дарования его сияли светом немерцающим; если хочет писать для вечности и собирать благословения народов. Творец всегда изображается в творении и часто — против воли своей. Тщетно думает лицемер обмануть читателей и под златою одеждою пыш-10 ных слов сокрыть железное сердце; тщетно говорит нам о милосердии, сострадании, добродетели! Все восклицания его холодны, без души, без жизни; и никогда питательное, эфирное пламя не польется из его творений в нежную душу читателя.

15 Если бы небо наделило какого-нибудь изверга великими дарованиями славного Аруэта, то, вместо прекрасной «Заиры», написал бы он карикатуру «Заиры». Чистейший целебный нектар в нечистом сосуде делается противным, ядовитым питием.

20 Когда ты хочешь писать портрет свой, то посмотрись прежде в верное зеркало: может ли быть лицо твое предметом искусства, которое должно заниматься одним *изящным*, изображать красоту, гармонию и распространять в *области чувствительного* приятные впечатления? Если твор-25 ческая натура произвела тебя в час небрежения или в минуту раздора своего с красотою: то будь благоразумен, не безобразь художниковой кисти, — оставь свое намерение. Ты берешься за перо и хочешь быть автором: спроси же у самого себя, наедине, без свидетелей, искренно: *каков я?* 30 ибо ты хочешь писать портрет души и сердца своего.

Ужели думаете вы, что Геснер мог бы столь прелестно изображать невинность и добродушие пастухов и пастушек, если бы сии любезные черты были чужды собственному его сердцу?

35 Ты хочешь быть автором: читай историю несчастий рода человеческого — и если сердце твое не обольется кровию, оставь перо, — или оно изобразит нам хладную мрачность души твоей.

Но если всему горестному, всему угнетенному, всему
40 слезящему открыт путь во чувствительную грудь твою; если душа твоя может возвыситься до *страсти к добру*, может питать в себе святое, никакими сферами не ограниченное *желание всеобщего блага*: тогда смело призывай богинь парнасских — они пройдут мимо великолепных чертогов и
45 посетят твою смиренную хижину — ты не будешь бесполезным писателем — и никто из добрых не взглянет сухими глазами на твою могилу.

Слог, фигуры, метафоры, образы, выражения — все сие трогает и пленяет тогда, когда одушевляется чувством;
50 если не оно разгорячает воображение писателя, то никогда слеза моя, никогда улыбка моя не будет его наградою.

Отчего Жан-Жак Руссо нравится нам со всеми своими слабостями и заблуждениями? Отчего любим мы читать его и тогда, когда он мечтает или запутывается в противоре-
55 чиях? — Оттого, что в самых его заблуждениях сверкают искры страстного человеколюбия; оттого, что самые слабости его показывают некоторое милое добродушие.

Напротив того, многие другие авторы, несмотря на свою ученость и знания, возмущают дух мой и тогда, когда
60 говорят истину: ибо сия истина мертва в устах их; ибо сия истина изливается не из добродетельного сердца; ибо дыхание любви не согревает ее.

Одним словом: я уверен, что дурной человек не может быть хорошим автором.

1793

# ИВАН ИВАНОВИЧ ДМИТРИЕВ

1760–1837

## 64 Чужой толк

«Что за диковинка? Лет двадцать уж прошло,
Как мы, напрягши ум, наморщивши чело,

Со всеусердием всё оды пишем, пишем,
А ни себе, ни им похвал нигде не слышим!
5 Ужели выдал Феб свой именной указ,
Чтоб не дерзал никто надеяться из нас
Быть Флакку, Рамлеру и их собратьи равным
И столько ж, как они, во песнопеньи славным?
Как думаешь?.. Вчера случилось мне сличать
10 И их и нашу песнь: в их… нечего читать!
Листочек, много три, а любо, как читаешь —
Не знаю, как-то сам как будто бы летаешь!
Судя по краткости, уверен, что они
Писали их резвясь, а не четыре дни;
15 То как бы нам не быть еще и их счастливей,
Когда мы во сто раз прилежней, терпеливей?
Ведь наш начнет писать, то все забавы прочь!
Над парою стихов просиживает ночь,
Потеет, думает, чертит и жжет бумагу;
20 А иногда берет такую он отвагу,
Что целый год сидит над одою одной!
И подлинно уж весь приложит разум свой!
Уж прямо самая торжественная ода!
Я не могу сказать, какого это рода,
25 Но очень полная, иная в двести строф!
Судите ж, сколько тут хороших есть стишков!
К тому ж, и в правилах: сперва прочтешь вступленье,
Тут предложение, а там и заключенье —
Точь-в-точь как говорят учены по церквам!
30 Со всем тем нет читать охоты, вижу сам.
Возьму ли, например, я оды на победы,
Как покорили Крым, как в море гибли шведы:
Все тут подробности сраженья нахожу,
Где было, как, когда, — короче я скажу:
35 В стихах реляция! прекрасно!.. а зеваю!
Я, бросивши ее, другую раскрываю,
На праздник иль на что подобное тому:
Тут найдешь то, чего б нехитрому уму
Не выдумать и ввек: *зари багряны персты*,

40 И *райский крин*, и *Феб*, и *небеса отверсты!*
Так громко, высоко!.. а нет, не веселит,
И сердца, так сказать, ничуть не шевелит!»

Так дедовских времен с любезной простотою
Вчера один старик беседовал со мною.
45 Я, будучи и сам товарищ тех певцов,
Которых действию дивился он стихов,
Смутился и не знал, как отвечать мне должно;
Но, к счастью — ежели назвать то счастьем можно,
Чтоб слышать и себе ужасный приговор, —
50 Какой-то Аристарх с ним начал разговор.

«На это, — он сказал, — есть многие причины;
Не обещаюсь их открыть и половины,
А некоторы вам охотно объявлю.
Я сам язык богов, поэзию, люблю,
55 И нашей, как и вы, утешен так же мало;
Однако ж здесь, в Москве, толкался я, бывало,
Меж наших Пиндаров и всех их замечал:
Большая часть из них — лейб-гвардии капрал,
Асессор, офицер, какой-нибудь подьячий
60 Иль из кунсткамеры антик, в пыли ходячий,
Уродов страж, — народ всё нужный, должностной;
Так часто я видал, что истинно иной
В два, в три дни рифму лишь прибрать едва успеет,
Затем что в хлопотах досуга не имеет.
65 Лишь только мысль к нему счастливая придет,
Вдруг было шесть часов! уже карета ждет;
Пора в театр, а там на бал, а там к Лиону,
А тут и ночь... Когда ж заехать к Аполлону?
Назавтра, лишь глаза откроет, — уж билет:
70 *На пробу в пять часов*... Куда же? В модный свет,
Где лирик наш и сам взял Арлекина ролю.
До оды ль тут? Тверди, скачи два раза к Кролю;
Потом опять домой: здесь холься да рядись;
А там в спектакль, и так со днем опять простись!

75 К тому ж, у древних цель была, у нас другая:
Гораций, например, восторгом грудь питая,
Чего желал? О! он — он брал не с высока,
В веках бессмертия, а в Риме лишь венка
Из лавров иль из мирт, чтоб Делия сказала:
80 «Он славен, чрез него и я бессмертна стала!»
А наших многих цель — награда перстеньком,
Нередко сто рублей иль дружество с князьком,
Который отроду не читывал другого,
Кроме придворного подчас месяцеслова,
85 Иль похвала своих приятелей; а им
Печатный всякий лист быть кажется святым.
Судя ж, сколь разные и тех, и наших виды,
Наверно льзя сказать, не делая обиды
Ретивым господам, питомцам русских муз,
90 Что должен быть у них и особливый вкус
И в сочинении лирической поэмы
Другие способы, особые приемы;
Какие же они, сказать вам не могу,
А только объявлю — и, право, не солгу, —
95 Как думал о стихах один стихотворитель,
Которого трудов «Меркурий» наш и «Зритель»,
И книжный магазин, и лавочки полны.
«Мы с рифмами на свет, — он мыслил, — рождены;
Так не смешно ли нам, поэтам, согласиться
100 На взморье в хижину, как Демосфен, забиться,
Читать да думать всё, и то, что вздумал сам,
Рассказывать одним шумящим лишь волнам?
Природа делает певца, а не ученье;
Он не учась учен, как придет в восхищенье;
105 Науки будут всё науки, а не дар;
Потребный же запас — отвага, рифмы, жар».
И вот как писывал поэт природный оду:
Лишь пушек гром подаст приятну весть народу,
Что Рымникский Алкид поляков разгромил,
110 Иль Ферзен их вождя Костюшку полонил,
Он тотчас за перо и разом вывел: *Ода!*

Потом в один присест: *такого дня и года!*
«Тут как?.. *Пою!..* Иль нет, уж это старина!
Не лучше ль: *Даждь мне, Феб!..* Иль так: *Не ты одна*
115 *Попала под пяту, о чалмоносна Порта!*
Но что же мне прибрать к ней в рифму, кроме черта?
Нет, нет! нехорошо; я лучше поброжу
И воздухом себя открытым освежу».
Пошел и на пути так в мыслях рассуждает:
120 «Начало никогда певцов не устрашает;
Что хочешь, то мели! Вот штука, как хвалить
Героя-то придет! Не знаю, с кем сравнить?
С Румянцовым его, иль с Грейгом, иль с Орловым?
Как жаль, что древних я не читывал! а с новым —
125 Неловко что-то всё. Да просто напишу:
*Ликуй, Герой! ликуй, Герой ты!* возглашу.
Изрядно! Тут же что? Тут надобен восторг!
Скажу: *Кто зáвесу мне вечности расторг?*
*Я вижу молний блеск! Я слышу с горня света*
130 *И то, и то*... А там?.. известно: *многи лета!*
Брависсимо! и план, и мысли всё уж есть!
Да здравствует поэт! осталося присесть,
Да только написать, да и печатать смело!»
Бежит на свой чердак, чертит, и в шляпе дело!
135 И оду уж его тисненью предают,
И в оде уж его нам ваксу продают!
Вот как пиндарил он, и все ему подобны,
Едва ли вывески надписывать способны!
Желал бы я, чтоб Феб хотя во сне им рек:
140 «Кто в громкий славою Екатеринин век
Хвалой ему сердец других не восхищает
И лиры сладкою слезой не орошает,
Тот брось ее, разбей, и знай: он не поэт!»

Да ведает же всяк по одам мой клеврет,
145 Как дерзостный язык бесславил нас, ничтожил,
Как лириков ценил! Воспрянем! Марсий ожил!
Товарищи! к столу, за перья! отомстим,

Надуемся, напрём, ударим, поразим!
Напишем на него предлинную сатиру
150 И оправдаем тем российску громку лиру.

1794

# АЛЕКСАНДР СЕМЕНОВИЧ ШИШКОВ

1754–1841

## 65 Рассуждение о старом и новом слоге российского языка

[отрывки]

Всяк кто любит российскую словесность, и хотя несколько упражнялся в оной, не будучи заражен неисцелимою и лишающею всякого рассудка страстию к французскому языку, тот развернув большую часть нынешних наших книг
5 с сожалением увидит, какой странный и чуждый понятию и слуху нашему слог господствует в оных. Древний славенский язык, повелитель многих народов, есть корень и начало российского языка, который сам собою всегда изобилен был и богат, но еще более процвел и обогатился красотами, заим-
10 ствованными от сродного ему эллинского языка, на коем витийствовали гремящие Гомеры, Пиндары, Демосфены, а потом Златоусты, Дамаскины, и многие другие християнские проповедники. Кто бы подумал, что мы, оставя сие многими веками утвержденное основание языка своего,
15 начали вновь созидать оный на скудном основании французского языка? Кому приходило в голову с плодоносной земли благоустроенный дом свой переносить на бесплодную болотистую землю? Ломоносов, рассуждая о пользе книг церьковных, говорит: «Таким старательным и осторожным
20 употреблением сродного нам коренного славенского языка купно с российским, отвратятся дикие и странные сло́ва нелепости, входящие к нам из чужих языков, заимствующих себе красоту от греческого, и то еще чрез латинский. Оные

неприличности ныне небрежением чтения книг церьковных
25 вкрадываются к нам нечувствительно, искажают собственную красоту нашего языка, подвергают его всегдашней перемене, и к упадку преклоняют». Когда Ломоносов писал сие, тогда зараза оная не была еще в такой силе, и потому мог он сказать: *вкрадываются к нам нечувствительно*; но ныне
30 уже должно говорить: вломились к нам насильственно и наводняют язык наш, как потоп землю. Мы в продолжении сего сочинения ясно сие увидим. Недавно случилось мне прочитать следующее: «Разделяя слог наш на эпохи, первую должно начать с Кантемира, вторую с Ломоносова, третию с
35 переводов славяно-русских господина Елагина и его многочисленных подражателей, а четвертую с нашего времени, в которое образуется приятность слога, называемая французами *élégance*». Я долго размышлял, вподлинну ли сочинитель сих строк говорит сие от чистого сердца, или издевается и
40 шутит: как? Нелепицу нынешнего слога называет он приятностию! Совершенное безобразие и порчу оного, образованием! Он именует прежние переводы славяно-русскими: что разумеет он под сим словом? Не уж ли презрение к источнику красноречия нашего, славенскому
45 языку? Не дивно: ненавидеть свое и любить чужое почитается ныне достоинством. Но как же назовет он нынешние переводы, и даже самые сочинения? Без сомнения французско-русскими: и сии то переводы предпочитает он славено-российским? Правда, ежели французское слово
50 *élégance* перевесть по-русски *чепуха*, то можно сказать, что мы действительно и в краткое время слог свой довели до того, что погрузили в него всю полную силу и знаменование сего слова!

.....Таковое прилежное чтение российских книг отнимет
55 у нынешних писателей драгоценное время читать французские книги. Возможно ли, скажут они с насмешкою и презрением, возможно ли *трогательную* Заиру, *занимательного* Кандида, *милую* орлеанскую девку, променять на скучный Пролог, на непонятный Несторов Летописец? Избегая

60 сего труда, принимаются они за самой легкой способ, а именно: одни из них безобразят язык свой введением в него иностранных слов, таковых например как: *моральный, эстетический, эпоха, сцена, гармония, акция, энтузиязм, катастрофа* и тому подобных.[1] Другие из русских слов стараются делать
65 нерусские, как например: вместо будущее время говорят *будущность*; вместо настоящее время, *настоящность* и проч. Третьи французские имена, глаголы и целые речи переводят из слова в слово на русской язык; самопроизвольно принимают их в том же смысле из французской литературы в
70 российскую словесность, как будто из их службы офицеров теми же чинами в нашу службу, думая, что оне в переводе сохранят то ж знаменование, какое на своем языке имеют. Например: *influence* переводят *влияние*, и несмотря на то, что глагол *вливать* требует предлога *в*: *вливать вино в бочку*,
75 *вливает в сердце ей любовь*, располагают нововыдуманное слово сие по французской грамматике, ставя его по свойству их языка с предлогом *на*: *faire l'influence sur les esprits*, делать влияние на разумы.[2] Подобным сему образом переведены слова: *переворот, развитие, утончанный, сосредоточить, трога-*
80 *тельно, занимательно*, и множество других. В показанных ниже сего примерах мы яснее увидим, какой нелепой слог

[1] Сии суть самые новомодные слова, и для того в нынешних книгах повторяются оне почти на каждой странице; впрочем в языке нашем имеются также и обветшалые иностранные слова,
85 как например: *авантажиться, манериться, компанию водить, куры строить, комедь играть* и проч. Сии прогнаны уже из большого света и переселились к купцам и купчихам.

[2] . . . . Мне случилось разговаривать с одним и защитников нынешних писателей, и когда я сказал ему, что слово *influence* пере-
90 ведено *влиянием* не потому, чтоб в языке нашем не было соответствующего ему названия, но потому что переводчик не знал слова *наитствовать*, изображающего то ж самое понятие, тогда отвечал он мне: я лучше дам себя высечь, нежели когда-нибудь соглашусь слово это употребить. Сие одно уже пока ывает ,как много
95 заражены мы любовию к французскому и ненавистию к своему языку. Какая же надежда ожидать нам красноречивых писателей, и мудрено ли, что у нас их нет?

рождается от сих русско-французских слов. Здесь же приметим токмо, что по сему новому правилу так легко с
100 иностранных языков переводить всех славных и глубокомысленных писателей, как бы токмо списывать оных. Затруднение встретится в том единственно, что не знающий французского языка, сколь бы ни был силен в российском, не будет разуметь переводчика; но благодаря презрению
105 к природному языку своему, кто не знает ныне по-французски? По мнению нынешних писателей великое было бы невежество, нашед в сочиняемых ими книгах слово *переворот*, не догадаться, что оное значит *révolution*, или по крайней мере *révolte*. Таким же образом и до других всех до-
110 браться можно: *развитие*, *développement*; *утонченный*, *raffiné*; *сосредоточить*, *concentrer*; *трогательно*, *touchant*; *занимательно*, *intéressant*, и так далее. Вот беда для них, когда кто в писаниях своих употребляет слова: *брашно*, *требище*, *рясна*, *зодчество*, *доблесть*, *прозябать*, *наитствовать*, и тому подобные,
115 которых они сроду не слыхивали, и потому о таковом писателе с гордым презрением говорят: он педант, провонял славенщиною и не знает французского в штиле элегансу.

1803

# ИВАН АНДРЕЕВИЧ КРЫЛОВ

1769–1844

**66**

## Почта духов

## Письмо XIX

## От сильфа Световида к волшебнику Маликульмульку

[отрывок]

Театр здешний показался мне довольно велик, ложи в нем в пять ярусов, но, осматривая вокруг, представилась мне

ужасная пестрота, потому что каждая ложа обита особливого цвета обоями, и у каждой такого же цвета занавески,
5 так что было тут смешение всех разных цветов. Многие из сих лож были наполнены обоего пола людьми, а некоторые закрыты были занавесками, однакож приметил я, что и там в потемках сидели и тихонько оттуда выглядывали; а как из любопытства спрашивал я, для чего сидящие в тех ложах
10 не показываются и скрываются в темноте, то мне сказали, что часто случаются тут любовник с любовницею, которые приезжают не для смотрения пиесы, но для любовного свидания. Между театром и партерами на довольно пространной площадке стояла толпа мужчин, из которых очень не-
15 многие, подвинувшись ближе к театру, занимались зрением пиесы, а большая часть, расхаживая взад и вперед, заглядывали в глаза женщинам, сидящим в партерах, и разговаривали между собою так крепко, что от их разговоров совсем не слышно было речей актеров, представляющих на театре.
20 Некоторые из сих расхаживающих были с растрепанными волосами, в розовых на шее платках и подпоясанные кушаками; они во все горло кричали и спорили о скорости в беге своих лошадей и между тем похлопывали по полу бичами, которые в руках у них были; а некоторые, подняв кверху
25 головы и приложа к глазу лорнет, смотрели на сидящих в ложах женщин, и как скоро сей лорнет устремлялся на какую женщину, то она тихонько отворачивалась, приятно усмехалась и потрогивала искусно или ленточкою на шее, или опахалом; такое жеманство продолжалось непрестанно
30 до самого того времени, как смотритель в лорнет оборачивался к другой женщине, которая в ту же минуту принималась за такие же ужимки.

1789

## 67 Любопытный

«Приятель дорогой, здорово! Где ты был?» —
«В Кунсткамере, мой друг! Часа там три ходил;
Всё видел, высмотрел; от удивленья,

Поверишь ли, не станет ни уменья
5 Пересказать тебе, ни сил.
Уж подлинно, что там чудес палата!
Куда на выдумки природа таровата!
Каких зверей, каких там птиц я не видал!
Какие бабочки, букашки,
10 Козявки, мушки, таракашки!
Одни как изумруд, другие как коралл!
Какие крохотны коровки!
Есть, право, менее булавочной головки!» —
«А видел ли слона? Каков собой на взгляд!
15 Я чай, подумал ты, что гору встретил?» —
«Да разве там он?» — «Там». — «Ну, братец, виноват:
Слона-то я и не приметил».

1814

## 68 Василек

В глуши расцветший Василек
Вдруг захирел, завял почти до половины
И, голову склоня на стебелек,
Уныло ждал своей кончины;
5 Зефиру между тем он жалобно шептал:
«Ах, если бы скорее день настал
И солнце красное поля здесь осветило,
Быть может, и меня оно бы оживило?» —
«Уж как ты прост, мой друг! —
10 Ему сказал, вблизи копаясь, жук. —
Неужли солнышку лишь только и заботы,
Чтобы смотреть, как ты растешь,
И вянешь ты или цветешь?
Поверь, что у него ни время, ни охоты
15 На это нет.
Когда бы ты летал, как я, да знал бы свет,
То видел бы, что здесь луга, поля и нивы
Им только и живут, им только и счастливы:
Оно своею теплотой

20 Огромные дубы и кедры согревает
И удивительною красотой
Цветы душистые богато убирает;
Да только те цветы
Совсем не то, что ты:
25 Они такой цены и красоты,
Что само время их, жалея, косит;
А ты ни пышен, ни пахуч:
Так солнца ты своей докукою не мучь!
Поверь, что на тебя оно луча не бросит,
30 И добиваться ты пустого перестань,
Молчи и вянь!»
Но солнышко взошло, природу осветило,
По царству Флорину рассыпало лучи,
И бедный Василек, завянувший в ночи,
35 Небесным взором оживило.

О вы, кому в удел судьбою дан
Высокий сан!
Вы с солнца моего пример себе берите!
Смотрите:
40 Куда лишь луч его достанет, там оно
Былинке ль, кедру ли — благотворит равно,
И радость по себе и счастье оставляет;
Зато и вид его горит во всех сердцах,
Как чистый луч в восточных хрусталях,
45 И все его благословляет.

1823

# SUGGESTIONS ON THE USE OF THE BOOK

MANY of the passages have been chosen to illustrate developments in the Russian literary and dramatic genres, the literary language, and versification over the eighteenth century. Students may therefore find it instructive to compare these passages in the following groups:

*Poetry*

Psalm translations: Polotsky 4, Lomonosov 30.
Songs: Rostovsky 7, Anonymous Petrine Love-Songs 12 and 13, Popov 45.
Narrative poems: Prokopovich 15, Kheraskov 42.
Occasional poems: Yavorsky 8, Prokopovich 17, Trediakovsky 21.
Epics: Kantemir 19, Trediakovsky 26, Lomonosov 32, Kheraskov 43.
Solemn odes: (i) on victories—Trediakovsky 23, Lomonosov 27, Derzhavin 54; (ii) to the Empress—Lomonosov 29, Derzhavin 53.
Satires: Kantemir 18, Dmitriyev 64.
Fables: Sumarokov 34, Khemnitser 51, Krylov 67 and 68.

*Prose*

Sermons: Istomin 9, Prokopovich 16.
Short stories: An Anonymous Story of the Early XVIIIth Century 14, Karamzin 62.
Letters as an expository device: Emin 37 and 38, Zadonsky 40, Novikov 46, Karamzin 61.
Essays: Novikov 47, Karamzin 63.

*Drama*

Comedies: Polotsky 5, Sumarokov 35, Fonvizin 44, Catherine II 48, Kapnist 60.
Tragedies: Sumarokov 33, Nikolev 58.

*The Literary Language*

Polotsky 2, Polikarpov 10, Peter I 11, Trediakovsky 22, Lomonosov 31, Sumarokov 36, Shishkov 65.

*Russian Versification*

Kantemir 20, Trediakovsky 24 and 25, Lomonosov 28.

# ABBREVIATIONS AND SYMBOLS

| | |
|---|---|
| acc. | accusative |
| act. | active |
| adj. | adjective |
| adv. | adverb |
| *c.* | circa |
| conj. | conjunction |
| CS | Church Slavonic |
| dat. | dative |
| ed. | editor |
| fem. | feminine |
| Fr. | French |
| fut. | future |
| gen. | genitive |
| Ger. | German |
| Gr. | Greek |
| IE | Indo-European |
| imp. | imperative |
| instr. | instrumental |
| Lat. | Latin |
| lit. | literally |
| loc. | locative |
| masc. | masculine |
| neut. | neuter |
| nom. | nominative |
| OCS | Old Church Slavonic |
| OR | Old Russian |
| O.S. | Old Style |
| Pol. | Polish |
| part. | participle |
| pass. | passive |
| plur. | plural |
| prep. | preposition (a 1) |
| pres. | present |
| R | Russian |
| sc. | scilicet |
| sing. | singular |
| s.v. | sub voce |
| Ukr. | Ukrainian |
| voc. | vocative |
| WR | White Russian |
| б. г. | без указания года |
| и т. д. | и так далее |
| ред. | редактор |
| ст. ст. | старого стиля |
| стр. | страница/ы |
| т. | том |
| тт. | тома |
| ук. соч. | указанное сочинение |
| > | becomes |
| < | from |
| + | and |
| * | a hypothetically reconstructed form |
| : | introduces a translation |
| — | introduces an equivalent in modern R |

815627 N

# WORKS REFERRED TO BY AUTHORS' NAMES ONLY

Roman numerals indicate volumes and Arabic indicate pages

Avanesov—Р. И. Аванесов, *Русское литературное произношение*, издание третье, Москва, 1958.

Avanesov and Ozhegov—Р. И. Аванесов и С. И. Ожегов, *Русское литературное произношение и ударение, Словарь-справочник*, Москва, 1960.

Borkovsky—В. И. Борковский, П. С. Кузнецов, *Историческая грамматика русского языка*, издание второе, Москва, 1965.

Bulakhovsky—Л. А. Булаховский, *Исторический комментарий к русскому литературному языку*, издание пятое, Киев, 1958.

Buslayev—Ф. И. Буслаев, *Историческая грамматика русского языка*, Москва, 1959.

Chernykh—П. Я. Черных, *Историческая грамматика русского языка*, Москва, 1952.

Cocron—Friedrich Cocron, *La Langue russe dans la seconde moitié du XVII$^{e}$ siècle* (*Morphologie*), Paris, 1962.

Gardiner—S. C. Gardiner, *German Loanwords in Russian 1550–1690*, Oxford, 1965.

Goodwin—William W. Goodwin, *A Greek Grammar*, London, new edition 1894, reprinted 1910.

Gorshkov—А. И. Горшков, *Старославянский язык*, Москва, 1963.

*Grammatika russkogo yazyka*—Академия наук СССР, *Грамматика русского языка*, три тома, Москва, 1960.

Ivanov—В. В. Иванов, *Историческая грамматика русского языка*, Москва, 1964.

Kiparsky—Valentin Kiparsky, *Der Wortakzent der russischen Schriftsprache*, Heidelberg, 1962.

Levin—В. Д. Левин, *Краткий очерк истории русского литературного языка*, издание второе, Москва, 1964.

Matthews—W. K. Matthews, *Russian Historical Grammar*, first edition, London, 1960.

Nandriş—Grigore Nandriş, *Handbook of Old Church Slavonic, Part I. Old Church Slavonic Grammar*, London, 1959.

Selishchev—А. М. Селищев, *Старославянский язык*, две части, Москва, 1951–2, часть I (1951), часть II (1952).

Shakhmatov—A. Šachmatov — G. Y. Shevelov, *Die kirchenslavischen Elemente in der modernen russischen Literatursprache*, Wiesbaden, 1960.

Unbegaun—Boris Unbegaun, *La Langue russe au XVI^e siècle (1500–1550) I. La Flexion des noms*, Paris, 1935.

Unbegaun, *Versification*—B. O. Unbegaun, *Russian Versification*, Oxford, first edition 1956, reprinted 1966 (with some corrections and modifications).

Vinogradov—В. В. Виноградов, *Очерки по истории русского литературного языка XVII—XIX вв.*, Лейден, 1949 (reprinted photostatically from the second edition, Moscow, 1938).

# NOTES

## *SIMEON POLOTSKY*

Samuil Yemel'yanovich Petrovsky-Sitnianovich, later known as Simeon Polotsky, was born in Belorussia in 1629. He was educated at Kiev in the Kievo-Mogilyansky Academy, which had been founded by Peter Mogila, Metropolitan of Kiev, in 1630 or 1631. On completing his studies he returned to Belorussia and entered the Bogoyavlensky Monastery at Polotsk, receiving the name of Simeon. There he taught in the school run by the monks. In 1664 Polotsky moved to Moscow and opened a school in the Zaikonospassky Monastery, which had been established in 1660. In the early 1680s this school became known as the Slavo-Graeco-Latin Academy. Polotsky remained in Moscow, teaching, writing, and carrying out responsible commissions for the Court, till his death in 1680.

Polotsky popularized in Russia the system of syllabic versification, which was used by almost all writers of Russian verse till 1735, when V. K. Trediakovsky proposed the syllabo-tonic system, and to a rapidly decreasing extent thereafter. Polotsky had learnt the syllabic system at Kiev, where it had been brought from Poland. According to it the line of verse is distinguished from prose by having a fixed number of syllables. Polish words are stressed on the penultimate syllable, so all Polish syllabic lines had feminine endings, i.e. they ended in a single unstressed syllable. Writers of Russian syllabic verse tried to imitate this, but as it was not natural to Russian, in which the stress may fall on any syllable, they occasionally wrote lines with masculine and dactylic endings, i.e. lines ending in a stressed syllable or two unstressed syllables respectively. The irregularity of these lines was probably lessened by a style of reading which reduced word stress throughout. Syllabic lines are generally rhymed in successive pairs, and the longer lines have caesurae, i.e. fixed breaks in the line (Unbegaun, *Versification*, 3–7 and 137–9).

Polotsky's compositions include sermons, a translation of the Psalms, two plays, and numerous poems, mostly on religious themes. Their language is Russian Church Slavonic with some Ukrainianisms and Polonisms.

**1.** Бесѣды пастуския [начало]

Polotsky wrote *The Conversations of the Shepherds* for his pupils to perform before the Czar Aleksey Mikhaylovich when he visited Polotsk in 1656. The theme may have been seasonal—the Czar spent at least the second half of the year there, presumably including Christmas, but there is also probably an implied likening of his visit to the coming of the Messiah.

Except for the concluding hymn the work is written in an adaptation of the sapphic stanza of Greek and Latin poetry to syllabic prosody. Polotsky's sapphic stanza consists of three lines of eleven syllables, each with a caesura after the fifth syllable, followed by a line of five syllables. The four lines rhyme in pairs. Most of the lines in this extract have feminine endings, a few have dactylic endings, none has a masculine ending.

'Shepherd 1: Why has the promised Messiah not yet come? Shepherd 2: He has come, for today we have seen Him. Shepherd 1: We also have seen the heavens opened and angels descending to the earth. What news did they bring? Shepherd 2: That God has come down from heaven to dwell on earth.'

In the rest of the poem Shepherd 2 explains how pity for mankind prompted God to send his Son and tells how Shepherd 1 and his fellows can find the stable at Bethlehem. When Shepherd 1 complains that they are simple folk and do not know what to say and have no worthy gifts to offer, Shepherd 2 answers that they had entered the stable, bowed in simplicity and said only what they could; their gifts were sheepskins. The work ends with a hymn which Shepherd 1 and his fellows are to sing on their journey back from Bethlehem. The complete work is 244 lines long.

Text: С. А. Щеглова, Русская пастораль XVII века («Беседы пастушеские» Симеона Полоцкого). В. Н. Перетц (ред.), *Старинный театр в России XVII—XVIII вв.*, Петербург, 1923, стр. 84–6.

Editorial changes: the first three lines of each stanza have been aligned; the punctuation has been revised; разстворшееся is read for разстворшеся in line 26 *metri gratia*.

Title. пастуския — пастушеские, nom. fem. plur. of the long adjective.

еже: which, nom. neut. sing. of the CS relative pronoun иже (Nandriș 110–11). ест, CS, cp. R есть (Nandriș 194). Though бесѣды is fem. plur., the neuter is used to refer to the phrase as a whole.

Спаса: Saviour.

видѣннаго, CS gen. masc. sing.

вертѣпѣ: cave, den, i.e. the stable in which Christ was born.

пречистыя — пречистой, CS gen. fem. sing.

пеленами: swaddling clothes.

повита: wrapt, gen. masc. sing. of the short past part. pass.; so also положенна.

яслѣх. -ѣх, the loc. plur. ending of *-o-* stems, here replaces -ex < OCS **-ьхъ**, the regular ending of *-i-* stems.

In the OCS and Russian CS alphabets the letters A and B have the numerical values of 1 and 2.

1. зазорите: are you acting shamefully.

2. врат, CS, cp. R ворот.

3. удержуете — удерживаете, probably a Ukrainianism.

4. славнаго. -аго is a CS ending of the gen. masc. and neut. sing. of the long (pronominal) form of hard adjectives and participles. -яго is the corresponding ending of soft adjectives and participles. The R endings -ого and -его were formed on the analogy of such pronominal forms as того and сего (Shakhmatov 30–1, Unbegaun 321–2, Cocron 116–19).

5. спустѣте — спустите, 2nd plur. imp., a Ukrainianism (Cocron 213); so also кропѣте (line 6) and скажѣте (line 39).

6. свышше — свыше.

   спасенную: saving, of salvation.

7. оживляющу, acc. fem. sing. of the short CS pres. part. act., used attributively (Nandriş 99–101). The corresponding OR participle, which except in the nom. masc. and neut. sing. had the suffixes -уч-, -юч-, -ач-, -яч-, survives in such adjectives as жгучий and горячий (Ivanov 401–6).

   изсохшия. The adjectival and participial nom. and acc. plur. ending -ыя, of which -ия is the soft counterpart, goes back to the OCS nom. and acc. fem. plur. and acc. masc. plur. ending **-ыѩ**. -ыя and -ия are often found in fem. (as here) and neut. plur. adjectives, but occasionally also in masc. plur. adjectives (Cocron 120–1).

8. в греховнѣй суши: in sinful dryness. The ending of the loc. sing. of *-ja-* stems in CS is -и (Nandriş 55).

9. глас, CS, cp. R голос.

юноше. -е is the CS voc. sing. of all *-ja-* stems except the masc. nouns ending in -ии, whose vocative is identical with the nominative (Nandriş 54–6).

10. 'dost thou dream?—a voice bright as a burgeoning branch.' The text is probably corrupt.

11. почто, CS: why.

возсылаеши. -ши is the ending of the 2nd sing. pres. of the first four conjugations in CS. The fifth conjugation, consisting of the athematic verbs, has the ending -си (Nandriş 131–3).

13. бо is an enclitic and so generally stands after the first word of a sentence, as here (Bulakhovsky 372, Nandriş 206, Borkovsky 541).

сѣнный закон: the Law of the Tabernacle, i.e. the Law of Moses, the Old Dispensation. сѣнный: giving shade. The reference is to the booths made of branches in which the Jews lived during the eight-day Feast of the Tabernacles (Leviticus 23: 34 et seq., Numbers 29: 12–39).

пременися, CS 3rd sing. aorist reflexive (Nandriş 143–5 and 190). пре-, CS, cp. R пере- (Shakhmatov 10).

14. родися, see line 13.

15. его же: whom, acc. masc. sing. of иже (Nandriş 111, Gorshkov 138).

ангел, CS gen. plur. of *-o-* stems.

явиша, CS 3rd plur. sigmatic aorist; so also устрашиша (line 16), предсташа (line 19), утѣшаша (line 20), соглядаша (line 24), видѣша (line 25), рѣша (line 26).

17. во вышних. The vocalization of jers in weak positions in prepositions before single consonants or vowels is a CS characteristic (Bulakhovsky 89).

вопиюще, short nom. masc. plur. of the CS pres. part. act. of вопияти (Nandriş 100); so also зовуще (line 18).

18. человѣком, CS dat. plur. of *-o-* stems.

19. бѣгшим, the dat. plur. of a past part. act.

страсѣ, loc. sing. of the *-o-* stem noun страх, showing the 2nd palatalization (Nandriș 57–8).

комуждо: to everyone (Nandriș 105 and 106).

21. пророчествия — пророчества, cp. царствие and царство.

откривающе, see line 17. -кри- for -кры- is a Ukrainianism.

22. обѣтованна, gen. masc. sing. of the short (nominal) form of the past part. pass. Short forms of participles and adjectives could be used attributively in CS (Gorshkov 141 and 192–3).

23. очи, nom. plur. of око, in origin a dual (Nandriș 71).

воистинну — воистину.

наша, nom. neut. plur. instead of the dual наши (Nandriș 107).

24. днес: today, now, a Ukrainianism (Vasmer under днесь).

соглядаша: have espied, observed.

25. мнози: nom. masc. plur. of the short declension of мног (OCS мъногъ), showing the 2nd palatalization (Nandriș 105).

нощь, CS, cp. R ночь.

разстворшееся — растворившееся: opened, acc. neut. sing. of the long past part. reflexive (Nandriș 119).

рѣша: said, 3rd plur. sigmatic aorist of CS рещи.

27. воздусѣ, loc. sing. of the *-o-* stem noun воздух, showing the 2nd palatalization.

крилы, instr. plur. of the CS *-o-* stem neuter крило, cp. R крыло.

28. окрили — покрыли, a Ukrainianism.

29. сплетшася: having woven for each other, nom. dual of the short past part. reflexive used in a reciprocal sense (Nandriș 102).

31. гласы, instr. plur. of the *-o-* stem noun глас.

вси: all, CS nom. masc. plur., cp. OCS вьси (Nandriș 112).

пояху, CS 3rd plur. imperfect of пѣти.

32. плетяху, CS 3rd plur. imperfect of плести.

33. инии: others, nom. masc. plur., formed on the analogy of the long (pronominal) adjectives (Nandriș 105–6).

низско — низко.

земли, CS dat. sing. of *-ja-* stems.

ся. In OCS the acc. 3rd person reflexive pronoun was not necessarily attached to the verb, but could be placed freely in the sentence (Selishchev II. 113, Nandriş 104). This was so also in OR in the 16th century (Unbegaun 364), but by the second half of the 17th century ся had become firmly attached to its verb (Cocron 208–9). Its free position here is CS.

спущали — спускали. Пущати, which was frequently used in OCS and OR, now survives only in popular speech: in the literary language it was replaced by пускать early in the 19th century (Bulakhovsky 115).

34. веселыя, see line 7.

35. пищалки: pipes.

37. посолство — посольство. In 16th- and 17th-century writings ь is often omitted medially before a consonant, particularly if it follows л and also finally.

сказавше, short nom. masc. plur. of the CS past part. act.

38. крылы, instr. plur. The spelling with и is original, as in line 27. The spelling with ы may be by association with крыти, but see also Bulakhovsky 110–11.

парными крылы: with their pairs of wings.

42. многи, CS short nom. fem. plur., cp. OCS **мъногы**. Translate: so that abundant joy has filled the whole world.

43. чему-то: at what? For -то see Bulakhovsky 412.

45. отци, CS nom. plur. of *-jo-* stems, cp. OCS **отьци** (Gorshkov 123).

47. обѣщанно, sc. посолство. For от with the genitive of the agent or instrument after passive verbs see Bulakhovsky 307.

давных, CS, cp. R давних.

50. велможный — вельможный.

51. сниде, 3rd sing. aorist of снити — сойти. In OCS an epenthetic *n* appears in verbal forms after the prepositional prefixes въ and съ, which in IE had a final *n* (Nandriş 111, Matthews 202).

емпирейских — эмпирейских. The letter э established itself in Russian orthography only in the beginning of the 18th century.

2. Вертоград многоцвѣтный. Предисловие ко благочестивому читателю [науало]

Polotsky pledged himself to write 'from half a quire to half a book (of six sheets)' every day. Much of this writing took the form of didactic poetry. When he began to assemble these poems, apparently in 1677, he arranged them in the alphabetical order of their titles like an encyclopedia. A few poems had to be composed to fill in gaps. Completed in 1678, this was the first collection (сборник) of poems in Russian. Polotsky named it *The Garden of Many Blossoms*. It has unfortunately not yet been printed in its entirety. This is the opening of its *Preface to the Pious Reader*, which was probably written between 1677 and 1678.

'If a man has visited a rich and beautiful garden, he will gather some seeds or roots from it to sow in his own garden for those of his household and those unable to visit it. It is the same in spiritual matters. So I, who have visited the rich gardens of many languages, have tried to transplant seeds and roots from them into Slavonic.'

Text: Симеон Полоцкий, *Избранные сочинения*, Москва-Ленинград, 1953, стр. 205–6.

Title. ко. Благо in OCS did not contain a jer between the two initial consonants. So the vocalization of ъ of OCS къ to o is due to analogy with such phrases as OCS къ мьнѣ, where the vocalization of the first jer results from the lapse of the second (Bulakhovsky 87).

1. от Бога, see 1. 47.

2. еже аще, CS. Since both words here mean 'if', their collocation is pleonastic, but ср. оже будет, in which будет is a conjunction (Borkovsky 527, note 81).

   прилучится: happen; 'should it befall anyone'.

   во вертоградѣх: loc. plur. of *-o-* stems. For во see 1. 17.

3. быти. The infinitive in unstressed -ти is regular in CS.

   благовониемь, CS instr. sing. of *-jo-* stems.

4. краснолѣпым: beautiful. The final hard [m] is unexpected, but see Matthews 169–70.

5. ползѣ, see 1. 37.

5–6. 'to be informed of their great and speedy efficacy for the health of the body'.

извѣщенну, for the predicative dative in the short form see Bulakhovsky 303.

6. то: then, introducing the apodosis of a conditional sentence, as in modern R.

   'then he should at once strive with all zeal to obtain something for himself from the abundance of these same flowers.'

8. оградѣх, an *-o-* stem loc. plur. ending for the *-a-* stem ending -ах owing to confusion between the two declensions.

9. корение: roots, a neut. sing. collective (Unbegaun 302).

10. успѣвшым, a phonetic spelling indicating the hardening of ш (Matthews 169).

    вертов: gardens, gen. plur.

11. непщуется: is deemed, considered, from CS непщевати (Levin 30).

    благопохвалный. Note the predicative nominative after a verb of considering or reckoning (Bulakhovsky 300–1).

12–16. 'for when we receive from one another the bestowal of those things which we need in our homes either by gift or by sale, then we obtain the unity of friendship and co-operation, which even nature itself requires of us, since man is not a savage but a social creature.'

16. отнюду, CS: wherefrom, whence, the relative corresponding to the interrogative откуду. The н is epenthetic.

17. градове, a *-u-* stem nom. plur. for гради, the regular CS nom. plur. of *-o-* stems, owing to confusion between the two declensions (Nandriș 65), here possibly under Polish influence.

    вину насаждения прияша: were established in order that. Вина here means 'cause', as also in line 20.

    прияша, see I. 15.

18. жительствующе, see I. 17.

    помощ, see I. 37.

    дѣем, 1st plur. pres. of дѣти: to do, make. Translate: that we should give help to one another.

19. создавшаго, gen. masc. sing. of the long past part. act. (Nandriș 119–20).

ны, acc. plur. of the 1st person pronoun, used in OCS both as a stressed independent word and as an enclitic. As a dat. plur. ны is ordinarily an enclitic (Nandriş 104, Gorshkov 136).

благотворениих, CS loc. plur. of *-jo-* stems.

20–2. 'And the cause and lord of created things of every kind seems plainly to have required it, since he has not given all things which are necessary. . .'

20. истяжущ, short acc. masc. sing. of the CS pres. part. act. used as a nom.

22. вся нуждная, CS acc. neut. plurals. The use of neut. plur. adjectives as nouns is a Church Slavonicism modelled on Greek, cp. *κακά*: evils, and *τὰ θνητά*: mortal things (Goodwin 204, Cocron 121). For жд in нуждная see Shakhmatov 13–15 and Levin 73.

отдал есть, 3rd sing. masc. of the perfect, a compound verbal form consisting of the past part. act. in -л and the present of быти as auxiliary (Nandriş 151 and 156).

23. различныя, acc. masc. plur., see I. 7.

земли, gen. sing. OCS had землѩ, OR землѣ. The *-a-* stem gen. sing. -ы, whose soft counterpart is -и, has here displaced the *-ja-* stem gen. sing. (Unbegaun 44–5, Cocron 30–1, Bulakhovsky 452).

24. искуства — искусства.

25. вси, see I. 31.

нуждею. In OCS жд, which resulted from the combinations of *d*, *zd* or *zg* with *j*, was soft (Nandriş 23). For its subsequent hardening see Nandriş 34–5.

26. убѣждаеми, CS nom. masc. plur. of the pres. part. pass.

25–6. 'driven by need to know one another and to be friendly, we should acquire a love felt on both sides.'

27. чювственных — чувственных.

27–32. 'But if . . . such a habit is not only not liable to blame but is worthy of praise, how much more is it very praiseworthy and to be imitated when it is acquired in spiritual things, by which in the first place nought else is aimed at but only . . . and in the second place regard is had for the spiritual good and salvation of all the faithful.'

29. колми, for the omission of ь see 1. 37.
вещех, CS loc. plur. of *-i-* stems.

32. Notice the word order of всѣх душевная вѣрных полза.

33. блажителен: commendable.
аз, CS nom. 1st person pronoun (Nandriş 103–5). Я was the only possible form in spoken Russian at this time (Cocron 133).

34. благодатию — благодатью, instr. sing of *-i-* stems.
сподобивыйся: who have been deemed worthy, CS nom. masc. sing. of the long past part. reflexive, cp. R сподобившийся.

35. идиомат: languages, a gen. plur. of a word based on the stem of Gr. *ἰδίωμα*: peculiar phraseology, idiom.
пребогатоцвѣтныя: exceedingly rich in flowers.

36. тѣх: their.

37. цвѣты, instr. plur. of *-o-* stems.
услаждения: delight.
душеживителнаго: soul-enlivening.

38. положих, 1st sing. sigmatic aorist.
ми, enclitic dative of the 1st person pronoun, a dative of relation (Goodwin 248).

39. славенский — славянский: Slavonic, i.e. Church Slavonic.
во, see 1. 17.
церкве, CS gen. sing. of *-v-* stems (Nandriş 67).
Российския. The gen. fem. sing. endings -ыя and -ия are CS (Cocron 120).

40. пресаждение, CS, cp. R пересадка.
сѣмен, CS gen. plur. of neut. *-n-* stems (Nandriş 69). The modern R gen. plur. семян, which shows the influence of the nom. and acc. sing., may have prevailed over семен, because it avoids forming a homonym with the name Семён (Bulakhovsky 164).

41. богодухновенноцвѣтородных: bearing flowers of divine fragrance.
содѣю: I shall carry out, 1st sing. fut. perfective of дѣти.

41–3. 'not indulging in parsimony, but adding wealth to one who is wealthy, for to him that hath shall it be given.' The last clause comes from Matt. 13: 12.

убо... но here has the contrastive function of Gr. μέν and δέ (Nandriş 206).

3. Вертоград многоцвѣтный. Икона Богородицы

*The Icon of Our Lady* is one of the poems in the large collection called *The Garden of Many Blossoms*, which Polotsky completed in 1678. Its date of composition is not known. Its metre is the syllabic line of thirteen syllables, termed by Kantemir and Trediakovsky the heroic line because it was thought to correspond to the dactylic hexameter of Greek and Latin epic poetry. The caesura after the seventh syllable splits the line into two unequal half-lines (hemistichs). All the lines in this poem have feminine endings (in lines 15 and 16 it is probably жéна and сотрéна), and they all rhyme in pairs. Characteristically of syllabic verse, most of the rhyming words belong to the same parts of speech. For Kantemir's description of this line according to his system of syllabic prosody see **20.** 102–33, and for Trediakovsky's adaptation of it to syllabo-tonic prosody see **24.** 95–110.

'An icon-painter, devoted to Our Lady, used to portray her with the Devil in a horrid form beneath her feet. One day the Devil, angered at this, upset the scaffolding on which he was working. With a prayer the icon-painter committed himself to Our Lady, and she stretched out her hand from the canvas and saved him from falling.'

Text: Симеон Полоцкий, *ук. соч.*, стр. 46.

1. бяше, OR 3rd sing. imperfect of быти (Matthews 123), cp. OCS бѣаше (Nandriş 195). See also Ivanov 375–6.

2. ко, see **1.** 17.
   соблюдаше, 3rd sing. imperfect of соблюдати.

3. обыкл. The OCS and OR perfect was formed from the past part. in -л and the pres. of быти as auxiliary (Ivanov 376–7). The auxiliary was occasionally omitted in the 3rd sing. Later, with the increasing use of the personal pronoun with the verb, the auxiliary became redundant and was regularly omitted. Hence its omission here, even when there is no personal pronoun (Gorshkov 163–4, Cocron 230–1).
   ея — её: her. For these forms see Bulakhovsky 177.

5. разъярися, 3rd sing. aorist (Ivanov 374–5); so also появися (line 6), смутися (line 19), and вручися (line 20).

6. претяй, nom. masc. sing. of the long pres. part. act. of претити (Nandriş 117).

8. престанет — перестанет. For пре- in CS see Shakhmatov 10.

9. зограф: painter, from Gr. ζωγράφος.

   рече, 3rd sing. aorist of рещи: say (Gorshkov 160).

   аз, see **2.** 33.

   тя, CS and OR acc. 2nd person pronoun, used both as a stressed independent word and as an enclitic (Nandriş 104, Ivanov 324–8).

   боюся. The retention of -ся instead of -сь in a verbal form which ends in a final stressed vowel characterizes CS (Cocron 208–10). In R бояться takes a genitive: its use here with an accusative may be a Ruthenianism and possibly ultimately a Polonism.

10. потщюся: I shall strive, endeavour. For the spelling with ю cp. **2.** 27.

11. исчезе, 3rd sing. aorist.

12. дѣвыя, CS gen. sing. of the substantivized fem. adj. дѣвая: the Virgin.

    писаше, 3rd sing. imperfect of писати: paint.

13. нѣкоем: a certain, loc. masc. sing., cp. OCS нѣкоѥмь (Nandriş 109–10).

    забы, 3rd sing. aorist of забыти.

14. вражия — вражьи, acc. neut. plur. (Nandriş 91).

15. она: that, nom. fem. sing. of the demonstrative pronoun он, она, оно (Nandriş 105–6).

    жена: woman.

16. ею же: by whom.

    змия, gen. sing. of змий: dragon. For its declension in OCS see Nandriş 57–8.

    бѣ, CS 3rd sing. imperfect of быти (Nandriş 195–6, Matthews 124). Because it conjugates like an aorist, others call this tense an aorist which has the meaning of an imperfect (Ivanov 375, note 1, Gorshkov 159).

    сотрена — стерта, nom. fem. sing. of the short past part. pass. of сотрѣти (Nandriş 134, 152, 169).

17. и: him, acc. masc. sing. of the 3rd person anaphoric pronoun, whose nominative forms appear combined with -же in the relative pronoun иже, яже, еже (Nandriș 110–11).

хотя, nom. masc. sing. of the short pres. part. act. of хотѣти (Nandriș 192).

18. потщася, 3rd sing. sigmatic aorist of потщатися: to strive.

вся: all, acc. masc. and fem. plur., cp. OCS **вьсѧ** (Nandriș 112).

подставы, masc.: supports.

древяны — деревянные. For CS древ- and R дерев- see Shakhmatov 10.

19. тым, dat. plur. The primary OCS form is **тѣмъ**: тым is formed on the analogy of the hard long (pronominal) adjectives (Nandriș 106).

тым... падающым: while they were falling, a dative absolute (Matthews 233–4, Gorshkov 219–20, Borkovsky 482–8).

он, see line 15.

19–20. убо... но, see 2. 41–3.

20. Божиеи — Божьей.

молебно: with a prayer.

21. простре: stretched forth, 3rd sing. aorist of простръти.

мужа: man.

22. смертна: fatal, short gen. masc. sing.

чюднѣ: wondrously. For adverbs formed from the loc. sing. of adjectives see Nandriș 199.

свобождая — освобождая.

23. падоша, 3rd plur. new sigmatic aorist of пасти (Nandriș 168–9, Gorshkov 160).

вси, nom. masc. plur., cp. OCS **вьси** (Nandriș 112).

висяше, 3rd sing. imperfect of висѣти.

24. держим — держимый.

оле: oh! (Nandriș 211).

25. видяще, short nom. masc. plur. of the pres. part. act. of видѣти (Nandriș 100 and 189).

людие, CS nom. plur., cp. R люди (Bulakhovsky 150, Nandriș 66).

подмост: scaffolding.

пристройша, 3rd plur. sigmatic aorist. The stress строю́ is given in Berynda's *Lexicon* of 1627.

26. кромѣ here: without.

земли, CS and OR dat. sing.

27. матерь, CS acc. sing. of мати, an *-r-* stem (Nandriș 72).

величаху, 3rd plur. imperfect.

28. содѣянное — сделанное.

29. демонския, CS acc. fem. plur.

в конец: to the full, utterly, completely.

30. знаша, 3rd plur. sigmatic aorist.

'whom they knew to be responsible for the fall'.

## 4. Псалтырь рифмотворная. Псалом I

Polotsky's verse translation of the Psalms of David into Church Slavonic was made from 4 February to 28 March 1678 and was printed in Moscow in 1680 before his death. It had been inspired by Jan Kochanowski's translation of the Psalms into Polish, which was being enthusiastically sung in Moscow churches, and was intended to replace it. Lomonosov's love for poetry was awakened by this book.

The metre and the rhyming pattern are as in *The Icon of Our Lady* (see 3). The only irregularities are in the first half-lines of lines 8 and 9, which have an extra syllable.

'Blessed is the righteous man, who delights in the law of God. Whatsoever he doeth shall prosper, but the ungodly shall perish.'

Text: Симеон Полоцкий, *ук. соч.*, стр. 85.

1. муж: man.

иже: who, nom. masc. sing. In line 4 it is nom. masc. plur.

во злых совѣт. For the separation of a preposition from the word it governs by a genitive dependent on the word see Bulakhovsky 426–7.

вхождаше, 3rd sing. imperfect of the CS frequentative вхождати.

3. сѣдалищѣх, an *-o-* stem loc. plur. in a *-jo-* stem noun (Nandriș 61).

восхотѣ, 3rd sing. sigmatic aorist of восхотѣти.

сѣдѣти: to sit.

5. Господни, loc. masc. sing. of the short soft adjective Господень, cp. OCS **Господьнь**: of the Lord (Nandriş 92–3).

6. нощию, CS, cp. R ночью.

себе, acc. and gen. of the reflexive personal pronoun (Nandriş 103).

7. саждённо, CS — саженное.

8. еже: which, nom. neut. sing.

си, enclitic dative of the reflexive personal pronoun (Nandriş 103–4), expressing possession. Translate: at its proper time.

9. дѣет, 3rd sing. pres. of дѣяти.

10. онаго here: his, CS gen. masc. sing. of оный. By the 17th century оный had lost its demonstrative sense and was used simply to replace the personal pronoun (Cocron 180).

12. его же, gen. -acc. masc. sing. of иже. Прах is apparently animate.

13. тѣмже: therefore.

нечестивии, nom. masc. plur. of the long adjective.

не имут востати на суд: shall not rise up to meet the judgement. Имут, 3rd plur. of имѣти conjugated as an athematic verb (Nandriş 198, Ivanov 367, Chernykh 212). Such verbs as имѣти, хотѣти, начати, and почати, followed by an infinitive, perfective, or imperfective, formed a compound future (Nandriş 157, Ivanov 392–4). Востати — восстать.

14. грѣшницы — грешники, nom. plur. of an *-o-* stem, showing the 2nd palatalization of the velars and the hardening of [tʂ̑] to [tʃ].

15. вѣсть: knows, 3rd sing. pres. of the athematic verb вѣдѣти (Nandriş 194). For вѣсть instead of the expected CS form вѣст see Nandriş 139 and cp. ест, **1**. Title.

тыя, acc. masc. plur. of the demonstrative pronoun тот, та, то, formed on the analogy of the long adjectives. The primary form was ты (Nandriş 106).

16. в конец, see **3**. 29.

погубляет — губит.

**5.** Комедия о блудном сынѣ. Часть II [начало]

Polotsky wrote two plays, *The Comedy of the Prodigal Son* on the parable in Luke 15: 11–32 and *The Tragedy of King Nebuchadnezzar, the Golden Calf and the Three Youths not burnt in the Furnace* on the Book of Daniel Chap. 3. It is not known when they were written nor whether they were ever performed. However, in the tragedy the Czar Aleksey is addressed twice, which suggests that it may have been written between 1672 when the court theatre was opened and 1676 when the Czar died and the theatre was closed. The comedy was printed in Moscow in 1685, five years after Polotsky's death.

The comedy, which is 618 lines long, is about twice the length of the tragedy. It is typical of the 'school dramas' which were written and performed in Belorussian and Ukrainian schools at this time. Its burden is that young people should hearken to their elders and not rely on their own judgement. The dramatis personae are all male: the father, the two brothers, servants, a merchant, a rich man, his steward, his swineherd, two messengers, and a youth. There is a prologue, six scenes called части, and an epilogue. Between each scene there was choral singing and an 'intermedium', which as no text is given may have been mimed.

Scene 1 ends with the Prodigal saying farewell to his father and brother. In Scene 2, from the start of which this extract is taken, he engages servants and enters on a riotous way of life. By the close of Scene 3 he has lost all his money, and in Scene 4 he seeks work as a swineherd. In Scene 5 he returns home to his father. Scene 6 consists of a long monologue in which the Prodigal expresses his repentance.

The metre is the syllabic line of thirteen syllables (see 3).

'I thank the Lord that I am free from the restraints of my father's house, where I lived like a prisoner. Now I shall enjoy myself. I am rich and need servants, whom I shall pay well.'

Text: Симеон Полоцкий, *ук. соч.*, стр. 170.

Stage direction. изыдет — изойдет: comes on. This form probably reflects the hardening of [ʒ] in such forms as изиде under the influence of the hard [z] in the preposition из. Modern R изойдет may be formed on the analogy of войдет, сойдет, and отойдет (in which о < ъ before an original reduced и, Bulakhovsky 88) with the help of CS изо. Note that Common Slavonic had *из, not *изъ.

немноги, instr. plur. of the short (nominal) declension.

глаголет, 3rd sing. pres. of глаголати.

2. свободна, short gen. masc. sing.

себе, gen. or gen.-acc. of the reflexive pronoun.

созерцаю: consider, regard.

3. бѣх, CS 1st sing. imperfect of быти, see **3.** 16.

4. предѣлѣх, loc. plur. of *-o-* stems.

турмѣ, Ukrainian or Belorussian, cp. R тюрьме. For its etymology see Gardiner 211–19.

замкненный, a CS past part. pass. (Nandriş 174), cp. R замкнутый.

5. The omission of не after a word containing ни characterizes CS (Bulakhovsky 406).

бяше, 3rd sing. imperfect.

воли, dat. sing. of *-ja-* stems.

6. ждах, 1st sing. imperfect.

вечери, gen. sing. of вечеря: supper. The OCS ending of the gen. sing. of *-ja-* stems was -ѧ and the OR ending -ѣ. The ending -и here, which is that of modern R, is due to the influence of the gen. sing. of *-a-* stems, which in both OCS and OR was -ы (Bulakhovsky 150 and 452).

хотяй, nom. masc. sing. of the long pres. part. act. (Nandriş 117), cp. **3.** 6.

ясти: to eat, one of the five athematic verbs in CS (Nandriş 132–3 and 194–8).

7. пущано, nom. neut. sing. of the short past part. pass. of пущати. The impersonal passive construction, which could use either the imperfective, as here, or the perfective, is a Polonism. For пущати see **1.** 33.

8. красная, acc. neut. plur., cp. **2.** 22.

10. святый, CS, cp. R святой.

11. сына си: his son, see **4.** 8.

томляше, 3rd sing. imperfect.

12. ничесо, CS, cp. R ничего (Nandriş 110, Gorshkov 139, Ivanov 336, note 2). For the absence of не see line 5.

даяше, 3rd sing. imperfect of даяти (Nandriş 197).

13. Богови, dat. sing. Бог, an original *-o-* stem noun, here has a *-u-* stem ending (Nandriş 65, Gorshkov 133).

    свободихся, 1st sing. sigmatic aorist. For the verb see 3. 22.

14. отмолихся: I have escaped by dint of entreaty.

15. изпущéнный — испýщенный. For the stress see Kiparsky 342.

16. тѣм: and thereby.

17. имам, CS 1st sing. pres. of the athematic conjugation of имѣти (Cocron 258). OCS had имамь (Nandriş 198, Gorshkov 154). Cp. the hardening of final -мь in дамь and емь (Ivanov 368).

    много is a short form agreeing with богатство.

    доволно — довольно, see 1. 37.

18. нѣсть кому — некому. Нѣсть is the 3rd sing. negative present of быти. OCS had нѣстъ (Nandriş 196), but cp. 4. 15.

    болши, nom. fem. sing. of the short comparative adjective болии, больши, боле. For its declension in OCS see Nandriş 96 and 98, and for its declension in OR Matthews 109.

    потреба: need.

19. ся, see 1. 33.

    обрящет — обретет, 3rd sing. fut. perfective of обрести: to find (Nandriş 180).

20. имам... питати: I shall feed, see 4. 13.

    сладцѣ: sweetly (Nandriş 103).

    цѣнно: richly.

## *SIL'VESTR MEDVEDEV*

Simeon Medvedev worked first as a clerk in Kursk, his home town, and then in Moscow. In 1665 he was chosen with two others to study Latin and grammar under Polotsky in his school in the Zaikonospassky Monastery. After this course he took part in diplomatic negotiations with the Poles and Swedes in Kurland. Subsequently he became a monk, taking the name of Sil'vestr, and spent some years in ascetic practices. In 1677 he returned to Moscow to collaborate with Polotsky, whose favourite pupil he had been. In 1678 he was appointed a corrector at the Printing House (Печатный двор) in Moscow. He also became prior of the Zaikonospassky Monastery.

A faithful supporter of the Czarevna Sophia, Medvedev was involved in the affair of her favourite Shaklovityy. In 1689 Peter I ordered his arrest, and he was executed in 1691.

Medvedev wrote many panegyric and occasional poems. He also wrote polemical religious works, maintaining Roman views against Greek, and numerous letters.

**6.** Хлеб животный [отрывок]

*The Bread of Life* was written between 15 March 1685 and the middle of that year to refute the doctrines on the Holy Sacrament which the Greek brothers Likhudy had recently brought to Moscow. It is a short work of some 330 lines, written in catechistic form. It has six parts:

(i) Preface to the pious reader.
(ii) The pupil's prayer to the teacher.
(iii) The teacher's exhortation to the pupil.
(iv) Thirty questions of the pupil and as many answers from the teacher.
(v) Short conclusion.
(vi) Ending.

The Likhudy brothers taught that the bread and wine are transubstantiated into the body and blood of Christ by the action of the Holy Spirit, whom the priest invokes by a prayer to God the Father. Medvedev (answer 25) maintained the Roman doctrine that transubstantiation is effected by the words of Christ: 'Take, eat; this is my body . . .' (Matt. 26: 26–8), when spoken by the priest.

This extract consists of parts ii and iii.

'Pupil: "Kind teacher, if a man is sick, does he not beg help from the doctors? So, burdened by the spiritual disease of doubt, I come to you that you may heal me, and that I may be whole and sound." Teacher: "Most wise pupil, it is ever our nature to heal the spiritual diseases of the sick, but I beg you not to conceal your doubts. Let us together pray to the giver of wisdom, and as I have learnt, so shall I teach you, that together we may apprehend eternal life." '

Text: А. Прозоровский, *Сильвестр Медведев* (*его жизнь и деятельность*), Москва, 1896, стр. 420–1.

Heading. ко, see I. 17.

1. учителю, voc. sing. of *-jo-* stems.
   благий, CS, cp. R благой.
   прилучится: happens.

2. кая, here an indefinite pronoun: any (Nandriş 109).

   врачев, a *-u-* stem gen. plur., later replaced by an *-i-* stem gen. plur. врачей. In OR врач was a *-jo-* stem.

   о помощь — о помощи. O and the accusative after verbs meaning 'ask for' is a Polonism.

   ползу, see 1. 37.

3. здрав, CS, cp. R здоров (Shakhmatov 10).

   от here — вследствие.

   врачества: treatment.

   сице образне: in this way. The ending of образне (in the text образнѣ) is either a Polonism or the loc. neut. sing. of the short adjective used as an adverb (Nandriş 199), probably the latter.

   аз, see 2. 33.

4. прихожду, CS, cp. R прихожу (Shakhmatov 13–15, Buslayev 77).

   отягощен, for the short form see 1. 22.

   душевныя. -ыя was the ending of the gen. fem. sing. of the long form of the hard adjectives in CS, cp. -ꙑѩ in OCS, -ыѣ, -оѣ (which is from the pronoun) in OR and -ой in modern R. The corresponding endings of the soft adjectives were -ия in CS, -ѩѩ in OCS, -иѣ, -еѣ (which is from the pronoun) in OR and -ей in modern R (Bulakhovsky 457, Cocron 119–20).

   усумнения: doubt. Translate: burdened by the evil of the spiritual illness of doubt.

6–7. Matt. 9: 12; Mark 2: 17; and Luke 5: 31.

7. здравии, CS nom. masc. plur. of the long adjective.

8. изъиду — изойду, see 5. Stage direction. ъ has probably been inserted to indicate the hardness of the [z].

   сея, CS gen. fem. sing.

   врачебницы: hospital.

   неисцелен: unhealed.

9. приими, CS — прими.

   мя, CS acc. 1st person pronoun, used both as a stressed independent word and as an enclitic (Nandriş 104).

   в ведения: under thy guidance.

10. вся, CS acc. neut. plur.

ми, enclitic dative of the 1st person pronoun.

11–13. The quotation is a condensation of John 5: 19–20.

11. еже: what, acc. neut. sing. of the CS relative pronoun иже.

12. Сынови, the original *-u-* stem dat. sing. (Nandriș 64). Cp. line 9 for the later *-o-* stem ending.

показует — показывает, probably a Ukrainianism, cp. 1. 3.

таяжде дела: the same deeds. тая- is formed on the analogy of the long (pronominal) adjective (Nandriș 105–6 and 202).

13. 'in ceasing I offer by way of prayer this utterance of mine'.

14. Благовестия: Gospel, a calque from the Greek εὐαγγέλιον.

14–15. Luke 12: 59.

15. воздаси: give up, surrender, 2nd sing. pres. with future sense of the athematic verb воздати (Nandriș 194).

кондрант: mite, < кондрат with metathesis of [n] < Gr. *κοδράντης* < Lat. *quadrans, antis,* masc.: the fourth part of an as (Vasmer under кодрáнт).

Heading. учителево, possessive adjective formed from учитель with the ending -ев (Nandriș 93).

16. учениче, voc. sing. of *-o-* stems. The velar к has undergone the 1st palatalization (Nandriș 58). Translate: it is true to our nature, if anything has been learnt from God and has been transmitted by His holy apostles and the divinely inspired fathers to our holy mother the Church, that we, having received from her those medicaments of the holy scriptures, should heal the spiritual illnesses of the sick.

19. приемше, nom. masc. plur. of the short past part. act. of CS прияти (Nandriș 101–2, Borkovsky 319), probably functioning here as a gerund.

тая, see line 12.

душевныя, CS acc. fem. plur.

20. тя, see 3. 9.

вся твоя, acc. neut. plurs. (Nandriș 107 and 112). For the usage see 2. 22.

21. ти, enclitic dative of the 2nd person pronoun, a dative of disadvantage (Goodwin 247). Cp. 2. 38. Translate: that you may tell forth without any hesitation all those things of yours which cause you to doubt, and that you may not conceal in hesitant thought those things which tend to establish you (in your faith).

изречеши. -ши was the ending of the 2nd person sing. pres. in CS. The OR ending was -шь (Chernykh 215).

23. глаголюща, gen. (and not gen.-acc.) masc. sing. of the short pres. part. act. of глаголати. The use of the genitive after verbs of perception is a Graecism typical of CS, as is also the use of a participle after these same verbs to introduce indirect speech (Goodwin 341). Translate: you hear that the Lord Christ says.

23–5. Matt. 5: 19.

иже аще: whoever (Nandriș 205).

24. тако: so, in origin an acc. neut. sing. short form (Nandriș 199).

человеки. Notice the animate acc. For the development of the animate gen. in OR see Unbegaun 225–36 and Borkovsky 222–5.

25. премудрости, an objective gen. dependent on наставника. Its position before the noun on which it depends is a Graecism typical of CS (Goodwin 230). Cp. also Bulakhovsky 418.

26. даст. OCS regularly has **-тъ** but very occasionally also **-ть**. -ть is regular in OR (Nandriș 139, Ivanov 366).

27. Божественныя, see line 4.

28. елико — поскольку: in so far as.

данней, CS dat. fem. sing. — данной.

29. научихся, 1st sing. sigmatic aorist of научитися.

тя, see 3. 9.

30. безкорыстне — бескорыстно, see line 3.

влияние: infusion.

31. себе, CS acc. sing.

во, see 1. 17.

се, acc. neut. sing. of сий / сей (Nandriș 106, Unbegaun 377–82).

сотворше, nom. masc. plur. of the short past part. act. of сотворити (Nandriș 102), probably functioning as a gerund (Nandriș 155, Borkovsky 318–19).

33. поспешествующ, short acc. masc. sing. of the CS pres. part. act. used as a nom. Translate: helping the attainment of the eternal reward.

33–5. Matt. 5: 19.

34. небеснем, CS loc. neut. sing. — небесном.

35–6. 'May the shared labour of our composition and study also be an offering up to God.'

36. еже требе ти: what you need, a CS expression. For numerous examples in OCS see Sreznevsky under трѣбѣ. According to Vasmer требе < треба: want, use, is in the dative (see under нельзя́); but if требе is analogous to годе < год in годе есть (see Sreznevsky s.v. and Buslayev 383), it must be in the locative.

рщи, 2nd sing. imperative act. of рещи (Nandriș 170).

со опаством: with care.

## *ST. DIMITRIY ROSTOVSKY*

Born at Makarov near Kiev in 1651, the son of a Ukrainian soldier Savva Tuptalo, he entered the Kievo-Mogilyansky Academy at the age of eleven. In 1668 he became a monk, taking the name of Dimitriy—his baptismal name was Daniel. In 1701, having distinguished himself in various ecclesiastical offices, he was chosen by Peter I to be Metropolitan of Siberia, but when he declined on health grounds Peter made him Metropolitan of Rostov (1702). There Dimitriy worked devotedly for the good of his diocese, fostering education, writing religious works, and preaching. He used to give away his entire personal income to the sick and poor. He died in 1709 and was canonized in 1757.

St. Dimitriy wrote sermons, polemical works against the Old Believers, an uncompleted chronicle of the history of the world to the birth of Christ and a number of religious plays; but his chief work was the revision of the daily readings on the lives of the saints called *Четьи минеи* (четий, четья, четье, an adjective: for reading; минеи, nom. plur. of минея, from the Greek substantivized neut. plur. adjective *τὰ μηναῖα*: the monthlies, i.e. volumes containing readings for one month). This great work occupied him from 1684 to 1705. It had enormous popularity in the 18th century and went through ten editions.

**7.** Псалом, или духовная канта, № I

This is one of the three spiritual songs, composed by St. Dimitriy, which he asked to be sung at his deathbed. There are eight in the booklet from which this one is printed.

Spiritual songs (духовные канты), like the Psalms, were to be sung; hence the alternative title. They should be distinguished from the spiritual odes (духовные оды), which were not meant for singing.

The metre is syllabic. All the lines have thirteen syllables except 1, 7, and 8, which have fourteen. But the first two syllables of Иисусе in lines 1 and 8 are probably to be scanned as one by synizesis (Goodwin 16). If they are, the caesura falls after the eighth syllable in all the lines, not as in *The Icon of Our Lady* (3) after the seventh syllable. However, the second half of line 7 remains hypermetrical.

'O sweet Jesus, my only solace and joy, only Thou canst help me in my misfortunes. Deign to dwell in me. Thou art my strength, my health, and my glory.'

Text: Аристарх Израилев, *Псалмы, или Духовные Канты, Святителя Димитрия, Митрополита Ростовского, переложенные на четыре голоса*, Москва, 1891, стр. 18–21.

Title. канта: song, typically of a spiritual or panegyric content and performed by choirs, < Lat. *cantus*. This song is an acrostic.

1. сладосте. The final weak jer of сладость (and of радость in the next line) may have been vocalized to enable it to be sung, or -е may be a *-ja-* stem vocative for the *-i-* stem vocative in -и.

2. скорбех, CS loc. plur. of *-i-* stems (Nandriş 66).

3. рцы, usually рци, see **6.** 36.

   души, CS dat. sing. of *-ja-* stems (Nandriş 55).

   есмь: I am, 1st sing. of the athematic verb быти (Nandriş 194).

   аз, see **2.** 33.

5. прилеплятися. Reflexive infinitives which retain both -ти and -ся are characteristically CS (Cocron 206).

6. Тебе, gen. sing. of ты. In CS orthography this is distinct from the dative тебѣ.

   милосердия, gen. sing. In modern R надеяться takes на and the accusative.

8. всеблагий, see **6.** 1.

9. едино — единое.
   мне is a dative of possession (Goodwin 248).

10. даждь, CS 2nd sing. imp. of the athematic verb дати (Nandriş 148). Cp. OR дажь, даи (Bulakhovsky 463).
    ми, see 6. 10.

12. гнушаться with the instr. means 'disdain'. In modern R the perfective with this meaning is погнушаться.

13. живот: life.
    изчезе, 3rd sing. aorist: has passed away.

14. здравие: health, CS, cp. R здоровье.
    многа, nom. fem. sing. of the short (nominal) form мног, многа, много.

15. радуюся. In modern R радоваться takes a dative in the sense 'delight in, rejoice in'.

16. вся, acc. masc. plur.

## *STEFAN YAVORSKY*

Stefan Yavorsky was born of Russian Orthodox parents in Jawora in Polish Galicia in 1658 and was educated at the Kievo-Mogilyansky Academy. In 1684 he returned to Poland and, posing as a Catholic, studied at the Polish Catholic colleges. Back in Kiev, he became a monk in 1689 and taught in the Kievo-Mogilyansky Academy. In 1700 in Moscow he attracted Peter's attention by a funeral oration, and Peter made him Metropolitan of Ryazan'. After the death of the Patriarch Hadrian of Moscow, Peter, while refusing to fill the vacancy, appointed Yavorsky 'custodian of the patriarchal chair'. At this time Yavorsky reformed the Slavo-Graeco-Latin Academy in Moscow by replacing the Greek-based curriculum by a Latin-based one. For a while Yavorsky's humble origins and his Western education secured him Peter's favour, but when the Czar began to limit the powers of the Church and to protect Protestants, in particular Lutherans, Yavorsky opposed him. He objected to the consecration of Feofan Prokopovich as Bishop of Pskov on the ground that Prokopovich held Protestant views, but he was overruled by Peter. In 1718 he wrote the *Rock of Faith* (*Камень веры*) against the Lutherans, but it was not published until 1728, three years after Peter's death and six years after his own. The last years of his life Yavorsky had no real authority. He died in Moscow in 1722.

Stefan Yavorsky was well read in the Latin classics and in theology, Catholic as well as Russian Orthodox. He was famed for his sermons, which were full of classical allusions, allegories, symbols, and plays on words. His poetry was of a similar nature.

**8.** Вирши Антонию Печерскому

The metre is syllabic. All the lines have thirteen syllables except 2, 13, and 22. The shortness of lines 2 and 22 may mark the opening and closing couplets of the poem. The caesura falls after the seventh syllable, as regularly in thirteen-syllable lines (see 3).

The poem is signed 'i: c: ꙗ̓воᵖ:' (i: standing for іеромонах), which suggests that it was written after Yavorsky became a monk (1689) but before he became a bishop (1700).

'St. Anthony of the Caves is a second Moses, who has saved us from our sins, as Moses rescued the Israelites from captivity.'

Text: В. Н. Перетц, *Сборник по русскому языку и словесности*, том I. Выпуск 3. *Исследования и материалы по истории старинной украинской литературы XVI—XVIII веков*. III, АН СССР. Ленинград, 1929, стр. 102–3.

Title. Вирши: verses or couplets, a term frequently applied by Russian syllabic poets to their works, < Pol. *wiersze* < Lat. *versus*.

1. тако, see 6. 24.

   Мойсею with й for и, a colloquial form.

2. Антоний. Anthony, who had been trained in the monastic life on Mt. Athos, settled in a cave in Kiev about 1050.

3. Моисея, scanned as a trisyllable by the synizesis of о and и (Goodwin 16). Моисеови in line 17 and Моисей in line 22 are similarly scanned as a tetrasyllable and a disyllable respectively.

   знаем быти взята: we know that he was taken. The accusative and infinitive after a verb of knowing is a Latinism.

4. избра, 3rd sing. aorist of избрати.

5. даде, 3rd sing. reformed aorist of дати.

   скрижале, an *-o-* stem loc. sing. in an *-i-* stem noun.

6. иноком, CS dat. plur. of *-o-* stems (Nandriş 58).
   быст, 3rd sing. aorist of быти (Nandriş 195 and 197), formed from бы and -ст, probably agglutinated from the present.
7. Афона: Athos.
8. вручи, 3rd sing. aorist (Nandriş 190).
   ведущ, short acc. masc. sing. of the CS pres. part. act.
9. бе, see 3. 16.
10. свободител: deliverer, liberator. For the omission of the final ь see 1. 37.
11. сотре, 3rd sing. aorist of CS сотрети: destroy (Nandriş 134 and 168)
    изби, 3rd sing. aorist of избити: exterminate.
    Амалика: Amalek, a land and people in south Palestine hostile to Israel.
12. побидител — победитель. The replacement of ѣ by и in the second syllable is a Ukrainianism.
    демонскаго лика: of the devil's person.
13. девыя, gen. sing. of the substantivized adj. девая: maiden.
    явися, 3rd sing. aorist.
    For the rhyming of купине and ныне (line 14) see Unbegaun, *Versification*, 138–9.
14. зде — здесь, ср. вчера and вчерась. -сь is the pronoun 'this'. For the suffix -де see Nandriş 200.
16. Myrrh was said to exude from the heads of dead saints.
17. Моисеови, a *-u-* stem dat. sing. (Nandriş 59 and 74).
    пособствоваше, 3rd sing. imperfect: furthered, aided. It takes a genitive here instead of the usual dative probably because it was felt to mean 'was the furtherer of'.
    Моисеови is a dative of advantage (Goodwin 247).
18. Феодосий. St. Theodosius, the disciple of Anthony and later Abbot of the Caves Monastery, was the first monastic saint canonized by the Russian Church. He died at Kiev in 1074. See G. P. Fedotov, *A Treasury of Russian Spirituality*, London, 1950, pp. 11–49.
    бяше, see 3. 1.

19. чуда, acc. plur., instead of чудеса, owing to confusion between *-s-* and *-o-* stems (Nandriș 70).
    многа, short form of the acc. neut. plur.

20. ведяху, 3rd plur. imperfect of вести (Nandriș 146–7 and 167).
    до here: to, a Polonism and a Ukrainianism.

21. Россие, voc. sing. of fem. *-ja-* stems (Nandriș 55).
    мати, voc. sing. of the *-r-* stem мати: mother (Nandriș 72).

22. ти, enclitic dat. of the 2nd person pronoun, a dative of relation (Goodwin 248).
    вторый, CS nom. masc. sing., cp. R второй. Translate: behold, thou hast a second Moses of grace (whereas the first Moses was of the Law).

## *KARION ISTOMIN*

Karion Istomin was born the son of a clerk in Kursk at the end of the 1640s. He became a monk in one of the Kursk monasteries probably in 1676 and shortly afterwards, at the suggestion of his fellow townsman Silˡvestr Medvedev, went to Moscow. There he lived first in the Zaikonospassky Monastery and then in the Chudov Monastery, and studied Latin and Greek. In 1679 he entered the Printing House (Печатный двор), where he worked till 1701, first as a clerk and reader, then as a corrector, and finally from 1698 to 1701 as director. When in that year Peter replaced him by Fyodor Polikarpov, Istomin moved to Novgorod, where he taught in the archbishop's school and translated from Latin and Greek. He died in Moscow in 1717.

Istomin wrote numerous complimentary verses to the royal family, verses on religious themes in various genres, textbooks in verse such as the *Alphabet* (*Букварь*, written in 1692, published in Moscow in 1694) and the *Polis, that is the City of the Heavenly Kingdom* (*Полис, си есть Град царства небесного*, written in 1694), *Domostroy*, a book in verse on how children and servants should behave (*Домострой*, written in 1696), and sermons.

**9.** Слово учительное в день Преображения Господа нашего Иисуса Христа [отрывок]

The date of this sermon, which is about 340 lines long, is unknown, but its title indicates that it was preached on the Feast of the Transfiguration of Our Lord (6 August O.S.).

'Only the pure in heart can behold the beauty of the Lord. O God-loving souls, having purified your thoughts and minds, go forth after your dear bridegroom, Lord Jesus, to see His transfiguration outside the city on a desert mountain. Christ will transfigure himself, but not in the city.'

Text: С. Н. Браиловский, *Один из пестрых XVII-го столетия, Записки Императорской Академии Наук (viii[e] série) по историко-филологическому отделению*, том V, № 5, Санктпетербург, 1902, стр. 392.

Title. Слово учительное: a sermon of instruction.

1. возведе, 3rd sing. aorist (Nandriş 168).

   гору, probably either one of the southern foothills of Mt. Hermon, which rises north of Caesarea Philippi, or Mt. Tabor.

   едины, CS short acc. masc. plur., agreeing with the gen.-acc. их.

   преобразися, 3rd sing. aorist. The text is from Mark 9: 2.

3. Чермном: Red.

   мори, CS loc. sing. of neut. *-jo-* stems (Nandriş 61).

4. имать... стяжати. Имать is the 3rd sing. pres. of имети, functioning as a future auxiliary (see 4. 13). OCS has **имать** (Nandriş 198); имать is OR (Ivanov 367), cp. **6**. 26.

   никоего, from никый: none (Nandriş 110).

5. истинны, short gen. fem. sing. of истинен.

   людие, see **3**. 25.

   The use of the conjunction понеже to introduce a sentence may be a Graecism.

6. уму, probably dative after хранения. Translate: keeping guard for, i.e. over, the mind.

9. убо: for. It sometimes translates Greek οὖν: therefore (Nandriş 206).

   грехолюбцом, CS dat. plur. The spelling -ом reflects the hardening of ц (Matthews 164). The OCS dat. plur. ending of *-jo-* stems was **-емъ** (Nandriş 58 and 61).

10. свет Христос: the light which is Christ.

    пищи, CS loc. sing. of *-ja-* stems (Nandriş 55).

    словес, CS gen. plur. of *-s-* stems (Nandriş 70).

12. нощная, CS, cp. R ночная (Bulakhovsky 443, Shakhmatov 15–17).
тма — тьма, see 1. 37.
ону, acc. fem. sing. of он, она, оно: that (Nandriș 105).

13. никто же улучит. For the omission of не see 5. 5.

14–16. Psalm 24: 3–4.

14. взыдет — взойдет. This form may show the influence of the hard [z] in the OR and OCS preposition възъ. For modern R взойдет see the explanation of войдет, etc. in 5. Stage direction.
Господню, short acc. fem. sing. of Господень.

15. святем, CS long (pronominal) loc. masc. sing. of святый (Nandriș 113). For the hard [m] cp. 2. 4.

16. рукама, CS instr. dual of *-a-* stems (Nandriș 55).

17. Господнии, CS long dat. and loc. fem. sing. Here it is used also for the gen. fem. sing. Cp. the interchangeability of the adjectival endings -ой, -ей with -ые, -ие, -ыя, -ия in the gen., dat., and loc. fem. sing. described by Bulakhovsky 188, note 2.

18. очистивше, short nom. masc. plur. of the past part. act. (Nandriș 102).

Боголюбнии, CS long nom. and voc. masc. plur. (Nandriș 114).
души, CS loc. sing. of *-ja-* stems. For the absence of a preposition see Bulakhovsky 300.

19. чистии, CS long nom. and voc. masc. plur. (Nandriș 114).

20. града, CS, cp. R города.

21. пустыни, CS loc. sing.
несть, see 5. 18.

22. безчиннаго — бесчинного: unseemly.
клицания: shouting.

23. царствующь, CS acc. masc. sing. of the short pres. part. act. (Nandriș 100) used here instead of the nom. masc. sing. царству-я (in OCS -ѩ).

24–7. These lines contain phrases from Psalm 55: 2–6.

24. воскорбе, 3rd sing. aorist (Nandriș 190).
от here — из-за.

25. смятеся, 3rd sing. aorist of смястися: to be troubled (Nandriş 168–9).

    стужения: ill-treatment, oppression, insults.

    великия — великой. The gen. fem. sing. ending -ия is CS.

26. крил, see I. 38.

    почиет, from почить, perfective: rest.

    глаголет, 3rd sing. pres. of глаголати (Nandriş 180).

27. криле, CS acc. dual of крило (Nandriş 61, Bulakhovsky 146).

    голубине, CS short acc. neut. dual of голубин: of a dove (Nandriş 92–3).

    полещу, CS, cp. R полечу (Shakhmatov 16).

## *FYODOR POLIKARPOV*

Polikarpov was born about 1670 of humble parents. In 1681 he entered the school which had been opened in 1680 in the Printing House in Moscow, and in 1684 he transferred to the Slavo-Graeco-Latin Academy, where he was taught by the Likhudy brothers (Лихуды < Gr. *Λειχοῦδαι*). In 1694 he became a teacher at the Slavo-Graeco-Latin Academy. Four years later he was appointed a corrector at the Printing House and in 1701 became its director in place of Karion Istomin. In 1722 after an inquiry he was found guilty of bribe-taking and other irregularities and was dismissed; but he was pardoned in 1724 and restored to his office in 1726 largely because there was nobody else capable of it. He died in Moscow in 1731.

His major works are: the *Alphabet* (*Букварь*, published in Moscow in 1701), from the preface to which this extract comes; the *Trilingual Lexicon* (*Лексикон треязычный*, published in Moscow in 1704), whose languages were Church Slavonic, Greek, and Latin; a revised edition of Meletiy Smotritsky's Church Slavonic grammar (*Грамматика*, published in Moscow in 1721); and the *Historical Account of the Moscow Academy* (*Историческое известие о Московской Академии*, published in Moscow in 1726). He wrote syllabic verse and translated many works from Greek and Latin.

**10.** Букварь. Предисловие [отрывок]

Apart from the Church Slavonic alphabet itself, Polikarpov included in the book instruction on pronunciation and on the nature of vowels and consonants (taken from Meletiy Smotritsky's grammar), prayers in Greek, Latin, and Church Slavonic, and moral injunctions from St. Gennadius, Basil the Great, and Gregory the Theologian.

The preface shows Polikarpov as a member of the Greek or eastern party, which saw the aims of education as religious only, that is, the establishment of the Orthodox faith and the attainment of salvation; hence his rejection of classical writings in favour of the Biblical and patristic.

'Here you will be edified not by the laws of Solon or Lycurgus, but by those of Moses; and you will find not the verse of Ovid or Vergil, but of Gregory of Nazianzus, not the fables of Aesop but the *Hundred Chapters* of St. Gennadius. You will also find in this little book many words for the learning of the Graeco-Latin languages, together with the best recension of the Greek and Church Slavonic.'

Text: С. Н. Браиловский, «Федор Поликарпович Поликарпов-Орлов, Директор Московской Типографии», *Журнал Министерства Народного Просвещения*, часть 296, Санктпетербург, 1894, стр. 57–8.
Editorial changes: воспутеводствитеся is read for воспутеводствится in line 6 and и на for ин а in line 20.

1. зде, see 8. 14.
   законами, an early example of the use of закон to mean the lay law as opposed to the law of God (B. O. Unbegaun, 'Russe et slavon dans la terminologie juridique', *Revue des études slaves*, XXXIV, 1957, pp. 129–35).
   For от with the genitive in passive constructions see 1. 47.
   Солона: Solon, an Athenian lawgiver, *archon* in 594–593 B.C., died *c.* 560 B.C.
   Ликурга: Lycurgus, a Spartan lawgiver, said to have lived in the 9th century B.C., but probably mythical.
2. двy, OR loc. (and gen.) all genders of два. CS had двою, OCS дъвою (Nandriș 121). Двy arose from двою through contraction after the loss of intervocalic [j] (Unbegaun 411–12, Cocron 189).
3. скрижалех, loc. plur. of -*i*- stems.
   дароваными. CS had a single н in the long (and short) past part. passive. The нн of Russian is due to the influence of deverbal adjectives which had нн (Bulakhovsky 235).
   десятословно: in ten utterances.

4. Цицерона: Marcus Tullius Cicero, Roman orator, writer, and philosopher, born 106 B.C., assassinated 43 B.C.

   Сократа: Socrates, an Athenian philosopher, born 469 B.C., executed 399 B.C.

3–6. 'You will be guided by other flowery sayings, not of Cicero or Socrates, but of clerical rhetoricians—sayings which set the two-fold feelings of two-fold man upon the path of virtue.'

5. добродетелем, dat. plur. of *-i-* stems (Nandriş 66).

7. осяжете, fut. perfective of осязать: find (Nandriş 180).

   Овидиевы: of Ovid. Publius Ovidius Naso, Roman poet, born 43 B.C., died in exile at Tomi on the Black Sea, the modern Constanţa in Rumania, in A.D. 18(?).

   Виргилиевы: of Vergil. Publius Vergilius Maro, the Roman poet (70–19 B.C.), composed the *Aeneid*, which tells how Aeneas, the Trojan warrior who was destined to be the ancestor of the Roman people, fled from Troy after its fall and settled with his followers in Italy.

8. Григориа: St. Gregory of Nazianzus, a town in Cappadocia, A.D. 329–89, called 'the Theologian'. The lapse of intervocalic [j] before [a] was one of the features of the second south slavonic influence (Levin 79).

   крайнейшаго ума богословии: who had the sharpest mind in theology, an attributive genitive. The locative without a preposition is found occasionally in OCS and commonly in OR (Bulakhovsky 300).

9. мудростихотворный плод: the fruit *either* of skilfully composed poetry *or* formed of wise poetry, probably intentionally ambiguous.

10. его же и един стих: even a single line of whom.

    един. Initial e is CS: R has initial o (Levin 27).

    проюдóлит: will pierce or penetrate, lit. make a valley through, from юдоль, CS, cp. R удолие: valley. The verb is probably an innovation by Polikarpov.

    каменообразное: stone-like.

11. умословесну: literate, short dat. masc. sing. The dative is of the person concerned.

12. Есопа: Aesop, the composer of short animal fables. Phrygia was one of the lands which claimed to have been his birth-place. He was killed in Delphi *c.* 560 B.C.

смехотворныя, acc. fem. plur., see **1.** 7.

13. типографско зримы: in print.

обрящете — обретете: you will find.

предложен — предложенным.

14. стоглав... Геннадиа: the *Hundred Chapters* of St. Gennadius, Patriarch of Constantinople, on the faith, translated from the Greek into Church Slavonic by Arsenius the Greek in his *Anthology* (*Анфологион, сиесть Цветословие*, published in Moscow in 1660). The hundred short sections occupy twenty-eight pages in this work. The author was probably the Gennadius who was Patriarch from A.D. 458 to 471.

15. его же: whose.

возвождение: guide, ascent.

Иаковле, an adjective formed from Иаков: Jacob and the suffix -jь and an epenthetic л (Matthews 192, Nandriş 93). The ending -e shows the influence of *-a-* stems on *-ja-* stems (Cocron 30–2, Matthews 190). For the story of Jacob's ladder see Gen. 28: 12.

16. кто: somebody, anybody.

яко возводящ, probably modelled on Gr. ὡς with a participle (Goodwin 338). Translate: on the ground that it (the *Hundred Chapters*) leads up into the heavenly Zion even very carnal men, discarnate like an angel. The text is probably corrupt.

17. аки, here an equivalent of яко. OCS had **акы** (Nandriş 200). See also Matthews 158.

18–22. 'Finally you can obtain from this very small book a large number of expressions of different types for the learning of the Graeco-Latin language and for the encouragement of conversation, and for a loftier ascent to the sciences, with the best recension of the Greek and Slavonic languages.'

18. по видем. The *-o-* stem dat. plur. видом would have been expected.

21. сия, gen. fem. sing. Сея is the normal form in CS (**6.** 8), but see Nandriş 106 and 108 for other forms with си-.

## *PETER I*

Peter, born in 1672 the son of Czar Aleksey and his second wife Natal'ya Naryshkina, reigned at the time of Russia's emergence into the modern world, which he himself did much to hasten. Throughout his life he wrote a stream of notes, letters, and state documents. Though their literary value is small, they present great historical, and some linguistic, interest.

**11.** Письмо к Ивану Алексеевичу Мусину-Пушкину

I. A. Musin-Pushkin was governor at Smolensk in 1683 and subsequently at Astrakhan'. There he won Peter's favour by his energetic suppression of a revolt. He accompanied Peter in the campaigns of the Great Northern War and took part in the Battle of Poltava. In 1710 he was made Graf and in 1711 a Senator. From 1710 to 1717 he was in charge of the Department of the Monasteries. In 1727 he was made master of the Mint (Монетный двор), but nothing is known of him after the coronation of Peter II in 1728.

'We have received your letter with the model letters. Have the full alphabet printed and return it with some prayers printed in these letters. Also print the enclosed book and its plans with Russian instead of German subscriptions.'

Text: *Письма и Бумаги Императора Петра Великого*, XI томов→, Санктпетербург / Москва-Ленинград / Москва, 1887→, том VIII, выпуск I (А. И. Андреев (ред.), Москва-Ленинград, 1948), стр. 303–4.

1. писмо — письмо, see I. 37. In this letter Peter omits ь in толко (lines 4 and 7), маленкие (line 5), хорошенко (line 9), and кумплементалной (line 13).

2. обрасцовыми — образцовыми. Peter's spelling here reflects the assimilation in voice of [s, z, ʒ] to following consonants, but not of [d, v], e.g. зделать, ис, книшку but подписми, вклеить. Such phonetic spelling is typical of Muscovite administrative Russian (деловой язык).

3. наклея — наклеив. Past gerunds in -я show the influence of the pres. gerunds in -я of Class IV (-*i*-) verbs (Bulakhovsky 242). Forms in -ив are bookish at this period (Cocron 220 and 225).

4. буки: б.

5. иже: ı.

6. еры: ы.

7. ѿ: от.

юс, i.e. большой: ѫ.

ὦ, omega, Gr. ὦ μέγα: *great o*, as distinct from o, Gr. ὂ μικρόν: *little o*. The smooth breathing ' at this time was often used to indicate not the absence of aspiration, as in classical Greek, but simply that the letter was initial.

выбрав: having taken.

и(с). The curved brackets enclose a letter omitted by mistake by Peter.

смотрить, infinitive used for imperative. In 16th- and 17th-century Russian смотрить was the normal infinitive: смотреть is an innovation.

8. чего для. The postpositional use of для is regular in OR (Bulakhovsky 426).

потщитъся: that an attempt be made. ъ reflects the hard pronunciation of ть in -ться, as in modern R.

10. The fem. instr. sing. endings -ою and -ею are abbreviated to -ой and -ей in the course of the 18th century.

11. книшку, probably Профессор Штурм, *Архитектура воинская*, the Russian translation of L. C. Sturm, *Architectura militaris hypotetica et eclectica*, Nürnberg, 1702. See Т. А. Быкова и М. М. Гуревич, *Описание изданий гражданской печати, 1708 — январь 1725 г*, Москва-Ленинград, 1955, стр. 86–8.

12. Амстрадамскою печатью: the Amsterdam fount, the first Russian civil printing type, brought to Russia from Amsterdam in 1707.

12–13. [а величиною...]: and that it should correspond in size to the *Book of Compliments* (which was 8vo, octavo). The so-called *Кумплементальная книга*, a book of model letters translated from the German, came out in April 1708. The square brackets were used by Peter himself.

13. оная simply: it (Cocron 180).

15. подписми — подписями. Подписьми was the CS instr. plur. of *-i-* stems (Nandriș 65–7). The modern R ending came from the *-ja-* stems.

16. знаку. The genitive in -у is a survival of the *-u-* stem declension, which also penetrated the declension of some *-o-* (e.g. знак) and *-jo-* stem nouns in Russian (Unbegaun 78–125, Bulakhovsky 134–5, Cocron 36–46, Ivanov 293).

20. капитана, Captain Genrikh Borlyut, elsewhere Endrik Borlyu.

батарейками: artillery batteries.

Смоленску, loc. sing. of *-u-* stems (Unbegaun 104, Bulakhovsky 136–7, Ivanov 293–4).

от here probably means 'by' rather than 'from'. See I. 47.

21. сылку — ссылку.

22. Леметр-де-Су, elsewhere Леметр де Со, a French colonel of artillery in the Russian service.

господина генерала, probably a Germanism, cp. Herr General.

23. Меншикова: Aleksandr Danilovich Menshikov, 1670 or 1673–1729, a favourite of Peter I and Catherine I, later Field-Marshal.

об нем. Об before a consonant is found till the end of the 19th century. For the prothetic н see Bulakhovsky 183.

24. Левенгоптом: Count Adam Lewenhaupt, the Swedish general in the Great Northern War (E. Schuyler, *Peter the Great*, two vols., London, 1884, II. 34–5).

25. на Москве, an OR usage (Buslayev 485, Bulakhovsky 312).

городех, loc. plur. of *-o-* stems.

## *TWO ANONYMOUS LOVE-SONGS OF THE PETRINE PERIOD*

Love-songs, which had been known in Russian folk poetry, first appeared in quantity in cultivated poetry in the reign of Peter I. Their sources were various: west European songs, Polish and Ukrainian songs both lay and religious, Russian Church Slavonic religious songs, and Russian folk poetry.

**12.** «Радость велика мне днесь явися...»

This song is an example of pre-syllabic verse, which was composed in Russia throughout the 17th century and even after the establishment of syllabic verse. Only rhyme distinguishes pre-syllabic verse from prose. It was generally in couplets, but it could also be in triplets as in this song. The rhymed endings could be either feminine or dactylic (as here) or also masculine. The number of syllables in each line and even of rhyming pairs of lines was unfixed. In this song the lines vary in length from eight to thirteen syllables (Unbegaun, *Versification*, 1–3).

Short adjectives, used attributively, are frequent.

Both author and date are unknown. The *terminus ad quem* is 1724, the date of the earliest manuscript containing the song.

'A great joy is mine today. Sorrow is gone from my heart. As I am safely with you now, so I wish to remain, inseparably.'

Text: А. В. Позднеев, «Рукописные песенники XVII—XVIII веков», *Ученые записки, Московский Государственный Заочный Педагогический Институт*, том I, Москва, 1958, стр. 59.

Editorial change: a comma has replaced a full stop in line 17.

1. явися, 3rd sing. aorist.

2. яко орли, a Biblical phrase probably from Psalm 103: 5. Орли is probably the CS nom. plur. of орел. If it is, this would be an instance of brachylogy of comparison.

   обновися, 3rd sing. aorist.

4. лепоту: beauty.

5. днесть — днесь. In vulgar speech ть or т is sometimes dropped at the ends of words terminating in сть, здь, ст, or зд (Avanesov 121–2). Its appearance here may therefore be due to hypercorrection, particularly in view of the preceding радость.

7. всею — всю, formed on the analogy of мою, твою, свою (Bulakhovsky 180).

8. яко, ибо (line 10) and что (line 11): because.

9. сердцы, loc. sing. The OCS loc. sing. was срьдьци (Nandriş 61). The spelling with ы reflects the hardening of ц (Matthews 164).

   неизглаголанная: unspeakable.

11. вижду, CS, cp. R вижу (Buslayev 78).

    аз, see **2.** 33.

15. изрядстве: comeliness, splendour.

    прибывает here appears to have the sense of пребывает.

20. пременной, CS, ср. R переменной: variable.

**13.** «Пойду ль я, младенка, во чистое поле...»

This song is another example of pre-syllabic verse (see **12**). The lines vary in length from nine to fourteen syllables. The two stanzas each consist of three pairs of rhyming lines.

This song was among those found in the papers of V. I. Mons and was formerly ascribed to him or to his secretary Ye. M. Stoletov. Pozdneyev rejects this ascription on the ground that the songs contain errors explicable only if they were copies and not if they were originals. He dates them between 1690 and the end of Peter I's reign and, since they are written as from a woman, attributes them to an unknown 'talented poetess'. The range of dates may be accepted, but it is no more than probable that the author was a woman.

'Whether I go into the fields or gaze at the sea, I can have no joy. I wash my distraught face with tears, for I have not seen the friend of my heart for many a day.'

Text: А. В. Позднеев, *ук. соч.*, стр. 84.
Editorial change: a dash has been added in line 11.

1. младенка: a young girl.
   во. ъ > о, probably for musical reasons.
   чистое: open, a stock epithet from epic poetry.
2. с печали — с горя.
9. Pozdneyev sees the influence of religious songs in this line.
10. This motive is found in Petrine lyrical songs.
12. сердешна. For чн > шн see Avanesov 115, Bulakhovsky 118–19, and Matthews 168, 169, and 175.

## *AN ANONYMOUS STORY OF THE EARLY EIGHTEENTH CENTURY*

In the second half of the 17th century numerous stories, mainly translated from west European originals, circulated in Russia; but in the early part of the 18th century a new group of stories appeared, largely based as were the 17th-century stories on west European originals, but marked in various ways by the new epoch. These are the so-called Petrine stories.

**14.** Гистория о российском матросе Василии Кориотском и о прекрасной королевне Иракли Флоренской земли [начало]

The *Story of the Russian Sailor Vasiliy Koriotsky and the Beautiful Princess Heraclea of the Land of Florence* falls into two parts, the first from Vasiliy's enlistment in the navy till his shipwreck on his way home to Russia, and the second from his landing on an island, where he meets robbers who elect him their leader, till his marriage to the daughter of the King of Florence and finally his death. The story is an adaptation by an unknown hand of the west European *Story of Doltorn, the Spanish Gentleman of Noble Birth and the Beautiful Spanish Princess Eleonora* (*Гистория о гишпанском знатного роду шляхтиче Долторне и о прекрасной гишпанской королевне Элеоноре*, published in А. Н. Пыпин, Из истории народной повести, *Памятники древней письменности*, том LXIV, Санктпетербург, 1887) with the addition of details from Russian life and of vocabulary and phraseology from Russian Church Slavonic and Russian folk poetry. The first part, which is printed here, is much less derivative than the second.

References to St. Petersburg and Kronstadt date the story after 1703, and a dated manuscript shows that it is earlier than 1738. To date it prior to 1726 on the ground that the coins called ефимки were then withdrawn assumes that the story was a contemporary production, but it could have been written later.

The story has little literary merit. The narrative, though clear, is rather bald, and the characterization crude. The language is unusually inconsistent. The charm of the story lies mainly in its rapid and varied action.

Text: Г. Н. Моисеева, *Русские повести первой трети XVIII века*, Москва-Ленинград, 1965, стр. 191–3.

Title. Гистория entered Russian from WR гісторыя < Pol. *historyja* < Lat. *historia* < Gr. *ἱστορία*. История is cited in Polikarpov's *Trilingual Lexicon* of 1704.

Иракли, by contraction from Ираклии, the prepositional of the feminine form of the masculine name Ираклий < Gr. *Ἡρακλέης*.

1. Европиях, here apparently: lands. It is the prep. plur. of Европия, evidently a parallel form of Европа.

живяше... имяше, 3rd sing. imperfects in Russian CS, cp. OCS живѣаше and имѣаше.

2. па малай, phonetic spelling for по малой.

   Кариотской. In the first syllable a is a phonetic spelling. The ending -ой is R, cp. CS -ий; so also оной in the next line (Unbegaun 320, Cocron 116).

6. во едино же время — однажды.

   рече, 3rd sing. aorist of рещи.

7. батюшко, CS voc. sing. of батюшка.

8. мене, CS acc. sing.

9. даватса suggests that -ться was pronounced hard, as now. жалованья, a partitive genitive after an impersonal passive, or conceivably an instance of *yakan'ye* (е > я).

10. прокормления, acc. plur.: nourishment.

11. даде, 3rd sing. reformed aorist of дати.

    отпустя, see **11.** 3, and similarly объявя in line 46.

    Василей. In the russification of Greek names in -*ειος* the last syllable is -ий if it is unstressed, but -éй if it is stressed; hence Васи́лий < Gr. *βασίλειος*. But in OR it was -ей irrespective of stress. Cp. the nom. masc. singulars последней, синей.

12. Санктпетербурх. The final х reflects Dutch pronunciation (B. O. Unbegaun, 'Le nom de Saint-Pétersbourg', *Revue des études slaves*, IX, 1929, pp. 272–3).

13. записался... в матросы: enrolled as a sailor. The ending -ы is the OR acc. plur. of -*o*- stems, which still survives in a few phrases such as this.

15. прибываше, 3rd sing. imperfect, see **12.** 15.

16. зело нелесно: very honestly.

    пребываше here: surpassed.

17. персонам, dat. plur. of персона: person.

21. морския, see **1.** 7.

22. воздухи. Воздух is now *singulare tantum*.

23. матрозов, gen. plur., from Dutch matroz, which entered R at the end of the 17th century or the beginning of the 18th (B. O. Unbegaun, 'Eine altrussische Bezeichnung des Matrosen', *Zeitschrift für slavische Philologie*, XXVI, 1958, pp. 104–14).

24. указал, probably sc. царь.

25. арихметических — арифметических. There was no sound [f] in the East Slavonic common language, and though it gradually became a phoneme in literary R, in some R dialects it is still replaced by [x] or [xv] (Ivanov 98–9).

28. Кранштате — Кронштадте: Kronstadt, a seaport on the island of Kotlin in the Gulf of Finland. Peter I established a naval base on the island in 1703.

30. Галандию: Holland, the regular OR spelling.

33. отбыти — отбытии, by contraction; so also послушани in line 40.

35. учинили им квартеры: provided them with quarters. For квартеры cp. Gardiner 121.

38. гостю: merchant.

равно штатами: on the same footing as his staff. The instrumental is apparently strong enough to bear the meaning without the preposition co.

39. стоял велми смирно: behaved very peaceably.

41. остро, hypercorrection for остра, short gen. masc. sing. Translate: recognized his great eagerness to obey and learn.

47. After на корабль sc. нагрузив.

49. 'and also made all manner of purchases'.

52. ефимков, from ефимок: taler, the Russian name of a large coin, minted in north-west Bohemia, which circulated in Russia in the 17th century. It was normally of silver.

57. моршировать, hypercorrection for маршировать, here: to journey.

Санкъ-, a half-way stage between Санкт- and Сан-.

58. нача, 3rd sing. aorist of начати.

62. обьявил — объявил, probably a phonetic spelling (Avanesov 96).

в великой находится в древности: was very old. The repetition of the preposition is an OR feature (Bulakhovsky 404–5).

64. наследникам — наследником, a phonetic spelling.

72. Францыю, ы for orthographic и is a phonetic spelling.

74. ослушався — ослушавшись.

75. убрався с товары — собрав товары.

товары, OR instr. plur. of *-o-* stems.

и, unnecessary between a gerund and a main verb, may have the force of потом (Bulakhovsky 401–3).

отиде, 3rd sing. aorist, a frequent form in OR and OCS. Отъиде is also found. Cp. 5. Stage direction, 6. 8 and 9. 14.

80. еже: in order that, but it is otiose here.

87. парусы. Nom. / acc. plurals in -á, -я́ of masc. nouns date from the turn of the 15th century and thereafter gradually become more frequent (Unbegaun 212–17, Bulakhovsky 139–43).

90. клинья: linings, evidently a new acc. plur. form.

92. минувших семи днех, a confusion between по минувших семи днех, where по means 'after', and минувшим семи днем, a dative absolute.

93. воста, 3rd sing. aorist of восстати.

неукратимая — неукротимая, a phonetic spelling.

яко всему морю возлиятися, a dative and infinitive: as if the whole sea would rise up. For examples of the dative and infinitive see Buslayev 374–5.

94. разбишася, 3rd plur. aorist. Translate: were riven apart.

95. и на котором корабле... и оной корабль. The construction of the sentence is typical of OR in that the substantive occurs both in the subordinate clause and in the main clause, and in the main clause it is accompanied by a demonstrative pronoun.

96. утопоша, apparently a 3rd plur. of a new sigmatic aorist (Nandriş 145) of утопити used intransitively: they drowned. In line 101 it is also used for the 3rd sing.

98. пав. Participles and gerunds frequently replace finite verbs in OR and CS.

99. утишилися: became calm.

100. разбиен, CS, cp. R разбит.

101. чаели — чаяли.

102. поведоша, hypercorrection for поведаша, 3rd plur. aorist.

103. несчастии. Neuters in -ие and feminines in -ия both have their prepositional singulars in -ии; hence the confusion of gender here.

## *FEOFAN PROKOPOVICH*

Born in Kiev the son of a tradesman but soon orphaned, Prokopovich was brought up by his uncle, the Rector of the Kievo-Mogilyansky Academy. He was a brilliant student, and on graduating he was sent to study first in Poland and then in Rome. In 1702 he returned, took the tonsure with the name of Feofan, and became a teacher at the Academy. In 1706 he won Peter I's favour by a eulogistic sermon. In 1710 Peter made him Rector of the Academy and in 1715 summoned him to St. Petersburg to help him in his reforms of the Church. Prokopovich became successively Bishop of Pskov (1718) and Archbishop of Novgorod (1720). After Peter's death in 1725 he lost some of his influence, and he only regained it five years later when he supported Anne in her resumption of the autocracy.

A worldly prelate, Prokopovich was none the less a gifted teacher and writer. Among his works are: the tragicomedy *Vladimir* on the Christianization of Russia (written in 1705, first published in full in 1874); a treatise in Latin on the theory of poetry called *De Arte Poetica* (written in 1705, first published in 1786); the narrative poem *Epinikion* on the Battle of Poltava (written and published in 1709); a drama *God's Mercy* (*Милость Божия*, written in 1728); *First Instruction for Youths* (*Первое учение отрокам*); *An Interpretation of Christ's Sermon on the Beatitudes* (*Христовы о блаженствах проповеди толкование*); numerous sermons full of flattery of Peter; some occasional poems (not published in his lifetime); and some Latin poems (many still unpublished).

### **15.** Епиникион [отрывок]

In 1709 two weeks after the Battle of Poltava, in which he had defeated Charles XII of Sweden and the Ukrainian hetman Mazepa, Peter passed through Kiev. Prokopovich celebrated the victory with a speech and this poem, which was printed in three versions, Church Slavonic, Latin, and Polish.

It is a 174-line continuous poem (i.e. not in stanzas), consisting of pairs of rhyming thirteen-syllable lines. Though its content connects it with the 18th-century victory ode, its form is rather that of the short epic or narrative poem, such as M. M. Kheraskov's *Battle of Chesme Bay* (*Чесменский бой*, see 42).

'The battle rages furiously, but Russia only fears when she beholds thee, O Czar, in danger, lest all should perish with a single death. But God sends down a shield from Heaven to protect thee.'

Text: Феофан Прокопович, *Сочинения*, Москва-Ленинград, 1961, стр. 212.

Editorial change: ѣ is replaced by е *passim*.

Title. Епиникион is the Cyrillic transliteration of the nom. neut. sing. of the Gr. adjective ἐπινίκιος: on or about a victory. The neut. noun μέλος: poem is understood.

1. блисну: shone, 3rd sing. aorist, as also помрачи (line 6), узре and объять (line 12, see Nandriş 145 and cp. **16.** 11), вострепета and убояся (line 13), попусти (line 15), низпосла (line 17), and сотвори (line 20).

   многия, see **1.** 7.

2. излетеша, 3rd plur. aorist.

   молния, CS nom. plur of *-ja-* stems (Nandriş 56).

4. з — из, a Ukrainianism or Polonism.

5. гримят — гремят, a Ukrainianism.

   армати: cannon, < Pol. *armata*.

6. смешен, past part. pass. of смесити: mix.

7. страшний. Ukrainians confused ы and и. See also храбрих (line 9).

9. сотерти, CS, cp. R стереть.

11. тя, see **3.** 9.

   царю... воине, CS voc. singulars of *-jo-* and *-o-* stems respectively (Nandriş 57).

12. The subject of узре is Россия.

   посреде — посреди.

   ю, acc. fem. sing. of the 3rd person anaphoric pronoun, which is defective in the nominative. Cp. **3.** 17.

13–14. 'dreaded the ultimate fear that with as ingle person all should perish'.

16. дому, a *-u-* stem gen. sing. (Nandriş 64).

17. им же: with which.

18. грады, CS. In the 16th and 17th centuries R had both гóроды and городá. The latter prevailed only in the 18th century (Cocron 95).

19. вся... твоя, CS acc. fem. plurals. Note the great distance of вся from стрелы.

20. безделныя. The second (predicative) accusative, which is found in OCS and OR from the 12th and 13th centuries, still occurs very occasionally in 18th-century R, though it is mostly replaced by the predicative instrumental, which is also found in the First Novgorod and other chronicles (Borkovsky 393–6). Alternatively in Prokopovich it may be a Ukrainianism. For the ending -ыя see **I.** 7.

**16.** Слово в неделю осмуюнадесять, сказанное в Санктпитербурхе, в Церкви Живоначальныя Троицы, во время присутствия его Царскаго Величества, по долгом странствии возвратившагося, чрез ректора, честнейшаго отца Прокоповича [отрывки]

On 10 October 1717 Peter returned to St. Petersburg after travelling abroad for nearly two years, and on the second Sunday following, the eighteenth after Trinity (23 October 1717), Prokopovich marked the occasion with this sermon. It was preached in Peter's presence in the Cathedral of the Trinity (Троицкий собор), the wooden cathedral near the *Gostinyy dvor* which had been erected in 1703. The wide Biblical and classical learning, the easy style and unforced eloquence, are typical of Prokopovich. The sermon is about 420 lines long. The beginning and a passage from the middle are given here.

'The Lord could have driven the fish into the nets by the shore. Why did He tell Peter to go into the depths? It was for our instruction. . .

'Your Peter too, O Russia, does not linger by the shore, as if he too had been told to go into the depths. What does travelling give to an intelligent man? That which is the foundation of the individual and common good—skill. It also increases that high wisdom, which is to cognize the creator from His creation.'

Text: Феофан Прокопович, *ук. соч.*, стр. 60 и 64.

Title. неделю: Sunday.

осмуюнадесять, CS: eighteenth (Nandriș 124).

Санктпитербурхе, for х see **14**. 12.

Живоначальныя: life-giving.

чрез: by, a Polonism or Ukrainianism.

Text. преста глаголя: ceased speaking. The use of the participle after verbs of beginning and ending is a Graecism (Goodwin 339).

рече, see **3**. 9.

1. по, meaning 'in, as far as concerns', takes the dative in modern R.

3. нуждна, CS, cp. R нужна (Shakhmatov 13–15).

5. спасенную, see **1**. 6.

6. вся, CS nom. neut. plur. (Nandriș 112).

9. имеет быти: must be, a Polonism. For a different sense cp. **4**. 13.

10. что. The replacement of a conjunction and a demonstrative pronoun by the relative pronoun is an idiom characteristic of both Greek and Latin. The influence may be via CS еже.

11. бысть, 3rd sing. aorist, cp. OCS БЫСТЪ, БЫ (Nandriș 195). For [t̡] instead of [t] see **4**. 15, **5**. 18, and **6**. 26.

12. труждавшеся, CS short nom. masc. plur. of the past part. reflexive, agreeing with the phrase Петр с подруги, which is tantamount to a plural.

подруги, instr. plur. of the *-o-* stem noun по́друг: friend.

13. ничесоже, see **5**. 12. For the omission of не see **5**. 5.

яша, 3rd plur. sigmatic aorist of яти: take.

толикое... множество. The separation of толикое from множество by the verb получили shows the influence of a word order common in an oratorical style of both Greek and Latin.

яко, followed by a dative and infinitive: so that, cp. **14**. 93. Translate: so that their net was actually (и) split.

14. вемы, OR 1st plur. pres. of the athematic verb ведети, cp. OCS ВѢМЪ (Nandriș 194).

15. действует is transitive here.

разве: only.

18. рыбарие, CS nom. plur. of рыбарь, cp. людие (Nandriş 66), besides рыбаре (Nandriş 63).

    онии, CS nom. masc. plur. of оный.

20. той < тъи < тъ+*и, CS: that, nom. masc. sing. (Cocron 140–1).

21. совокупи, 3rd sing. aorist.

    согна, 3rd sing. aorist.

    рыбы — рыб. The genitive-accusative, which first appeared in the masculine singular of human beings in the 12th–13th centuries, extended to the plurals of animals from the 17th century (Borkovsky 222–5).

    возмогл, see **3.** 3.

22. брезе, CS loc. sing. of *-o-* stems, showing the 2nd palatalization of the velars (Nandriş 58). For брег, cp. R берег, see Shakhmatov 9.

24. мешкает, a word of Polish origin, in common use among educated Russians at the end of the 17th century (Vinogradov 32).

    Россие, CS voc. sing. of *-ja-* stems.

26. аки is here equivalent to будто.

31. походом: in its course.

32. приемлет — принимает.

34. телесныя, CS gen. fem. sing., see **2.** 39.

    тая < та+*я, cp. той, line 20.

35. прочиим, a CS long (pronominal) dat. plur.

36. инаго, see **1.** 4.

    еже, nom. neut. sing. of иже: which.

38. еллинский — эллинский, see **1.** 51.

    Омир: Homer, the traditional author of the two Greek epic poems, the *Iliad* and the *Odyssey*, each of which consists of twenty-four books. The *Iliad* describes a quarrel between Agamemnon, commander of the Greek army, and Achilles, its greatest warrior, during the siege of Troy (Ilium) by the Greeks.

39. Одиссеа: the *Odyssey*, cp. Lat. Odyssea and Gr. *'Οδυσσεία*.
    хотя: wishing.

40. Улисса: Ulysses, king of Ithaca, the story of whose journey home from the Trojan war is told in the *Odyssey*; Lat. Ulixes as well as Ulysses, Gr. Ὀδυσσεύς. The ending -a is Russian, not Greek.

вожда — вождя, CS gen. sing. of a *-jo-* stem, cp. OCS вождa (Nandriş 57). In OCS жд was pronounced [ʒd] (Nandriş 34).

41. мужа — мужем, see 15. 20.

41–2. многих людей обычаи и грады видевшаго is probably based on *Odyssey*, i. 3: *Πολλῶν δ' ἀνθρώπων ἴδεν ἄστεα καὶ νόον ἔγνω.*

42. многия, acc. fem. plur., see 1. 7.

44. еже... познавати: the cognizing, a Graecism, cp. *τὸ γιγνώσκειν* (Buslayev 373).

45–7. Rom. 1: 20.

45. невидимая, CS nom. neut. plur.

46. твореньми, instr. plur., showing the influence of *-i-* stems on *-jo-* stems (Unbegaun 147, Cocron 86).

познаемая — познаваемые.

47. An accusative and infinitive after verbs of saying is found in both Latin and Greek, but it is more widespread in Latin than in Greek (see Bulakhovsky 356).

48. Антоний Великий: St. Anthony the Great, the first of the Desert Fathers, born in Egypt about A.D. 250, died A.D. 356. For his life see E. A. Wallis Budge, *The Paradise of the Holy Fathers*, two vols., London, 1907, I. 3–76, and for extracts from two of his works see E. Kadloubovsky and G. E. H. Palmer, *Early Fathers from the Philokalia*, London, 1963, pp. 21–55.

вопрошающым..., a dative absolute, see 3. 19. The hard pronunciation of щ, indicated by the spelling щы, is a Ukrainianism.

49. философом, CS dat. plur. of *-o-* stems.

50. рекл, see 3. 3.

51. чтет — читает.

во очах. The vocalization of jers in weak position, as in въ > во, is typical of the high style found in Church texts. Translate: who assumes that where he sees the horizon end is the end of the whole world.

53. времен разнствие: the variety of the seasons.

54. естеств: created things.

55. давано, neut. sing. of the past part. pass. imperfective, used impersonally and governing пользу, a Polonism. Cp. 5. 7.
'What if no other advantage should be gained, only the very knowledge of so many things—even this would be no small profit, especially to a man of birth and high honour, for whom the acquisition of knowledge is better than that of any treasure.'

59. рех, 1st sing. sigmatic aorist of рещи.
толико вышшей... елико множайшая: the further . . . the more.

61. что глаголет Псаломник: and this the Psalmist says, see line 10.

62–5. Psalm 107: 23–6.

62. исходящии, CS long nom. masc. plur. of the pres. part. act.

63. тии: those, CS nom. masc. plur. based on the analogy of the pronominal adjectives (Nandriș 106). The regular OCS form was **ти**.
видеша, 3rd plur. sigmatic aorist.

64. ста дух бурен: a stormy wind arose.
вознесошася, 3rd plur. aorist of вознестися.

66. чудная Божыя: the wondrous things of God, CS nom. neut. plurals.
'how much more is revealed to those travellers who have tried the paths of both the elements.'

**17.** Плачет пастушок в долгом ненастьи

After Peter's death on 28 January 1725 Prokopovich's enemies forced him into semi-retirement. This was a bitter experience for him, and early in 1730 he expressed his feelings in this graceful little work. In genre it is an occasional poem, but its language and metaphors are borrowed from contemporary love-songs.

The metre is syllabic. Lines of ten and four syllables alternate. The fact that both the rhyming pattern *a b a b* and the sense are complete at the end of every fourth line suggests that the poem was composed in stanzas, although it is not printed as such. It was first published in 1777.

'The shepherd laments: when will the fine weather return? All is dark and hopeless. O God, we pray Thee, release us from our misery.'

Text: Феофан Прокопович, *ук. соч.*, стр. 216.
Editorial change: ѣ is replaced by е *passim*.

1. весела, short gen. neut. sing.
   ведра: fine weather.

2. красных: beautiful.

5–8. These lines are typical of the love-songs of the period.

8. щастье — счастье, a phonetic spelling common in the 18th century.

9. явит, поманит (line 10) and обманит (line 12) are perfectives of habituation.

10. поманит: should beckon.

11. нечто: something.

12. обманит — обманет, a Ukrainianism.

14. тают: faint.

17. прошол. The spelling reflects the labialization of East Slavonic [ɛ] to [o] before hard consonants under stress.
    дождевных — дождливых.

18. отмены: ceasing, lifting.

23. вопити — вопиять.

24. научали — учили.

## *ANTIOKH DMITRIYEVICH KANTEMIR*

Prince Antiokh Kantemir was born in Moldavia in 1708, half Moldavian and half Greek, the son of Dmitriy Kantemir, Hospodar of Moldavia, and his Greek wife Princess Smaragda Kantakuzena. In 1711 his family was compelled to leave Moldavia and settle in Russia, where Peter welcomed them warmly.

Antiokh Kantemir was the best-educated man of his day in Russia. This he owed partly to his household tutors, but also to his parents, both of whom were highly cultured people.

In 1723 his father died, and in 1729 a decision of the Supreme Privy Council deprived him of the inheritance his father had intended for him. His great intelligence and his critical attitude, exacerbated by the Council's decision, made him a threat to the ruling group. In

1732 he was sent as Russian minister to London. In 1738 he became Russian minister in Paris, where he died in 1744.

His chief works are nine satires, six of which were written between 1729 and 1731, and the remaining three between 1738 and 1739. He revised them all during his lifetime. The first eight satires were first published in London in 1749 in a translation into French prose. They were first published in the original Russian in St. Petersburg in 1762. The ninth satire, which was written in 1731 and was the sixth in order of composition, was not published till 1858.

## **18.** Сатира I. На хулящих учения. К уму своему

*Satire I* was composed at the end of 1729 and was circulated anonymously in manuscript. The text was repeatedly revised, receiving its final form only in 1743. The satire was followed by six pages of notes which Kantemir regarded as an integral part of the text, but they are too lengthy to print here.

The metre is the thirteen-syllable syllabic line, consisting of a first half-line of seven syllables and a second of six. Already before Kantemir the line had shown a trochaic tendency in the second half-line due to the requirement, mostly observed, for a stress on the penultimate, i.e. fifth, syllable. Kantemir's innovation, which he brought into his own poetry after 1738 but before 1740, was to require a stress either on the fifth syllable or on the seventh in the first half-line (if the fifth syllable was stressed, the sixth and the seventh syllables had to be left unstressed). The effect of this was to introduce a trochaic tendency also into the first half-line. This brought the line as a whole close to a trochaic line according to syllabo-tonic prosody.

Peter's death was followed by a reaction against his reforms, and among them the changes he had brought about in education. Many objected to the introduction of west European science and technology, encouragement of Latin studies to the detriment of the traditional Greek ones, and tolerance towards Catholic and Protestant doctrines, and, according to this satire, there were other less serious objections. As a satirist Kantemir belongs to the humorous and reflective school stemming from Horace and latterly Boileau. He is free from the bitterness and vituperative element found in Juvenal and Persius. The quick succession of representative characters, each speaking their piece in turn, is the traditional structure of classical satire.

'Though the young Czar does not do so, many condemn the pursuit of knowledge, Criton because it brings heresy and atheism, Silvan because it is an obstacle to money-making, Luka because it removes a man from society and wine-bibbing, and Medor because the paper he uses for curling wrappers is used instead for books. Where no worldly advantage is to be gained, praise encourages a man to work, but instead of praise I receive nothing but blame! Further, the proper guardians of learning, the bishops and judges, show little love for it. Therefore keep silent, O my mind, and take thy pleasure in secret.'

Text: Антиох Кантемир, *Собрание стихотворений*, Ленинград, 1956, стр. 57–62.

Editorial change: нравы is replaced by правы in line 152.

1. уме, CS voc. of *-o-* stems.

5. к ней, i.e. к славе.

7. проклали — проложили.

8. The nine muses are: Clio, the muse of history; Melpomene, of tragedy; Thalia, of comedy; Euterpe, of the flute; Terpsichore, of dancing; Calliope, of epic poetry; Erato, of lyric poetry; Urania, of astronomy; and Polyhymnia, of mime.
сестр — сестер.

9. дошед, CS nom. masc. sing. of the past participle used as a gerund — дойдя.

10. мору, CS gen. sing. of *-u-* stems.
чужится — чуждается.

13. марморами — мраморами, cp. Gr. *μάρμαρος* and Lat. *marmor*. Kantemir uses the Latin stem. The CS form, which is used in modern R, shows metathesis of the liquid [r].

15. молодом. Peter II, who ascended the throne in 1727, died in 1730 at the age of fifteen.

17. Аполлин — Аполлон: Apollo, the god of poetry and music, who presides over the muses. Kantemir uses the stem of the name in Latin. Translate: Apollo perceived in him a far from feeble defence of his fame, and beheld him himself honouring his suite.

22. за страх: out of fear.

23. The view of the Graecophile party in the Russian Orthodox Church.

32. For the separation of the preposition from its noun see 4. 1. Bible reading by laymen was encouraged by the Protestant churches.

34. подая — подавая.

38. чают: deem, think.

39. тем, что: those who.

40. весьма не пристали: do not at all befit.

43. латыне, dative of латына: Latin, a Ukrainianism, cp. modern R латынь.

    не зная латыне. In such constructions as this the verb знать is substituted for a verb which governs a noun in the dative, e.g. научиться, without the case of the noun being altered. For numerous examples with грамоте see Buslayev 497.

46. чужой язык, i.e. Latin.

47. буде: if (Matthews 208 and 223–4, Borkovsky 531–2).

    чину here: order.

49. подлых: the common people.

54. 'he is foolishly throwing peas at a wall so that they should stick to it', a metaphor for a futile activity. Ср. ему говорить, что в стену горох лепить (Dal' under горох).

61. буки... веди, the names of the letters б and в in Church Slavonic.

63. голы все то враки: all this is sheer nonsense.

68. For the absence of не see 5. 5.

72. i.e. watching a spot on the moon.

74. Galileo taught that the earth revolved around the sun and not vice versa.

75. часовнике: breviary.

77. Евклида: Euclid, the Greek mathematician of the 3rd century B.C.

78. счислим — сосчитаем.

79. слично людям: as being fitting for men *or* best for men (Dal'). Слично < Pol. śliczny: pretty, beautiful, but its meaning has been altered.

80. малит: diminishes.

86. прияли — приняли. The н has been introduced on the analogy of such verbs as внять and снять, where the н goes back to the corresponding IE prefixes. Cp. 1. 51.

92. коротати here: shorten (of time).

97. отымает — отнимает, see line 86.

101. 'when people shall start to make furrows across the sky with a plough,' i.e. never.
бразды, CS, cp. R борозды.

104. вéки — векá.

105. вязигу — визигу: the dried spine of a sturgeon. Translate: when a monk shall start to eat only dried fish during his fast.

108. ему приходит, sc. в голову.

110. Сенеку: Seneca, the Roman philosopher and tragedian, died A.D. 65.

111. Егором: Yegor, a Moscow shoemaker.
денег. Дéньга was a copper coin worth half a copeck.
Виргилий: Vergil, see 10. 7.

112. Рексу: Rex, a Moscow tailor.
достоит: should fall to the lot of.

114. клуши, gen. of клуша: a sitting hen.

117. 'But how much more does the heart sorrow when instead of praise it has to endure blame!'

118. неж: than. For the dative and infinitive cp. 14. 93 and 16. 13.

119. нежли: or than.

120. 'not to drink beer made from three poods of hops'. A pood, which contained forty Russian pounds, weighed 16·38 kg or about 36 lb.

126. хвален, from хваленый: praiseworthy.

129. радея, gerund of CS радеть: care for, be anxious about, taking the dative (as here) or о and the prepositional.

130. смелея, gerund of смелеть: grow bold. It might, however, be taken as a comparative; if so, for the form see Bulakhovsky 195.

131. 'the holy custodians of the doors of paradise', i.e. the bishops and senior clergy.

132. и им же: and those to whom, etc., i.e. the judges.
Фемис: Themis, in Greek mythology the goddess of justice.

133. истинну украсу: that which is truly an adornment, i.e. learning (Kantemir's note).

134. 'get yourself up in a cassock'. This passage probably refers to Georgiy Dashkov, made Bishop of Rostov in 1718, Archbishop in 1726, deprived of his see and imprisoned in 1731. He died in 1739.

140. 'compel your right and left hands to bless everybody'.

141. тя, see **3.** 9.

144. The gerund пиша does not exist in modern R.
выпись, a certificate that the goods in question were clean and had paid tax (Kantemir).

151. кто: someone.

153. врет околесну: he is telling nonsensical lies. Околесна is the short form of околесная — околесица: nonsense.

157. коем — котором (Matthews 117 and 224–5, Gorshkov 138).

162. 'Ignorance has taken precedence over learning.' Посесть кого-нибудь: to take a position higher than somebody, is a technical expression from the rules of precedence (местничество). Местом is an instrumental of respect.

164. The table at which a judge sat was covered in a red cloth (Kantemir).

167. ея, see **3.** 3.

168. страдавши на море may refer to sea-sickness (Berkov) or to shipwreck, probably the latter.

171. коли кто карты мешать... знает: if anyone knows how to shuffle cards.

173. 'if he understands how to select the colours for his dress'.

174. леты — лета. This spelling reflects the tendency in the 17th, 18th, and 19th centuries to pronounce and write the unstressed а/ья of nom. and acc. neut. plurals as ы/ьи (Avanesov 122,

Levin 145, Bulakhovsky 145, Unbegaun 163, Cocron 68–9). There is no question of a change of gender.

175. мзда: reward, recompense.

176. 'he considers himself worthy of the company of the seven sages'. The latter were rulers or philosophers who lived either on the Greek peninsula or in Asiatic Greece in the 6th century B.C. They were: Solon of Athens, Periander of Corinth, Chilon of Sparta, Pittacus of Mytilene, Bias of Priene, Thales of Miletus and Cleobulus of Lindus (J. B. Bury, *A History of Greece*, 2nd edition, London, 1945, p. 321).

177. церковник: lay clerk.

179. честь — читать.

180. Златоусте: John Chrysostom, preacher and writer, Archbishop of Constantinople in A.D. 397.

185. в незнати and в незнатности (line 190): in obscurity.

193. 'if all-benign wisdom has granted thee to know anything'.
ти, for the form see **6.** 21.

195. тую < ту+ю, acc. fem. sing. of той: that.
'as you explain it, seek not to obtain cruel blame instead of the praise which you expect'.

**19.** Петрида, или описание стихотворное смерти Петра Великого, Императора Всероссийского [начало]

Between March and August 1730 Kantemir wrote the first book of an epic poem on Peter I. With Lomonosov's *Peter the Great* (*Петр Великий*) and Sumarokov's *Dimitriyady* (*Димитриады*), both unfinished, this was one of the early attempts to write a Russian epic, which was finally achieved only by Kheraskov with his *Rossiada* (*Россиада*).

In this first book of 250 lines God allows a disease named Strangurio to attack Peter but not to kill him till a year has passed. In the completed epic the last book would probably have described Peter's death and the intervening books the story of his life. In this way the action of the epic would have covered a year, which met the prescriptions of the theoreticians of the time. It was first published in 1859.

The metre is the thirteen-syllable syllabic line. The frequent occurrence of – ˊ – at the end of the first half-line shows that Kantemir did not revise these lines, as he did his first satire, according to the rules given in his *Letter of Khariton Makentin* (*Письмо Харитона Макентина*, see 20).

'I who once wrote humorously now bewail Russia's inconsolable grief, the death of Peter, a name which encompasses all the virtues. O Muses, if ever any man needed your help, it is I, that I might sing his wonderful deeds.'

Text: Антиох Кантемир, *ук. соч.*, стр. 241.
Editorial change: comma removed after O in line 16.

1–5. These lines are modelled on the four spurious lines and the first genuine one with which the traditional text of Vergil's *Aeneid* opens. They are:

Ille ego, qui quondam gracili modulatus avena
Carmen, et egressus silvis, vicina coegi
Ut quamvis avido parerent arva colono:
Gratum opus agricolis: at nunc horrentia Martis
Arma virumque cano, Trojae qui primus ab oris. . .

1. той — тот, see **16.** 20.
слоги — слогами. The reference is to Kantemir's early satires.

2. роги — рога: the horns of the satyr, a mythological creature, half man, half goat. But the etymology is false. The genre of satire, originated by the Romans, took its name from Lat. *satura*: a dish filled with various kinds of fruits.

3. бодя — бодая: butting at.
преступки, from преступка here: crime, but generally: an omission in a church reading.

4. обычьем ствердимы: confirmed by habit.

5. рыдаю here transitive: bewail.

6. вину: cause.

7. в роксолян народе. For the order of words see **4.** 1.
роксолян: Roxolani, i.e. the red Alani, a name used by Pliny in his *Historia Naturalis* in the 1st century A.D. Kantemir was following a contemporary fashion in using a classical name, which referred properly only to the people upon the rivers Don and

Dnieper (now commonly thought to have been Slavs), for the Russians generally.

8. юже: which. Translate: which the death of Peter, first in the royal family, has brought.

10. речи: word.

13. судию, CS, cp. R судью.

16. плачь — плач.

могл — мог, cp. 3. 3 and 16. 21.

17. The muse is regularly invoked at the start of an epic poem, as e.g. in the *Odyssey*, the *Aeneid*, and Torquato Tasso's *Jerusalem Delivered*.

быстъ, see 16. 11.

19. требовать now takes the genitive.

17–19. 'if ever some were allowed to call upon you for help, I more than all have adequate cause to require this.'

20. Kantemir's own rule (20. 106) suggests that смертный should be taken with страх rather than with смысл. Translate: for not only is it impossible to record the hero's wonderful deeds—a mortal's awe at which commonly overpowers his reason, but sorrow takes away one's strength.

**20.** Письмо Харитона Макентина к приятелю о сложении стихов русских [отрывки]

This letter gives the system of syllabic prosody which Kantemir had worked out for himself and which he applied in the last years of his life, in particular when he was revising the satires. The occasion of its writing was a request from Nikita Yur'yevich Trubetskoy, the 'friend' of the title, for his opinion on Trediakovsky's *New and Short Aid to the Composition of Russian Verses* (*Новый и краткий способ к сложению российских стихов*), and in fact Kantemir's letter follows the content and sequence of Trediakovsky's *Aid* closely. The letter was probably written at the start of 1743. It was published in St. Petersburg in 1744 after Kantemir's death.

'The author of the *New and Short Aid to the Composition of Russian Verses* asks for criticisms.

'Russian verses are of three kinds: metrical, free, and rhymed. These last can be from four to thirteen syllables long. No account need be taken of metrical feet, but two particular syllables should be stressed in each verse, in the thirteen-syllable line the penultimate syllable of the second half-line and the ultimate or antepenultimate of the first half-line (if the latter, then two unstressed syllables should follow).'

Text: Антиох Кантемир, *ук. соч.*, стр. 407–10, 413–14, 414–15, 419–20.

3. в прошлом годе, i.e. 1742.

4. удовольствовать: satisfy, now reflexive.

5. касается до... До is not necessary in modern R.

6. титлом — титулом. For the correct title see **24.**

8. от, see **1.** 47.
 ея, see **3.** 3.

10. предводителя в стихотворном течении: a guide on how verse should flow.

14. кои, see **18.** 157.

16. See **24.** 34 et seq.

17. споспешествуя: furthering, ср. поспешествующ in **6.** 33. Both verbs are imperfectives.

18. примечанийцы — примечанийца: little notes, see **18.** 174.

21. первого, sc. стихи первого рода.

21–34. This quantitative prosodic system was described by the Ukrainian Meletiy Smotritsky (about 1578–1633) in his *Accurate Treatise of Slavonic Grammar* (*Грамматики славенския правилное синтагма*, published in Wilno, 1618; reprinted in Jewie, 1619). A version of this grammar was published in Moscow in 1648, and it was this version which was revised and republished by Fyodor Polikarpov in 1721 (see p. 210) and again by Fyodor Maksimov in 1723. The 1648 version frequently refers to the scholar Maksim the Greek (1480–1556) but does not mention Smotritsky's name; hence the prosodic system it contained became known as the Maksimovskaya. It could not be successful in Russian because Russian vowels, unlike Greek, do not contrast with one another in length.

24. Христе and Сыне are both vocatives. Translate: O Christ, O Son of the Highest, Thou only art the flame of love.

39–43. These five lines all have thirteen syllables, feminine endings, and caesurae after the seventh syllable, and they follow Kantemir's rule on the stressing of the fifth and seventh syllables in the first half-line. They are free in the sense that they have neither feet (стопы) nor rhyme.

41. бесперечь: without doubt, undoubtedly, from перечить: contradict.

44. тое < то+*е: that, nom. neut. sing. of the pronoun той.

49–52. 'further it is obligatory to put an (adjectival) pronoun before the noun, the noun before the verb, the verb before the adverb and finally the word governed by the verb in its proper case'.

54. помочей, from помочь, a R form replaced in modern R by CS помощь (Levin 27).

56. изрядно: particularly.

57. отменные: distinguished.

58. укрепить: give strength to.

60. гишпанцы — испанцы, from Pol. Hiszpanie. Weismann's *Leksikon* (1731) gives гиспанец and Nordstet's *Slovar'* (1780) испа́нец. For a different spelling see line 93. Cp. 14. Title. гистория.

Heading. одноокончательные: with the same ending, i.e. here: rhyming.

69. тесной, R, cp. CS тесный.

70. болоты, see line 18.

71. оставя, see 11. 3.

74. предлежат: lie ahead.

87–9. Kantemir follows Trediakovsky in applying the terms 'long' and 'short' of quantitative prosody to stressed and unstressed syllables respectively.

Heading. перенос: enjambement.

90. Trediakovsky (правило IV) condemned enjambement.

91–2. 'when the whole sense of an utterance cannot be completed in a single verse'.

101. 'which the French condemn in their own poets'.

108. возноситeльные: anaphoric.

109. пресечения: caesura, a fixed division between words in a line of verse.

115. по with acc.: up to, as in modern R.

121. двухсложная: disyllabic, i.e. feminine, consisting of a stressed syllable followed by an unstressed syllable.

122. тупые: blunt, i.e. masculine, consisting of a single stressed syllable.

127–8. 'as often as he happens to cast eyes on us, he blushes at our deeds'.

134–64. This section shows Kantemir feeling his way towards three syllabo-tonic metres, the trochaic in § 51, the dactylic in § 52, and the amphibrachic in § 54.

136–43. This stanza is in irreproachable trochaic tetrameters, rhyming alternately (lines 136–9) and in pairs (lines 140–3).

141. с хвостом: with a crowd following him.

142. знатно: evidently.

147–52. Some stresses are suppressed, e.g. дай, мысль (line 151), as is usual in a ternary (trisyllabic) metre.

153. требует, see **19.** 19.
простую here: ordinary, i.e. feminine.

## *VASILIY KIRILLOVICH TREDIAKOVSKY*

Born in Astrakhan' in 1703 the son of a priest, Trediakovsky received his early education from Catholic monks. In 1723 he ran away to Moscow and entered the Slavo-Graeco-Latin Academy. In 1725 he went abroad to study, first at The Hague and then from 1727 in Paris. During this time he acquired an excellent knowledge of French. Returning to St. Petersburg in 1730, he was appointed a translator in the Academy of Sciences. In 1733 he was made a secretary of the Academy and in 1745 its Professor of Eloquence. He retired in 1759 and died in extreme poverty in 1769.

Scorned in his lifetime for his low birth and timid nature, Trediakovsky is now honoured beside Lomonosov and Sumarokov as one of the founders of modern Russian literature. His *New and Short Aid to the Composition of Russian Verses* (*Новый и краткий способ к сложению российских стихов*, published in 1735 and revised in 1752) established the theory of syllabo-tonic prosody, which Russian poets have mostly used since then. His essays, for example, *On the Old, Middle and New Russian Versification* (*О древнем, среднем и новом стихотворении российском*, published in 1755) and *Three Dissertations on the Three Most Important Russian Antiquities* (*Три рассуждения о трех главнейших древностях российских*, published in 1773), initiated the study of Russian literary history, philology, and antiquities. His translations from the Latin and the French gave whole storehouses of new knowledge to the Russian student. His own compositions, among them odes, psalm translations, fables, and songs, and his epic *Tilemakhida* (*Тилемахида*, published in 1766) adapted from Fénelon's *Télémaque*, which his contemporaries mostly ridiculed, are becoming increasingly valued, partly for their occasional felicitous passages and partly for the contribution they made to the development of literary Russian.

**21.** Стихи похвальные Парижу

This poem, *Verses in Praise of Paris*, is one of the thirty-two poetic compositions which Trediakovsky placed at the end of his *Journey to the Island of Love* (*Езда в остров Любви*) under the heading *Verses on Different Occasions* (*Стихи на разные случаи*). In conformity with the heading this poem (though by no means all the others) belongs to the genre of occasional poems, in which the poet records an incident or, as here, an emotion, which he has experienced. It was written between 1727, the date of Trediakovsky's arrival in Paris, and 1730, when it was published.

The poem is written in eleven-syllable syllabic lines with a caesura after the fifth syllable. As regularly in syllabic verse, the lines rhyme in pairs and all their endings are feminine. The lines show a dactylic tendency: seven of them, viz. 1, 8, 10, 13, 15, 17, and 21, are dactylic tetrameters with feminine endings according to syllabo-tonic prosody. Cp. 20. 147–52.

The poem foreshadows the gallomania, which reached its peak in Russia in the third quarter of the century (see 44).

'Beauteous spot, dear bank of the Seine, the sun shines more brightly upon thee than anywhere else. Nymphs sing sweet songs and Apollo and the muses play lyres and pipes. Rustic manners dare not show themselves here. Who but a beast does not love thee? I can never forget thee as long as I live.'

Text: В. К. Тредиаковский, *Избранные произведения*, Москва-Ленинград, 1963, стр. 76–7.

1. Сенски — Сенский: of the Seine, a truncated form for the sake of the rhyme.

2. поля Элисейски: the Elysian fields.

3. сла́дка, CS gen. masc. sing. of the short (nominal) declension.

4. зимня, sc. холода.

5. катает — катается.

7. зефир: the west wind.
цве́ты — цветы́, see Matthews 183.

8. леты, see **18.** 174.

9. лимфы: streams, from Lat. *lympha* < Gr. *νύμφη*.

10. складны: harmonious.

11. любо here: happily, cheerfully. И here means 'also'.
музы, an *-o-* stem instr. plur. instead of the *-a-* stem instr. plur. -ами, probably a pseudo-Church Slavonicism.

12. флейдузы, fem. (?): flutes, perhaps < Old French *fleuhutes*, *flehutes*, or *flahustes*.

15. 'everything within thee thou keepest noble' *or* 'thou containest all that is noble'.

18. роды: nations, peoples.

19. точишь lit.: pourest forth, flowest with, a reference to the Biblical phrase 'flowing with milk and honey'. The use of точить in its literal sense with млеко and in a metaphorical sense with веселье is an instance of zeugma. Translate: aboundest in.
млеко: milk, CS, cp. R молоко (Levin 27).

22. тя, see **3.** 9.

24. имею... быти: shall be, see **4.** 13.
земли, CS loc. sing. of *-ja-* stems (Nandriș 55, Levin 144–5).

**22.** Езда в остров Любви [отрывок]

While he was abroad, Trediakovsky translated into Russian *Le Voyage de l'Isle d'Amour* written by abbé Paul Tallemant (1642–1712) and on his return published it in St. Petersburg in the autumn of 1730. The novel, which is half in prose and half in verse, is in the form of two letters from Thyrsis to his friend Lycidas. Its treatment of romantic love was new to the Russians of the time, and the Russian version had a great success.

Trediakovsky's use of Russian rather than Church Slavonic for his translation, which he seeks to justify in this extract from the book's preface, was also an innovation.

'Do not be angry with me for not translating the book into Church Slavonic but into the ordinary Russian which we speak ourselves. First, Church Slavonic is a religious language, whereas this is a secular book; second, Church Slavonic is now very obscure; and third, it now sounds harsh to the ears.'

Text: В. К. Тредьяковский, *Сочинения*, три тома, Санктпетербург, 1849, III, стр. 649–50.

1. вас, i.e. the reader.

2. буде, see **18.** 47.

глубокословныя... славенщизны: high-flown Slavonicisms. For the ending of the adjective see **6.** 4.

3. оную: it, cp. **4.** 10 and **11.** 13.

4. словом: language.

6. славенской, R, cp. CS славенский.

8. очюнь — очень, cp. очунь cited by Vasmer for the 17th century. его is misplaced.

9. сладкия, CS, see **6.** 4.

10. третия, CS, cp. R третья.

14–16. 'before whom I wished to show myself a particularly eloquent orator with my stupid Slavonic way of speaking'.

17. читателю, see **6.** 1.

17–20. 'that I have still failed to attain to the true nature of our language, then I can boast only that all my desire was so to do'.

21. видится мне: it seems to me.

**23.** Ода торжественная о сдаче города Гданска

The surrender of Danzig was an episode in the War of the Polish Succession, which started in 1733 and was concluded in Poland in 1735. On the death of Augustus II of Poland in 1733, two claimants for the throne came forward, Stanisław Leszczyński, father-in-law of Louis XV of France, and Augustus's son, later Augustus III, Elector of Saxony. Since Stanisław also laid claim to Kurland, which Peter I had brought under Russian influence in 1710, whereas Augustus III had abandoned this claim, Russia supported the latter. France supported Stanisław. In the summer of 1734 Stanisław established himself in Danzig, awaiting the French fleet. When it arrived off Danzig in June, it was routed by a Russian fleet, and a French landing force was killed or taken prisoner. Russian troops then attacked Danzig, and when it fell Stanisław fled to Prussia and eventually to France.

Trediakovsky modelled this ode on the *Ode sur la prise de Namur* (written in 1693 on the event of 1692) by Nicolas Boileau (1636–1711) and Feofan Prokopovich's Latin ode on the coronation of Peter II. In places it is simply a translation of Boileau's ode. In the afterword (послесловие) entitled *A Discourse on the Ode in general* (*Рассуждение об оде вообще*) Trediakovsky claimed that it was the very first ode in Russian (В. К. Тредиаковский, *Сочинения и переводы как стихами, так и прозою*, два тома, Санктпетербург, 1752, II, стр. 34). This afterword was itself substantially based on Boileau's four-page introduction to his ode called *Discours sur l'ode*.

The ode was first published in 1734 together with a prose dedication to Biron, Anne's minister, and the afterword. The Russian text was accompanied by a parallel translation into German.

It is in nine-syllable syllabic lines without a caesura. The stanza, which has ten lines and a rhyming pattern *a b a b c c d e e d*, is the same as in Boileau's ode except that the varying endings of the French lines are replaced by feminine endings in the Russian. Trediakovsky rewrote the ode for the 1752 edition of his works according to syllabo-tonic prosody. The metre then chosen was the trochaic tetrameter, and the rhyming and ending pattern was *af bm af bm cf cf dm ef ef dm* (where *f* stands for feminine ending and *m* for masculine), which is that of Boileau's ode.

'The muse inspires me to sing of brave Anne. Danzig is like Troy and every Russian more valiant than Achilles. Danzig resists, relying on Stanisław and the French. But why dost thou dare, O

Danzig? There is no need, for Anne is unrivalled in her clemency. See how fearlessly the Russians advance. Danzig begins to shake and give the sign of surrender. Cease, lyre. Anne shall always conquer, whoever her foes may be. Long life Anne!'

Text: В. К. Тредиаковский, *Избранные произведения*, Москва-Ленинград, 1963, стр. 129–34.

Editorial change: подданным is read for поданным in line 65.

1. трезвое... пианство, an oxymoron.

6. силу ликов... красных: the vigour of your beautiful choirs.

7. 'everything makes me utter a solemn speech'.

10. хощу, CS, cp. R хочу (Levin 27).
Анну: the Empress Anne, niece of Peter I and formerly Duchess of Kurland, reigned 1730–40.

12. Пиндар: Pindar (522–448 B.C.), the Greek lyric poet.
Гораций: Quintus Horatius Flaccus (65–8 B.C.), Horace, the Roman poet.

15–17. 'but if the voice of my lyre should equal the sincere zeal, which bears an eternal passion for Anne . . .'

18. Орфей фракийский: Orpheus of Thrace, a famous minstrel.

19. Амфион... фивийский: Amphion of Thebes, renowned as a musician. He built the city walls of Thebes by making the stones come together by the power of his music. For the misplaced и cp. Bulakhovsky 428.

21–4. 'So, O lyre, sing a sweet song, sing of Anne, I mean of her well-being, to the greater ruin of all her foes and their perpetual and irksome misfortune.'

29. и is misplaced. See line 19.

33. 'Can they not be compared to the Trojan walls . . .?'

36. неумильным: who showed no tenderness, a Greek meiosis.

37. Вислою: Vistula, cp. Pol. Wisła, Ger. Weichsel.

38. The river Scamander ran across the plain of Troy.

39. Иде: Mount Ida, the range to the east of Troy.

40. Столценбергом: Stolzenberg, high ground near Danzig.
имя налагать equals называть and so can take the instrumental.

41. баснeй — басен.

42. Ахиллес: Achilles, leader of the Achaeans from the Greek mainland against the Trojans.

43. Фетидина... сына: the son of Thetis, i.e. Achilles.

45. власть here: mighty one.

46. The goddess Minerva, also called Pallas Athene, supported the Greeks (Achaeans) against the Trojans.

49. Minerva's shield, which bore the terrible head of Medusa, was called the aegis.

51. росский, derived from росс, an 18th-century artificial form; русский is derived from Русь.
на мало: quickly.

52. противный here: hostile.

53. 'each one may fitly be called Mars'.

56. 'or win complete victory in Anne's cause'.

65. что: in that.

69. ти, for the form see 6. 21.

73. подъемля — поднимая.

74. 'wishes to become the wonder of the whole world'.

76. 'as though intoxicated with a noisy drink', i.e. a drink that makes one noisy, an instance of hypallage.

80. рассуждаючи: reasoning. Gerunds in -чи (and -че), which originated from the nom. fem. sing. (and nom. masc. plur.) of the OR short pres. part. act., by the 19th century were replaced by forms in -а or -я originating from the nom. masc. sing. of the OR short pres. part. act. The transition of these forms from a participial to a gerundial use was marked by their ceasing to agree with the subject of the sentence. See Bulakhovsky 238–40.

81–3. 'Danzig takes Stanisław . . . as a friend into the very heart of her region.'

88. Секваны, genitive of Секвана < Lat. Sequana, ae, fem.: Seine—Сена.

89–90. 'See, to its own loss that nation beats its drums around Weichselmünde.' The French troops landed at Weichselmünde, a small fortress at the mouth of the Vistula near Danzig.

93–4. 'Danzig is already placing guns pointing at the Russians upon the slopes outside her fortifications.'

94. раскатах here: slopes, falling away from the city walls; ordinarily: rolls, peals.

уду here: complex of fortifications; ordinarily: limb, part of the body.

98. имущих — имеющих.

99–100. 'watchful of one thing only, how to preserve their own lives by flight'.

100. собу — собственную.

102. воззови: summon up.

108. своевольно: of their own will, voluntarily.

110. 'the lands of China honour her twice'. China sent embassies to Anne in 1731 and 1732.

113. толико удобной: so ready, so inclined.

118. Алциды: men like Alcides, a descendant of Alceus, usually his grandson, Hercules, the most famous of the Greek heroes.

123–5. 'Because of the frequent bursts of lightning, which shatters everything knowable, you cannot at all stand firm.'

130. 'and many fences have been seized'.

134. конечно: finally.

137 and 140. Masculine endings are uncommon in syllabic verse.

145. присту́па — при́ступа.

148. 'they rush as if to dance at a marriage'.

153. прахи is now *singulare tantum*.

155. 'The magistrate, seeing from the last wall that their trust in help from afar and in the friendship of Stanisław had been in vain. . .' Danzig had been ruled by a magistrate since the founding of the Hanseatic League.

163–4. 'everyone thinks of surrendering just as he had intended to fight'.

166. духу, a *-u-* stem gen. sing.

171. знак is probably in the accusative after видно, but in OR neuter predicative forms are sometimes followed by nominative nouns other than neuters.

182–4. 'who can worthily laud great Anne with praises or harmoniously extol the bravery which she has from on high?'

186. от: by, see 1. 47.

187–8. 'I wish her to conquer on this occasion, and she will always conquer.'

**24.** Новый и краткий способ к сложению российских стихов с определениями до сего надлежащих званий [отрывки]

*The New and Short Aid to the Composition of Russian Verses with Definitions of the Relevant Terms* published in 1735 and republished after a radical revision in 1752 was the completest guide to Russian syllabo-tonic prosody till the 20th century. Beside the theory of syllabo-tonic prosody and its realization in verse the *Aid* of 1735 dealt with poetic licences, rhyme, and combinations of lines of different length. It also gave examples of the use of the new versification in various poetic genres and a list of poets for imitation.

'Since both the quantitative prosody of Meletiy Smotritsky and syllabic prosody are unsuitable for our language, I propose a new system based on the alternation of long and short syllables in feet. A foot in our versification consists of two syllables, and a long syllable is one that is stressed, and a short syllable one that is unstressed. Our hexameter, the heroic line of thirteen syllables, can have any of the four feet (the spondee – –, the pyrrhic ᴗ ᴗ, the trochee – ᴗ, or the iamb ᴗ –), but the best line has trochaic feet only (and the same applies to our pentameter). The use of feet is not prescribed for lines of nine syllables and less (which remain according to syllabic prosody). Some may think that I took this system from French poetry, but in fact I took it from Russian folk poetry, though almost all the terms are French. Lines of the same length can be rhymed alternately as well as successively, but except in songs to French and German tunes lines of different lengths cannot be combined in one poem.'

Text: В. К. Тредиаковский, *Избранные произведения*, Москва-Ленинград, 1963, стр. 366–8, 370, 377, 383–5.

Title. званий: terms.

2. пиита, nom. sing., a parallel form of пиит, both from Gr. ποιητής. The ending in -a may show the influence of Lat. *poeta*.

4. никоторый: no one.

7–11. For Homer's *Iliad* see **16.** 38 and Vergil's *Aeneid* **10.** 7. Voltaire's *Henriade*, published in England in 1728, describes the civil war in the reign of Henry IV, King of France. The *Jerusalem Delivered* (*Gerusalemme Liberata*) of Torquato Tasso (1544–95), completed in 1575, recounts the capture of Jerusalem by Godfrey of Bouillon in 1099, which was the climax of the First Crusade. Milton's *Paradise Lost*, published in 1667, tells of the expulsion of Adam and Eve from Paradise.

12. автор славенской грамматики, see **20.** 21–34.

18. Демокритом: Democritus of Abdera in Thrace, born *c.* 460 B.C., one of the founders of the atomic theory. 'Cheerfulness', Gr. εὐθυμίη, was a fundamental concept in his moral ideas, and he left many maxims showing how a man could best become and remain 'cheerful' (C. Bailey, *The Greek Atomists and Epicurus*, Oxford, 1928, pp. 188–213).

21. другие, i.e. writers of syllabic verse.

23. пресекая here: cutting.

23–4. i.e. introducing caesura and rhyme.

26. меры и падения: measure and cadence.

29. прямых: correct, proper.

34. имеют: shall, see **4.** 13.
каковой here: any — какой-нибудь.

36. Российскому собранию. The Russian Assembly was founded in 1735 by the president of the St. Petersburg Academy of Sciences, Baron Korf. Its members, mostly translators working for the Academy, were to meet twice a week and discuss the translations which were in progress. They also discussed problems of Russian orthography and versification. The Russian Assembly existed until 1743 (see K. V. Ostrovityanov (ed.), *Istoriya Akademii nauk SSSR*, three vols., Moscow–Leningrad, 1958→, I (1958), pp. 121–4).

49. письмен, gen. plur. of CS письмя: letter (for the OCS forms see Nandriș 69). The genitives appear to depend on слог.

50. двугласным: diphthong. The section «О орфографии» (subsection «О двогласных, и о первом их разделении» in Polikarpov's

edition of Meletiy Smotritsky's *Accurate Treatise of Slavonic Grammar* published in Moscow in 1721 gives seventeen diphthongs, five triphthongs, and one tetraphthong. Among the diphthongs are: оу, ıa, ѧ, ю, ы, ай, ей, ий, ой, and ѣй.

60. седми, gen. of CS седмь: seven.

63. пресечение: caesura.

64. чтоб хорошим быть стиху: for the verse to be good.

65. кончащее — кончающее.

66. просодия, in classical versification, as here: lengthmark; in modern R: prosody, a system of versification.

67. сила: stress.

70. речения единосложные: monosyllabic words.

70–1. Lomonosov disagreed with this (see 28. 95–8).

78–83. i.e. any Great Russian will find it as easy to discover our quantities as it is difficult for him to learn the Greek and Latin quantities.

84. имеющие: which shall, see 4. 13.

91. иамб — ямб: iamb, iambus.

93–4. 'must be understood according to stress and the interpretation given in the second corollary'.

94. положенном, dat. neut. plur. of a short *-o-* stem participle (Matthews 108–9).

95. состоять in this sense normally takes из and the genitive in modern R.

98. третией, CS, cp. R третьей.

98–9. This long syllable before the caesura must constitute a separate but incomplete foot. Hence the line is in fact a heptameter, not a hexameter. For Kantemir's treatment of this syllable in his 'heroic line' see 20. 115–8.

112. осьми, CS, cp. R восьми.

114. выше. There is a sapphic stanza of Trediakovsky's own composition in the paragraph preceding this excerpt. The last of its four lines is an adonic – ∪ ∪ | – ⏓.

117. признаваюсь — признаю́сь.

118. As explained above (lines 98–9), Trediakovsky's hexameter was a heptameter and his pentameter a hexameter.

122. i.e. чтоб наши стихи недаром назывались стихами.

124. силу here: essence.

126. прежние мои, sc. стихи.

132–3. сочетание стихов: combination of lines with different endings, and hence of different lengths, in the same poem.

140. оные — они.

143–4. противно думающие думать противно, note the chiasmus.

148. даром: it is of no import.

слог here: style.

149. сладчайшее, etc. are here comparatives (Matthews 199–200).

149–51. 'but the cadence of its various feet, sweeter, more pleasing, and more correct than sometimes that of Greek and Latin feet . . .'

157–8. 'that in this case there cannot be a better comparison than but to say . . .'

159. должен. In modern R обязан is used in this sense and with this construction; должен, on the other hand, takes the accusative of what is owed, and it can only be money.

161. благодарю... России. Благодарить here takes a dative, an old usage which shows the etymology of the verb (Buslayev 496–7).

165. смешенной рифме: mixed rhyme, i.e. lines with the same endings but rhyming *a b a b*, or *a b b a* instead of *a a b b*, as was the rule in syllabic verse.

смешенной, from смеси́ть — смешанной.

166–7. ладе звона: harmony of sound.

175. голосы — голоса́, see Bulakhovsky 139–43.

176. от: by, see I. 47.

188. не знает годить: knows not how to wait.

191. утре: the next day, tomorrow (Nandriş 199). For the locative in temporal expressions in OR see Bulakhovsky 300.

**25.** Способ к сложению российских стихов, против выданного в 1735 годе исправленный и дополненный. Заключение

In his *Compositions and Translations both in Verse and Prose* (*Сочинения и переводы как стихами, так и прозою*, два тома, Санктпетербург, 1752) Trediakovsky included a completely revised version of his *Aid* of 1735. He now admitted the use of the iamb, the anapaest, and the dactyl beside the trochee; that all lines should be metrical and not only the lines of thirteen and eleven syllables; and that lines with different endings could be used in the same poem. Lomonosov's *Letter on the Rules of Russian Versification* (*Письмо о правилах российского стихотворства*, see 28) and still more Lomonosov's own poems brought about Trediakovsky's change of mind.

'Despite complaints, this *Aid* is still the same as that published in 1735, for although it now admits the iamb, the combination of lines of different lengths, and feet in all the short lines, it is still based on stress, which is the life and soul of our versification.'

Text: В. К. Тредьяковский, *Сочинения*, три тома, Санктпетербург, 1849, I, стр. 176–8.

1. краткое is here predicative.

2. способ is generally followed by к in modern R.

9. охотники: enthusiasts.

10–11. разнящееся так: so various.

13. прямых и существенных: correct and real.

16. сочетание стихов, see **24.** 132–3.

17–18. в действо... произвел: applied in practice.

20. признаваюсь — признаю́сь.
сим: in this.

22. да не мнят: let them not think.

26. анапест: anapaest, a ternary (trisyllabic) metre consisting of two unstressed syllables followed by a stressed syllable.
употребится в дело: is brought into use.

28. некоторых, i.e. Lomonosov and Sumarokov.

34. звания: terms.

35. грунт: ground, a German word borrowed by Russian via Polish and White Russian (Gardiner 96).

26. Тилемахида, или странствование Тилемаха, сына Одиссеева [отрывок]

Towards the end of *Odyssey*, Book IV the story turns abruptly from Sparta, where Telemachus has gone to ask Menelaus for news of his father Odysseus, back to Ithaca, where the suitors of Telemachus' mother Penelope are planning to waylay him on his return. Taking this break in the story as his starting-point, Fénelon (1651–1715), Archbishop of Cambrai, wrote *Les Avantures de Télémaque fils d'Ulysse, ou suite du quatrième livre de l'Odyssée d'Homère.* This prose epic tells of Telemachus' stay on the island of the sorceress Calypso, who Menelaus had told him was detaining his father, and of his subsequent wanderings through the ancient world, heaven, and hell, till he finally returns to Ithaca and finds his father already there. The work was composed for the duc de Bourgogne, son of the dauphin, who was Fénelon's pupil from 1689 to 1695, as a guide to human character, morality, and the arts of government. It was published in 1699 and rapidly went through many editions.

Trediakovsky translated the epic into dactylo-trochaic hexameters, which he intended to correspond to the dactylic hexameters of the Greek and Latin epics. In the classical metre, which is based on quantitative prosody, the first four feet can be either dactyls (– ◡ ◡) or spondees (– –), the fifth foot must be a dactyl and the sixth can be either a spondee or a trochee (– ◡). In Trediakovsky's adaptation of the metre to syllabo-tonic prosody trochees replace spondees in the first four feet, the fifth foot remains a dactyl, and the sixth foot is almost always a trochee, since two stressed syllables in succession, the syllabo-tonic counterpart of a spondee, would require the line to end in a monosyllable, which Trediakovsky appears to have avoided. As in the classical metre, there is either a so-called strong caesura after the first stressed syllable of the third foot or a weak one after the first stressed syllable of the fourth foot. Lines 1, 2, 4, and 6, for example, have strong caesurae, and lines 3 and 5 weak ones.

The *Tilemakhida or the Wanderings of Telemachus, Son of Odysseus* was published in St. Petersburg in 1766. It contains about 16,000 lines, divided into twenty-four books. In the first six books Telemachus recounts his past adventures to Calypso; in the seventh he leaves her island and sets off on his travels, which end with his return to Ithaca in the twenty-fourth book. At the start of the second book Telemachus tells how, when sailing from Tyre in a Tyrian ship, he and his companions were captured by an Egyptian fleet and taken as prisoners to Egypt. This extract describes the impression which Egypt made on them as they sailed up the Nile.

'But for our sorrow, we would have rejoiced to see the land of Egypt, which resembled a lovely garden. Everywhere we saw rich cities, village houses, fruitful cornfields, and fields full of cattle; and we heard a multitude of shepherds playing on pipes and singing together.'

Text: В. К. Тредьяковский, *Сочинения*, три тома, Санктпетербург, 1849, II, стр. 31–2.

2. веселиям. Веселье is now *singulare tantum*.

3. то б. For the order of words see Bulakhovsky 429.

4. 'which is like the most beautiful of beautiful gardens'.

5. напаяему: watered.

6. Египетски. Short forms of adjectives in -ский were used in CS (Buslayev 138).

7. богатыи, acc. masc. plur., formed according to Trediakovsky's view that the three genders of the long nom. and acc. plurals of adjectives, pronominal adjectives and participles should be distinguished by their final letters, the masculine form by -и, the feminine by -е, and the neuter by -я (V. K. Trediakovsky, *Razgovor ob ortografii*, St. Petersburg, 1748, pp. 293–4).

10. 'and lands never wishing that they might have rest'.

11. земледельцов — земледельцев.

12. 'unable to remove all the fruits produced by the earth'.

14. по ликам поющих: singing in groups.

15. ихи, nom. plur. of a form based directly on Gr. ἠχώ: echo. Modern R эхо comes via Lat. *echo*. Translate: the neighbouring echoes repeated the sound with their own noise.

## *MIKHAYLO VASIL'YEVICH LOMONOSOV*

Lomonosov was born in 1711 on Kurostrov, an island in the Severnaya Dvina about 150 kilometres from its entry into the White Sea. His father was a well-to-do state peasant, who delivered grain by boat to the garrisons along the northern coast and fished and farmed on his own account. In 1730, driven by his immense appetite for knowledge, Lomonosov left home for Moscow, where despite his age he managed to enter the Slavo-Graeco-Latin Academy. In 1735 he was chosen to become a student of the St. Petersburg Academy of Sciences, and in the following year he was sent off to Germany to study chemistry and mining, first at Marburg and then at Freiberg. On returning to St. Petersburg in 1741 he was made an adjunct in physics. In 1745 he became Professor of Chemistry and a full member of the Academy of Sciences. Exhausted by the labour of several lifetimes, he died in 1765.

Though primarily a scientist, Lomonosov made a great contribution to Russian letters. His poetry showed the practicality of Trediakovsky's reform of Russian versification, and his *Letter on the Rules of Russian Versification* carried the reform to its conclusion. His *Russian Grammar* (*Российская грамматика*, completed in 1755), though far from being the first, was among the most successful. His essay *On the Usefulness of the Church Books in the Russian Language* was an early attempt at the stylistic differentiation of Russian and gave a warning against the severance of Russian language and culture from its Church Slavonic sources. He was instrumental in the founding of Moscow University in 1755 and—from 1757—in the reorganization of the Gymnasium of the St. Petersburg Academy of Sciences.

**27.** Ода Государыне Императрице Анне Иоанновне на победу над турками и татарами и на взятие Хотина 1739 года

The *Ode on the Capture of Khotin* was written at Freiberg after the news of the capture of the Turkish fortress by Russian troops on 19 August 1739 but before the news of the Peace of Belgrade (7 September), which ended the Russo-Turkish War of 1735–9. The Moldavian town of Khotin (in Rumanian Hotin) with its powerful fortress stands on the south bank of the river Dniester about 20 kilometres south-west of Kamenets-Podol'sky.

The ode together with the *Letter on the Rules of Russian Versification* was sent to the Russian Assembly (see **24**. 36) at St. Petersburg. It was first published in a revised form in 1751.

The ode has many correspondences in ideas and language with Johann Christian Günther's ode on the peace concluded between the Emperor Charles VI of Austria, Venice, and Turkey on 21 July 1718 (the Treaty of Passarowitz), Trediakovsky's *Ode on the Surrender of Danzig* (see 23) and Boileau's *Ode sur la prise de Namur*. Its metre, the iambic tetrameter, and its stanza structure, *am bf am bf cm cm df em em df*, are the same as in Günther's ode. For a criticism of this ode by Sumarokov see А. П. Сумароков, *Полное собрание всех сочинений*, десять частей, издание второе, Москва, 1787, X, стр. 91–2.

'A sudden rapture sweeps me up onto a high mountain, the home of the muses. Gazing thence to the east, I behold the Russians struggling with the Tartars before the town of Khotin. As night falls, I am seized with terror: above the battlefield a cloud forms, and in it appear Peter I and Ivan IV, who converse together. As the battle continues through the night, the Tartars begin to flee. O children of Hagar, submit yourselves to Anne, for she is quick to pardon. At dawn Kalchak, the governor of Khotin, surrenders the town. O Russia, how happy thou art in the peace of Anne's rule!'

Text: М. В. Ломоносов, *Сочинения*, Москва, 1957, стр. 9–16.

2. верьх. The spelling indicates the contemporary pronunciation of верх, which survived into the present century (Bulakhovsky 98).
горы. Several mountains in Greece are associated with the muses: Mount Parnassus (as here) in Phocis with the Castalian spring at its foot (lines 5 and 17); Mount Pindus in Thessaly (line 11); and Mount Helicon in Boeotia, in which rises the river Permessus (line 13). Lomonosov confuses them.

5. внимая нечто. Внимать usually takes a dative, but there are examples in Pushkin and A. K. Tolstoy of its use with an accusative.

6. которой, a R ending, cp. CS который. See also lines 29, 50, etc.

10. кури́тся — ку́рится (Kiparsky 305–6).

12. сестр — сестёр.
музы́ку — му́зыку (Kiparsky 235).

14. оных: their.

19. страна́м — стра́нам (Kiparsky 44, 225–6).

20. по темной ночи: after the dark night. For по with the prepositional meaning 'after' see Bulakhovsky 315. See also line 167.

21. среди. For its position after the noun it governs see Bulakhovsky 426.

24. склонити, an active infinitive where English has a passive.

30. валя́тся — ва́лятся (Kiparsky 300–1).

41. ржет here: roar; ordinarily: neigh.

45. род отверженной рабы: the family of the outcast bondwoman. The Turks and Tartars are represented as descendants of Hagar, as in line 262 of Günther's ode. Sarah gave Hagar, her handmaid, as a concubine to her husband Abraham, and Hagar bore Ishmael. Fearing lest Ishmael might become co-heir with her son Isaac, Sarah persuaded Abraham to expel Hagar and Ishmael into the desert. See also line 162 of this ode.

48. избра́нный — и́збранный (Kiparsky 352).

51. хо́лмы — холмы́ (Kiparsky 78).

51–4. 'O Istanbul, remove your troops beyond the hills where the blazing abyss belches smoke, ash, flame, and death, beyond the Tigris, which tears rocks from its banks.'

55. The eagle was the emblem of Russia. See line 60.

61. трясет, i.e. трясется.

71–4. The Russians occupied the Turkish positions between 6 and 7 p.m. The Turks set fire to their camp when they retreated.

73. мурза: a hereditary Tartar prince. 'The Tartar prince has fallen upon his long shadow.'

74. взят... татарам: taken from the Tartars. Татарам is a dative of disadvantage.

77. в последни: for the last time, probably < впоследний (Dal' s.v.). For the dropping of the final -й see Unbegaun 320 and cp. **21**. 1.

79. Магметов: of Mahomet.

81. что: why?

88. лицем, CS, cp. R лицом; so also in line 175. Similarly with мечем in lines 89, 164, and 199, and лучем in line 223.

90. герой, Peter I. In lines 91–2 Lomonosov refers to his capture of the fortress of Azov from the Turks on 18 July 1696.

91. струя́х — стру́ях (Kiparsky 231–2).

93. персы. The reference is to the war with Persia of 1722–3.

94. пораженны here as in CS, not поражённы as in R.

96. готфским — готским: Gothic, i.e. Swedish.

101. кругом его. For the absence of the prothetic н see Bulakhovsky 183 and *Grammatika russkogo yazyka*, I. 389.

107. никак: apparently.
Смиритель стран Казанских, i.e. Ivan IV.

108–9. Ivan IV annexed Astrakhan' from the Astrakhan' Khanate to the Moscow State in 1556. Selim is here a conventional name for an eastern potentate.

110. наполнить now takes an instrumental.

119. свилася мгла: the mist rolled itself up.

121. крути́т — кру́тит (Kiparsky 305).

127. другов — друзей. For the gen. plur. ending -ов from -*u*- stems and the gen. plur. ending -ей from -*i*- stems see Bulakhovsky 146 and 162 respectively. Друг was an original -*o*- stem noun with gen. plur. другъ.

130. быстро́ — бы́стро.

131. шумит. The verb is singular probably because бор and дол form one idea, cp. lines 150 and 258.

134. сле́да — сле́да́ (Kiparsky 76).

136. The crescent moon was Turkey's emblem.

137. лице, CS (nom. and) acc. sing., cp. R лицо.

139. земля́х — зе́млях (Kiparsky 202).

142. отвещает, CS, cp. R отвечает.

143–4. 'in frenzy it (the Danube) pours its waves over the Turk who conceals his shame behind it'. The Turks have fled from the Dniester south-east to the point where the Danube enters the Black Sea and are sheltering behind it.

147. последней, R, cp. CS последний (Unbegaun 320, Cocron 116).

148–9. 'and that the earth, whom he was unable to defend, does not wish to bear him'.

157. яны́чар — янычáр: a janissary, member of the Sultan's guard from Turkish *yeni*: new and *çeri*: soldiery.

157–60. The janissaries counter-attacked but were repulsed.

168. повинность here: submission, obedience; generally: obligation.

171–5. 'Already the golden finger of the dawn (a Homeric phrase, but in Homer the finger is 'rosy') has opened the bestarred curtain of the light. Emitting sparks from its nostrils, the steed (of the sun's chariot) leaps from the east a hundred versts at a time; thereat the countenance of Phoebus (the sun) beams.'

172. звездáми — звёздами (Kiparsky 215).

173. встока, R, cp. CS востока, which contains an o derived from a weak ъ in the first syllable. Всток, an archaic R form, is here used to give a high style flavour.

179. коль долго: however long.

180. кати́тся — кáтится (Kiparsky 304).

181. змия, CS, cp. R змея. Cp. also шия, CS, and шея, R.

187. Орлицей, the Russian emblem.

188. Near the fortress of Khotin there was a village called Stavuchany (Rumanian Stăuceni), by which was the Turkish camp. When the Russians seized this camp, the Turks took refuge in Khotin.

191. Kalchak (perhaps < Turkish *kolçak*: gauntlet), a Turkish pasha, was the commandant of the fortress of Khotin.

192. учи́т — у́чит (Kiparsky 313–14).

193. поддáнства — пóдданства (Kiparsky 257 and 352). В подданства знак, for the order of words see 4. 1.

198. Вислы: Vistula; Рен: Rhine. Russian troops captured Danzig on the Vistula in 1734 (see 23); later that year they advanced towards the Rhine.

200. серца — сердца, a phonetic spelling (Avanesov 121).

202. сброси́ли — сбрóсили. Броси́ться is cited by Dal' for the Archangel Province.

203–4. 'and because the Turks now have the burden, which the Turks had imposed on them'.

207. полон, R, cp. CS плен: captivity.

211. Порта: Turkey. La Sublime Porte was the French translation of the Turkish official title of the central office of the Ottoman Government.

218–19. Damascus, Cairo, Aleppo, and Crete were then Turkish possessions.

220. Евфрат: the Euphrates.

225. весел, short form of веселый.

226–7. 'eternity raises above the circles of the stars Anne's image clothed in glory'.

227. над... круги. For над with an accusative of direction see Bulakhovsky 311.

228. злато, short form of златое.

231–5. 'The Thebans, O Pindar, would have accused the eloquence of your lips more severely because they would have spoken more loudly of these (Russian) victories than formerly they did of the beauty of Athens.' Pindar was criticized in his native town of Thebes for having praised the bravery of the Athenians more than that of his own countrymen.

232. тяжчае and громчае (line 234), see Buslayev 147, Bulakhovsky 195, Matthews 199.

238. On 28 April 1732 a Chinese embassy arrived at Moscow. Anne received it and promised the Chinese Russia's friendship.

чтут, an alternative form for чтят: they honour.

243. красоты́ — красо́ты (Kiparsky 217).

251. 'he who robs the Cossack fields from beyond the Dniester'. The Tartars had been raiding the settlements of the Ukrainian Cossacks.

козацких, probably by hypercorrection from казацких.

поль — полей, a CS gen. plur. of neut. (and masc.) *-jo-* stems (Nandriş 61 and 58); so also морь in line 273.

252. прогна́н — про́гнан (see Kiparsky 352).

254. 'where peace and wheat have been sown', a zeugma.

пшеницой — пшеницей.

256. пловец here: navigator; ordinarily: swimmer.

260. изрядства: perfections.

266. 'and he glorifies the lot of his life'.

272. полночной: of midnight, i.e. northern.

273. The seven seas surrounding Russia are: the Sea of Murmansk, the White Sea, the Sea of Kamchatka, the Caspian Sea, the Sea of Azov, the Black Sea, and the Baltic Sea.

 седми, gen. of CS седмь: seven (Nandriş 121).

277–80. 'Forgive that your slave should have dared to add his uncomely verse to the loud glory which celebrates the strength of your forces, as a mark of submission to your sovereignty.'

**28.** Письмо о правилах российского стихотворства

The *Letter on the Rules of Russian Versification* was composed in Freiberg and sent to St. Petersburg in 1739 at the same time as the *Ode on the Capture of Khotin.* It was first published in 1778.

'Sirs, Beside the ode (on the capture of Khotin) I am now submitting to you, for your consideration, an essay on Russian versification. It is based on three principles:

'First and chief is that Russian versification should accord with the nature of our language.

'Second, what Russian is rich in (i.e. words stressed on all the syllables from the first to the last) and can serve as a basis for versification (i.e. by forming feet of different kinds) should be used and not rejected.

'Third, since our versification is only beginning, we should be careful whom we follow and in what we do so.

'On these principles I establish the following rules:

'First, in Russian verse stressed syllables are long and unstressed short.

'Second, the following feet can be used: iambic (– –́), anapaestic (– – –́), iambs and anapaests mixed, trochaic (–́ –), dactylic (–́ – –), and trochees and dactyls mixed.

'Third, Russian verse can have masculine (–́), feminine (–́ –) or dactylic (–́ – –) endings.

'Fourth, lines of different endings can be used in the same poem and can alternate with one another.'

Text: М. В. Ломоносов, *ук. соч.*, стр. 227–34.

Editorial changes: the Latin quotation in lines 49–52 and the quantities marked in lines 156, 158, 159, and 165 have been corrected.

3–4. превеликия оныя, CS gen. fem. singulars, see **6.** 4.

нашея, CS gen. fem. sing. (Nandriș 107).

For the genitives' preceding the nouns they qualify see Bulakhovsky 418.

6. The placing of verbs at the end of subordinate clauses (as here) or of sentences (as in line 8), a stylistic feature of this letter, is in imitation of the Latin, and where they coincide also of the German, order of words. See Bulakhovsky 420–1.

8. для: because of (Bulakhovsky 306).

13–14. за благо примет: will receive kindly.

14. наималейший, a superlative of a superlative, ср. наиспособнейшие in line 190.

18. искренное — искреннее.

21. оное, i.e. рассуждение.

22. оные, i.e. правила.

29. речи here: language.

38. сила and акцент (line 69): stress. Ср. **24.** 67.

40. славенского: Church Slavonic.

42. Смотрицкий. Meletiy Smotritsky in his *Accurate Treatise of Slavonic Grammar* (see **20.** 21–34) proposed the quantitative system of classical Greek versification for Church Slavonic verse. It was a mistake because neither Church Slavonic nor Russian, unlike classical Greek, distinguishes between long and short vowels; so this distinction cannot be the basis of its verse prosody.

*i*, иже, the dotted i < Gr. ι, *iota* (which has no dot), and *v*, ижица < Gr. υ, *upsilon*, and which as a vowel was pronounced as [i, u, ü], were both removed from the Russian alphabet in 1918 (Matthews 80–1).

43. ѡ, see **11.** 7.

двугласными, see **24.** 50.

45. просодии, i.e. the section of the *Slavonic Grammar* entitled «О просодии стихотворной».

46. Матфея Стриковского: Maciej Stryjkowski (*c.* 1547–after 1582), a Polish historian and poet, whose *Polish Chronicle* (*Kronika polska*, completed in 1582) was translated into Russian towards the end of the 17th century.

47. Овидиевых: of Ovid, see **10. 7.** The two elegiac couplets are from *Ex Ponto*, Liber Quartus, XIII. 19–22. The hexameter in line 60 comes directly after these four lines. The pentameter which completes the couplet is:

Adiuta est novitas numine nostra dei.

The six lines may be translated: Alas, I am ashamed, I even wrote a little book in the Getan tongue and arranged barbarian words in our metres. And I found favour—congratulate me, and I began to bear the reputation of a poet among the savage Getae. Do you ask what I wrote about? I proclaimed the praises of Caesar. My innovation was supported by the god's divinity.

54. сарматским: Sarmatian, i.e. Polish.

55. стать here: manner.

62. поэмате: poem, formed from the stem of Lat. *poema*, *atis*, from Gr. *ποίημα*.

63. пиита, see **24.** 2.

погрешил, чтобы ему: was so far mistaken as to. For the dative and infinitive after чтобы cp. **14.** 93.

71. 'using trochees (´ –) instead of spondees (´ ´) because of the latter's fewness'.

73–81. Lomonosov compares a couplet of dactylic hexameters (73–4) and a couplet of dactylic pentameters (76–7), both of which he wrote himself, with three dactylic hexameters written by Smotritsky. Lomonosov has turned the two metres, which in Greek and Latin are quantitative, into tonic metres, by replacing long syllables by stressed syllables and by allowing trochees instead of spondees. Smotritsky's three lines are intended to be quantitative, the quantities of the Russian syllables being determined as in Greek versification.

73. The metre requires кра́сна.

77. 'If you always go about with somebody, be careful not to give him a kick.'

подопнуть, perfective of подпинать: to kick, jostle, shove.

79–81. 'O Christ the King, receive the first foot of the Muse newly reared in Sarmatia, who is trying to occupy Parnassus as her perpetual abode, and, having pleased Thee and Thy father etc.' Сарматски is an adverb.

84. Trediakovsky considered all monosyllables as long, i.e. stressed (see **24.** 70–1).

87. имена here: nouns.

91. хотя: wishing.

106. речений: words.

107. без всякия нужды: without any forcing, freely.

114. ямба, пиррихия и спондея: the iamb, the pyrrhic, and the spondee. The gen.-acc. could be used in Russian for some inanimates, e.g. names of mushrooms, playing-cards, and verse metres, as here.

115–17. 'so long only as one keeps to the Polish and French lines which end in rhymes'.

116. кончащимся — кончающимся.

118. Московские школы, i.e. the Slavo-Graeco-Latin Academy, which had grown out of the school founded at the Zaikonospassky Monastery and was later known as the Moscow Academy; the school at the Chudov Monastery; and probably also the school in the Printing House.

120–1. о которых правильном порядке, for the order of words see Bulakhovsky 424–5.

121. тех же творцы: their own composers.

123. чинят here: do, act.

129. Boileau-Despréaux (1636–1711) published his *Ode sur la prise de Namur* in 1693.

134. однеми, an OR instr. fem. (and neut.) plur. of один (Bulakhovsky 182); so also одне, nom. fem. plur. in line 208 and acc. fem. plur. in line 238.

138. сатира: satyr.

144. For the postponement of чтобы see Bulakhovsky 428–9.

150. The lines exemplifying the different metres were composed by Lomonosov himself.

154. смешенным, from смеси́ть — смешанным.

162. змиа — змея. The use of an a after a vowel reflects the second south slavonic influence on CS orthography. Another CS form was змия. In this word и for R e is CS.

193. вверьх, see 27. 2.

197. Note the inconsistency between дактилев here and дактилей in line 163.

200. каменья, see Unbegaun 301, Cocron 110, and *Grammatika russkogo yazyka*, I. 152.

201. For живучей as an acc. masc. sing. cp. 14. 11.

202. протчие — прочие.

204. подробну — подробно.

для — из-за.

205. свойственно: approprіately.

206. три литеры гласные... имеющие: having three vowel letters, i.e. dactylic.

210. заказаны: forbidden.

214. пришед — придя.

нарочито here: remarkably.

219. толь же довольно: as great a supply of.

222. пренебрегать, here with an accusative, now takes an instrumental.

230. рифмов — рифм.

232. что: something.

233–4. i.e. lines with different endings, masculine, feminine, and dactylic, can follow one another.

234. сочетоваться — сочетаться.

244. девяносто лет старой, a Latinism, cp. *nonaginta annos natus*, or a Germanism, cp. *neunzig Jahr alt*, probably the latter.

250. зардится — зардеется. from зардеться: redden, blush.

251. вставок, R, ср. CS восток, see **27.** 173.

252. вертúтся — вéртится.

253. 'the north does not avert the blow'.

256. 'the former (the east) piles its waves on top of one another'.

258. что: in that.

259. быстрó — бы́стро.

262. однака — одинака.

263. тоя, CS gen. fem. sing.: that.

267. танцовали — танцевали.
поючи and всплескиваючи (line 268), see **23.** 80. The stress is probably поючú.

269. искренной — искренней.

270. веселиться here takes a dative.

278–9. опасаяся, чтобы... не: fearing lest I may, being anxious not to.

282. не с иным коим намерением: not with any other intent.

286. надеяться now takes на and the accusative.

288. Михайло is a common R variant. The CS form is Михаил (Nandriș 74).

**29.** Ода на день восшествия на всероссийский престол ея Величества Государыни Императрицы Елисаветы Петровны, 1747 года

On 24 July 1747 Elizabeth signed a new statute for the St. Petersburg Academy of Sciences, by which its income was practically doubled. Lomonosov composed this ode on the anniversary of Elizabeth's succession to the throne (25 November) to express the Academy's gratitude. It was first published in 1751.

The metre is the iambic tetrameter, and the stanza structure is *af bm af bm cf cf dm ef ef dm*. Sumarokov gave a detailed criticism of the ode in *Полное собрание всех сочинений*, десять частей, издание второе, X, стр. 77–91.

'As the sun shines from on high, it sees nothing lovelier than thee, Elizabeth, and the peace which thou hast restored to Russia. The Almighty sent Peter, a unique man, who raised downtrodden Russia to the stars and introduced the study of the sciences; but alas! he died. Meek Catherine succeeded; had she lived, she would have made the Neva surpass the Seine. Then came Peter's great daughter Elizabeth. The winner of victories shares his glory with his troops, but the giver of peace enjoys his alone. Elizabeth has re-established the sciences; voyages of exploration have been undertaken, and precious metals mined. Russia will soon produce the skilled men whom she now summons from abroad. O angel of our years of peace, God is protecting thee and making thy life as long as the list of thy benefactions.'

Text: М. В. Ломоносов, *ук. соч.*, стр. 43–9.

Editorial changes: commas have been inserted after ах in line 108, after быстриной in line 157 and after Нил in line 158.

3. градо́в — гра́дов.

8. After дерзают sc. плыть.

10. земли, CS dat. sing. of *-ja-* stems (Nandriş 55).

14. красоты́ — красо́ты, see 27. 243.

15. страны́ — стра́ны, see 27. 19.

16. не находит, sc. ничего.

19. ея: her, see 3. 3; so also in lines 108 and 129.

20. рая́ — ра́я.

23–4. Elizabeth began peace talks with Sweden, whose troops had invaded Russia a few months earlier, after she ascended the throne in November 1741. Peace was finally concluded in 1744.

25. прияв — приняв, see 18. 86.

37. плескание here — рукоплескание: clapping, applause; ordinarily: splashing, sprinkling.

38. In the crisis which preceded her accession Elizabeth appeared at the barracks of the Preobrazhensky Guards, and the soldiers swore allegiance to her.

41–2. 'The fund of our strength is too small for our words to match them.' For the dative and infinitive after чтобы cp. the same construction with яко in 14. 93 and 16. 13.

47. пловца, see 27. 256.

59. хощет, CS, cp. R хочет.

63. судьба́ми — су́дьбами (Kiparsky 227).

65. Человека: Peter I.

66. от века: from the beginning of the age.

67. The rhyme in line 70 небес shows that it is вознес, not вознёс.

68. венча́нну — ве́нчанну (Kiparsky 352).

69. попра́нну — по́праннy.

73. чуди́лся: was astonished. Distinguish this word from чу́диться: seem.

74. The rhyme suggests that флаг is here pronounced ['flax]. The pronunciation of final [g] as [x] is a typical distinction of CS from R at this time. It is also a characteristic of some north Russian (and also some south Russian) dialects (Avanesov 65–6).

77. сомненная presumably — сомнительная: doubtful.

78. или is here unstressed.

81–90. Foreign scholars were invited to work in the Academy of Sciences, founded in St. Petersburg in 1724.

92. муж: man.

95. Peter I died in 1725, the year the Academy was opened.

96. погрузить is normally followed by в and the accusative.

97. 'having hearkened to the sound of our sobbing'. Внушать is a calque of Gr. ἐνωτίζεσθαι: to admit to the ears, i.e. to hearken to.

98. верьхи, see 27. 2.

99. провождали, CS, cp. R провожали: escorted.

101. праведной here: true, sincere; ordinarily: righteous, godly.

105. Catherine I reigned from 1725 till her death in 1727.

106. 'our one joy after Peter'.

109–10. 'The Seine with its arts would long ago have been put to shame by the Neva', i.e. the French Academy of Sciences in Paris would have been surpassed by the Russian Academy of Sciences in St. Petersburg.

109. Секвана, see **23**. 88.

113–14. 'O how harmoniously twangs the most sweet voice of the pleasing strings!'

115. хóлмы — холмы́, see **27**. 51.

121. Lomonosov said that хотя was deliberately omitted from this line.

122–3. For the idea cp. line 240.

138. потаенно, CS, cp. R потаённо: concealed.

139. откровенно, a CS past part. pass. (Nandriş 177) — открыто.

143. поддáнство — пóдданство, see **27**. 193.

145. Инди́я — И́ндия, possibly in imitation of the stress of Gr. words ending in -*ία* (tonic accents came to be treated as stresses in post-classical times).

147. 'hands made firm by skill'.

153. крылáми — кры́льями (Kiparsky 248).

154. знаменá — знамёна (Kiparsky 253–4).

159. брéги — берегá.

160. 'becoming as wide as the sea', an onomatopoeic line.

165. тéней — тенéй (Kiparsky 22).

166. еленей, CS, cp. R оленей: deer (see Levin 54 and 73).

172. For the dative and infinitive see **14**. 93.

177. The Russians occupied the region round the Amur in the mid 17th century, and Russian colonization continued till 1689 when the whole region was surrendered to the Chinese under the Treaty of Nerchinsk.

178. крути́тся — кру́тится, see **27**. 121.

180. Манжур: the Manchu dynasty.

188. Колумб российский, i.e. Vitus Bering (1681–1741), a Dane in Russian service.

189. неведомы народы, i.e. the inhabitants of Alaska and North America.

197. нежныя, CS gen. fem. sing., see **6**. 4; so also строгия in line 200.

199. струя́х — стру́ях, see 27. 91.

202. верьхи Рифейски, i.e. the Urals. The Rhipaean mountains, Lat. *Riphaei montes*, Gr. *τὰ Ῥίπαια ὄρη*, were said by classical writers to be a chain of mountains in the far north.

203. истекает. For the sing. verb with a plur. subject cp. 27. 131.

205. Плутон: Pluto, the king of the nether world, Lat. *Pluto* or *Pluton*, Gr. *Πλούτων*. He is also identified with the god of riches, Lat. *Plutus*, Gr. *Πλοῦτος*, on the ground that wealth, whether as corn or minerals, comes from below.

208. которой — который, see 27. 6; so also несчастной in line 224.

209. дне́вного — дневно́го (Kiparsky 260).

211. This refers to the students of the Academy University.

220. раждать — рождать. The spelling with ра is CS.

221–30. This stanza is a versification of the following section from Cicero's speech in support of Archias' claim to Roman citizenship (*Pro Archia poeta*, vii): '. . . haec studia adulescentiam alunt, senectutem oblectant, secundas res ornant, adversis perfugium ac solacium praebent, delectant domi, non impediunt foris, pernoctant nobiscum, peregrinantur, rusticantur.'

227. пользуют: are useful.

235. завидя, pres. gerund from завидеть: envy — завидуя.

236. против is unstressed.

**30.** Преложение Псалма I

Lomonosov's *Translation of Psalm I* was written before 25 January 1751 and probably after 27 January 1749. Its metre is the iambic tetrameter, and its stanza structure is *af bm af bm*. It should be compared with Polotsky's translation of the same psalm (see 4).

Text: М. В. Ломоносов, *Полное собрание сочинений*, десять томов, Москва-Ленинград, 1950–9, том восьмой (1959), стр. 369–70.

14. незло́бивых — незлоби́вых (Kiparsky 260).

18. вышняго, CS gen. masc. sing., see 1. 4.

24. погуби́т — погу́бит (Kiparsky 302).

**31.** Собрание разных сочинений в стихах и в прозе. Предисловие. О пользе книг церьковных в российском языке [начало]

The six-page essay *On the Usefulness of the Church Books in the Russian Language* was written in August 1758 and printed as the preface to the two-volume collection of Lomonosov's works which was published in Moscow from 1757 to 1759. Its title *Preface* has been retained in subsequent editions, though it is no longer placed first.

Lomonosov derived the theory of the three styles and their use in different genres from such sources as M. Fabius Quintilianus, *Institutionis Oratoriae Libri XII*, Liber XII, Cap. X, 58–80; Aulus Gellius, *Noctium Atticarum Libri XX*, Liber VII, Cap. XIV; and Charles Rollin, *De la manière d'enseigner et d'étudier les belles lettres, par rapport à l'esprit & au cœur*, Paris, four vols., 1726–8, II (1726), pp. 78–82. Lomonosov's treatment is particularly close to that of Charles Rollin. What was new in it was his definition of the three styles in terms of the balance between the Slavonic and Russian lexis.

'As the matters in human speech vary in importance, so Russian through the use of the Church books has three degrees, high, middle, and low. This is due to the three classes of words in Russian. To the first class belong words in general use among the ancient Slavs and the present-day Russians (Slavonic-Russian words), e.g. рука; to the second words generally little used, particularly in conversations, but intelligible to all educated persons (Slavonic words), e.g. отверзаю, excluding unused and very ancient words, e.g. обаваю; and to the third words not found in the Church books (Russian words), e.g. говорю. Contemptible words, which can be used only in vulgar comedies, are excluded.

'The circumspect use of these three classes of words creates three styles, high, middle, and low. The first (high style) uses Slavonic-Russian words, i.e. words used in both languages, and those Slavonic words which are intelligible to Russians and not very ancient. This is the style in which heroic poems, odes, and prose speeches on important matters are composed. The middle style employs words which are more used in Russian; a few Slavonic words from the high style and a few from the low style can also be used, but with caution. This is the best style for all dramatic compositions, except when heroism and lofty thoughts require the high style. Familiar epistles in verse, satires, eclogues, and elegies should adhere rather to this style. In prose it can be used for descriptions of memorable affairs and noble teachings. The low style consists of words not in Slavonic mixed with middle (Slavonic-Russian) words. Slavonic words not in use should be entirely avoided as befits the subject-matter of such genres as comedies, humorous epigrams, songs, and in prose familiar letters and descriptions of ordinary affairs. Vulgar low words can appear here at discretion.'

In the second half of the essay Lomonosov points out that it is owing to the Church books that the Russians, though scattered over a huge area, can understand one another, and that the Slavonic peoples beyond the Danube who are Greek Orthodox are more intelligible to the Russians than are the Poles. He concludes by urging all lovers of their native language to read the Church books with diligence since the careful use of Slavonic along with Russian will avert the entry of foreign words which threatens the language with decline.

Text: М. В. Ломоносов, *Сочинения*, Москва, 1957, стр. 237–9.

Title. церьковных. For рь ср. 27. 2.

2. употребления: the practice of.

3. для: because of (Bulakhovsky 306).

8. славенский: Church Slavonic.

12. For Homer see 16. 38 and Pindar 23. 12. Demosthenes (*c.* 384–322 B.C.) was an Athenian orator and statesman.

13. героев here: celebrities.
витийствовали: orated.

17–20. 'how much of the abundance of the Greek language we see in Church Slavonic from the translation of the Old and New Testaments, the instructions of the Fathers of the Church, the spiritual songs of St. John Damascene and the other authors of the canonical writings . . .'

19. песней, gen. plur. of песнь, fem. Песен is gen. plur. of песня.
Дамаскиновых: of St. John Damascene, born at Damascus at the end of the 7th century A.D. and died *c.* A.D. 752, an eminent theologian and preacher of the Eastern Church.
тво́рцев — творцо́в. Berynda (1627) gives тво́рец, but Polikarpov (1704) творе́ц.

21. довольство российского слова: the store of the Russian vocabulary.

22. приятию — принятию, see 18. 86.

23. сродно: suitable for, adapted to.

27–8. 'could not avoid or sufficiently beware of accepting'.

34. преклонясь: having submitted themselves to.

37. от: by, see 1. 47.

42–3. The Bible was translated into German by Martin Luther during 1521–34.

51. приличности: decorum, propriety.
степень, which here is masculine, is feminine in modern R.

52. родов речений: categories of words.

56. обще here: generally; ordinarily: in common, together.

64. как только: except only.

66. рассудительного: circumspect.

67. раждаются, see 29. 220.

81. надутым: high-flown.

82–3. опуститься в подлость: sink into banality.

93. 'In prose it is fitting to use it to present descriptions . . .'

101. по рассмотрению: at one's discretion.

101–2. 'But the detailed demonstration of all this belongs to a special admonition . . .'

**32.** Петр Великий. Героическая поэма [начало]

Lomonosov completed only two cantos of his epic poem *Peter the Great*, which was intended to celebrate Peter and his works. They describe the successful siege of the Swedish fortress of Nöteborg (called by the Russians Noteburg 1661–1702, Shlissel'burg 1702–1944, Petrokrepost' from 1944, and situated where the Neva flows out of Lake Ladoga), which was one of the victories of the Great Northern War with Sweden (1700–21). The first canto recounts Peter's march to the north in the spring of 1702 to avert a Swedish attack on Archangel and his visit by ship to the Solovetsky Monastery on his return journey. The second canto describes the storming of Nöteborg, which surrendered on 14 October 1702.

The metre is the iambic hexameter with caesura after the third foot. Pairs of rhyming masculine lines alternate with pairs of rhyming feminine lines.

The poem was begun before October 1756 and completed in 1760.

'Shuvalov, receive the beginning of the work on which I embarked through your encouragement, a work of more difficulty than the epics of Greece and Rome, for I sing not of fictitious gods but of true deeds and of a man unparalleled in this age.'

Text: М. В. Ломоносов, *Сочинения*, Москва, 1957, стр. 172–3.

2. предстатель муз: protector of the muses, i.e. Ivan Ivanovich Shuvalov (1727–97), a favourite of Elizabeth and a prominent statesman of the 1750s. He took part in the founding of Moscow University in 1755, becoming its first curator, and in the establishment of the Academy of Arts (Академия художеств) in St. Petersburg in 1757, which he headed till 1763.

7–8. 'This quality among many others has been granted to you, a most laudable enthusiasm for the literary sciences.'

9. 'Your intellect, innate and instructed, sees . . .'

22. 'Aeneas, Vergil's fugitive from his fatherland'.
отчества here: fatherland; ordinarily: patronymic.

23. Мазепою: Ivan Stepanovich Mazepa (1644–1709), Cossack hetman of the Ukraine from 1687. He deserted Russia for Sweden in 1708.

24. басней — басен.

25–6. 'The lion (of Sweden), subdued, with its roar would have drowned Ulysses' sirens (i.e. the *Odyssey*) and Achilles' wrath (i.e. the *Iliad*).'

26. попра́нный — по́пранный. Ср. **29.** 69.

28. 'and by a new enhancing of heroic verse'.

29. вселенныя, CS gen. fem. sing.

32. страна́х — стра́нах. See **27.** 19.
от века, see **29.** 66.

33. 'although in this good fortune served me in place of knowledge'.

34. избра́н — и́збран. See **27.** 48.

35. громки: celebrated, renowned.

37. бре́ги — берега́.

38. только где — где ни: wherever.

39. 'and all the barbarian nations which respect Russia'.

41. 'they will pay an honour to these verses, which befits him'.

## *ALEKSANDR PETROVICH SUMAROKOV*

Born in 1717 the second son of a rich nobleman, Sumarokov was educated in St. Petersburg at the school of the Land Forces Cadet Corps (Сухопутный кадетский корпус) from 1732 to 1740. From that year till into the 1750s he worked as adjutant first to Count M. G. Golovkin (till 1741) and then to Count A. G. Razumovsky. In 1756 he was appointed director of the newly founded Russian Theatre (Российский театр) in St. Petersburg, but he was compelled to retire in 1761. In 1769 he moved to Moscow, where he died in 1777.

Sumarokov, the foremost Russian dramatist of the 18th century, wrote nine tragedies, twelve comedies, and two operas. His tragedies were mainly written in the earlier part of his career and his comedies in the later. Besides his dramatic works he composed in practically all the literary genres of the time. He wrote odes solemn and religious, satires, fables, epistles, eclogues, idylls, elegies, heroides, sonnets, songs, ballads, rondoes, madrigals, epigrams, epitaphs, and inscriptions. He also wrote speeches, short histories, and essays of literary criticism. His professional attitude to authorship, his willingness to instruct, and the example of his own works made him a strong influence on the writers of his generation.

**33.** Хорев. Трагедия в пяти действиях. Действие I, явление 3 [начало]

*Khorev*, the earliest of Sumarokov's nine tragedies, was first published in St. Petersburg in 1747 and first performed there in the winter of 1749–50. Its metre is the iambic hexameter with caesura after the third foot. Pairs of rhyming feminine lines alternate with pairs of rhyming masculine lines.

Kiy, Prince of Russia, has conquered Zavlokh, Prince of Kiev, and driven him from his city, where he now reigns; but he keeps

Zavlokh's daughter, Osnel'da, as his prisoner. After many years' wandering Zavlokh returns with his warriors and lays siege to Kiev, intending to recover his daughter. Osnel'da, now sixteen, has been in love for the last six months with Khorev, Kiy's younger brother and heir. At this point Kiy offers Osnel'da her freedom, so that she can return to her father. She is faced with a cruel choice between her father and her lover. In the end she decides to seek her father's permission to marry Khorev in the hope that the union will reconcile the families and ultimately restore her family to the throne. Khorev's friend Vel'kar secretly sends a Kievan prisoner to Zavlokh with Osnel'da's letter, but Zavlokh indignantly refuses his permission. Meanwhile Stalverkh, a boyar jealous of Khorev, has told Kiy of a conversation which he has overheard between Khorev and Osnel'da and which he represents as treacherous; and he now tells him of the secret message sent to the enemy's camp. Kiy, fearing treachery, gives Osnel'da poison to drink. Khorev then enters with Zavlokh, whom he has defeated in battle, and who is now ready to consent to his daughter's marriage to Khorev. Kiy realizes that Stalverkh has misled him; Khorev, learning of Osnel'da's death, stabs himself; and Stalverkh drowns himself in the Dnieper.

In this extract Khorev announces to Osnel'da Kiy's decision to release her from captivity.

Text: А. П. Сумароков, *Избранные произведения*, Ленинград, 1957, стр. 326–7.

Dramatis personae. боярин Киев: a boyar of Kiev. Киев is here an adjective, as also in line 17.

7. 'hear from my lips of your longed for departure'.

13. мной, сколько можно было: as far as it lay with me.

18. 'but I have not given as much as a hostile glance'.

19. отслужить here: to pay back, requite.

22. по гроб: till my grave.

25. милосердо. Милосердый was used as a parallel form to милосердный in the 18th and 19th centuries, but is now archaic.

26. Notice CS твердо, not R твёрдо.

30. 'setting out my zealous acts before your mind'.

31. когда — когда-нибудь.

38. 'because a word from you never encouraged me to it'.

61. исполнь — исполни.

**34.** Лисица и статуя

The fable (притча) *The Fox and the Statue* was published in 1761 in *Useful Entertainment* (*Полезное увеселение*), Moscow University's first journal, which came out weekly (in its last year monthly) from 1760 to 1762. Its editor was M. M. Kheraskov, to whose wife Ye. V. Kheraskova the fable is addressed. It is composed in mixed iambic metres from dimeters to hexameters.

'If you write you will be no less lovely, for a beautiful lady should have a beautiful soul.—A fox, who came upon a statue of Venus in a wood, addressed her at length, but receiving no answer said: "Farewell, you beautiful but stupid dear." '

Text: А. П. Сумароков, *ук. соч.*, стр. 213.

5. Минерва: Minerva, a Roman goddess identified with the Greek Pallas Athene, goddess of wisdom, the arts and sciences and poetry.

   беседа here: company, gathering.

13. про лису, metrically an irregular line. Its effect is to separate the address to Ye. V. Kheraskova from the fable proper.

15. Праксителя: Praxiteles, an Athenian sculptor of the 4th century B.C.

16. с полпуда... слов: about half a pood of words. For the pood see 18. 120.

   меля: present gerund of молоть, here: chatter, cp. молоть вздор in modern R.

17. кумушка: my good woman.

**35.** Опекун. Комедия в одном действии. Явления 10 и 11

The *Guardian*, the fifth of Sumarokov's twelve comedies, was first published in St. Petersburg in 1765.

Chuzhekhvat, now seventy, has sought all his life only to enrich himself. In his younger days he pretended to be virtuous to further his aim, and so friends made him guardian of their children in the event of their deaths. In this way he became guardian of twin boys,

Valeriy and Valerian, and of two girls, one, Sostrata, of a rich family, and the other, Nisa, now seventeen, of a poor family. Valeriy was subsequently handed over to a friend of his father's, who brought him up with kindness and generosity. His twin Valerian was said to have been kidnapped, but Chuzhekhvat actually 'lost' the baby so that he could inherit its property according to the father's will. The play opens with Paskvin, Chuzhekhvat's servant, complaining that in the night a small golden cross with the name Valerian and the date of his birth engraved on it has been stolen from him. Sostrata and Nisa, who because of her poverty lives in the house as a servant, urge him to be patient. Actually it is Sostrata who has stolen the cross, having recently learnt from her lover Valeriy that he was born a twin and that he had a small golden cross and wishing to compare Paskvin's cross with his. Valeriy, who is now in his 20s, wishes to marry Sostrata, but Chuzhekhvat refuses his permission as he knows that Valeriy, an intelligent and determined young man, will not let him keep Sostrata's inheritance. Chuzhekhvat, on the other hand, wishes to marry Nisa, but she is in love with Paskvin, whom she cannot marry because he is a serf and she a noblewoman. Valeriy arrives and tells Paskvin that he is his lost twin and a nobleman. Sostrata confesses that she stole the cross. A letter from Palemon, a friend of the twins' father, tells them that at his instigation the matter has been investigated in the College of Justice. Then Palemon himself arrives with the old lady who received Valerian after the 'kidnapping'. Finally an official and two soldiers come to arrest Chuzhekhvat. Sostrata is now free to marry Valeriy and Nisa Paskvin/Valerian. Chuzhekhvat is led off to execution.

The extract shows Chuzhekhvat discussing Nisa's refusal to marry him with Valeriy and Sostrata. In the following monologue Chuzhekhvat expresses his fear of what awaits him after death.

Text: А. В. Кокорев, *Хрестоматия по русской литературе XVIII века*, издание четвертое, Москва, 1965, стр. 202–4.

8. подсолнечныя, CS gen. sing. of the substantivized adjective подсолнечная: world, universe.

20. нейдет literally: she will not go.

21. кровь-то. The indeclinable enclitic particle -то, in origin the survival of a declinable postpositive article, emphasizes a word which already bears logical stress. It is found in conversational R (Bulakhovsky 410–12).

30. в женихи. An old accusative plural, identical with the nominative plural, survives in certain phrases consisting of в and the accusative plural of a noun indicating a rank or a post (Bulakhovsky 153, Borkovsky 225, Ivanov 316, *Grammatika russkogo yazyka*, I. 104).

32. я вам это на прямые выговорю денежки simply: I'll tell you straight.

42. -ат (< от < ъ-тъ), a nom. masc. sing. of a postpositive article (Bulakhovsky 411).

44. маншетах — манжетах.

69. вить, an 18th-century spelling of ведь (Bulakhovsky 414).

71. в того хозяина или в другого сундуках. For the separation of a preposition from the word it governs by a genitive dependent on that word see Bulakhovsky 426–7.

73–85. These lines contain a parody on a pre-Communion prayer in the Orthodox liturgy.

73. вниди, CS, showing the н in which the preposition в is thought originally to have terminated (Bulakhovsky 183); cp. R войди.

77. вем, 1st person sing. pres., cp. OCS вѣмь from the athematic verb вѣдѣти: to know (Nandriș 194).

79. малейшия, CS gen. fem. sing.

80. вопию, 1st person sing. pres. of вопиять, вопиет.

мя, see 6. 9.

81. хощу, CS (Shakhmatov 16), cp. R хочу.

82. несть, see 5. 18.

83. велие, CS nom. neut. sing. of the short adjective велий (Nandriș 91–3).

84. достойни, CS nom. masc. plur. of the short form (Nandriș 92).

85. твоея, CS gen. fem. sing. of твой, cp. OCS твоѥѩ (Nandriș 107). 'show forth your grace in me, a knave!' Удивить here has the sense of проявить.

**36.** Наставление хотящим быти писателями

The *Instruction to Those Wishing to become Writers*, a condensation and reworking of the *Two Epistles* (*Две епистолы*), the first on the

Russian language and the second on poetry, which Sumarokov published in St. Petersburg in 1748, came out as a ten-page booklet in St. Petersburg in 1774. The metre and rhyming pattern are as in *Khorev* (*Хорев*, see **33**).

'A writer must first order his thoughts so that he may write clearly. In translating he should create a suitable style, for what is good French may not be good Russian. To write poetry one must know the rules of versification and have talent; one must understand the genres and compose appropriately in each, whether it be tragedy, comedy, pastorals, idylls, elegies, odes, or epic poetry. Tragedy and comedy should be kept distinct and the unities of time and place observed. Write satire, if you are not afraid of fools. Epigrams should have point and subtlety. Mock heroic poems can either reduce heroes to vulgar folk or elevate the latter to heroes. O ignorant fellow, either learn your craft day and night, or give up writing.'

Text: А. П. Сумароков, *ук. соч.*, стр. 134–9.

Editorial changes: a full stop has been replaced by a comma in line 22, and не has been replaced by ни in line 115.

1. 'for the general good we have this advantage over the beasts'.

2. как — чем.

6. дели́м — де́лим, and also in line 119 (Kiparsky 303).

7. прияв — приняв, see **18.** 86.

10. письмах here: writings, so also in line 33.

12. мордва, a sing. collective noun: Mordvinians.
вотяки: Votyaks.

13. словесных человеков: literate peoples.

18. способен, sc. быть.

21–4, 31–2 probably refer to Lomonosov and 25–30, 33–4 to Trediakovsky.

21. складу: style, and also in lines 40 and 92.

22. Палладу, i.e. learning, letters. Pallas, an epithet of Athene, the Greek goddess of wisdom, the arts and sciences and poetry, is probably derived from πάλλαξ: maiden, virgin.

24. ея, see **3.** 3.

25. выучась — выучившись, see **11.** 3.

28. язы́ком — языко́м (Kiparsky 182).

    достойну только сжечь: fit only to be burnt. Note that Russian uses an active infinitive where English uses a passive, cp. 27. 24.

30. которо — которое.

34. ругаючи: criticizing, see 23. 80.

    пиша. This gerund is not used in modern R.

38. речи: sentences, and also in line 49.

    согласно: harmoniously.

39. по сем: after this, next.

46. исправен here: correct.

50. некая загадка: some sort of puzzle.

52. нарек here: rendered. Note that it is нарек as in CS, not нарёк as in R.

55. гораздо here: very, exceedingly.

58. за кем идти в степени: whom is one to follow?

63. Sumarokov used *Трудолюбивая пчела* as the name of the monthly journal which he edited in St. Petersburg from January to December 1759.

66. соты́ — со́ты: honeycombs, a regional stress (Ushakov).

67. Парнас: Parnassus, a high mountain in Phocis sacred to Apollo and the muses. The city of Delphi and the Castalian spring are at its foot.

    The *Second Epistle*, which was largely derived from Boileau's *L'Art poétique*, began at this point.

70. прямая: real, true, and прямо (line 71): really, truly.

72. François de Malherbe (1555–1628), French poet; Jean Racine (1639–99), and Molière (1622–73), French dramatists.

73. единыя, CS gen. fem. sing.; so also тяжкия (line 74).

76. струя́ми — стру́ями, see 27. 91.

    поты, now *singulare tantum*.

79. не тем рожден: born the wrong person.

83. родов: genres.

86. Thalia is the muse of comedy and Melpomene the muse of tragedy; see 18. 8.

94. подымут — поднимут.

96. глуши: drown.

97. Пан: Pan, the god of woods and shepherds.
погоды here: storm.

98. у поток — у потоков.

99. или is here unstressed.

105. биющие, CS, cp. R бьющие: gushing.

109. быстряе — быстрее, see Bulakhovsky 195.

111. Эрата: Erato, the muse of lyric poetry.

115. 'however profoundly you study it with the mind'.

118. Альпов — Альп.
осязает: touches.

119. напóлы — нáдвое, пополáм: in two.

121. Hercules slew the seven-headed water-serpent, the Hydra, near the Lernean Lake.

122. Phaethon borrowed the chariot of his father, the sun, but lost control of the horses and was struck down by Jupiter.

123. Скамандрины: of Scamander, a river near Troy.

124. Alexander the Great of Macedon (356–323 B.C.) completed the conquest of Persia in 330 B.C.

125. Бальтийских — Балтийских.
мещет — мечет.

126. Геллеспонте: the Hellespont — the Dardanelles.

127. Дияна: Lat. Diana, Gr. Artemis, patroness of virginity and goddess of the chase.

128. Минерва: Lat. Minerva, Gr. Pallas Athene, goddess of wisdom.
Венера: Lat. Venus, Gr. Aphrodite, goddess of love and beauty.

130. Зевес — Зевс: Gr. Zeus, Lat. Jupiter, the king of the gods.

131. рев — рёв.

132. Нептуна: Lat. Neptune, Gr. Poseidon, god of the seas.

133. отзы́вным: answering.

134. Нарцисса: Narcissus, a handsome youth who fell in love with his own reflection in the water of a pond.

135. Эней: Aeneas.

136. 'to a land to which the winds sped'.

137. Юнона: Juno, wife of Jupiter and the implacable foe of Aeneas.

138. остаток Илиона: the remnant of Ilium (Troy), i.e. Aeneas and his fellow refugees from Troy.

139. Эол: Aeolus, god of the winds.
Средьземный — Средиземный.

140. о́блак — облако́в.
воздымал — вздымал.

141. Asked by the gods to decide which of the three, Juno, Venus, and Minerva, was the most beautiful, Paris, son of Priam, chose Venus, thereby bitterly offending Juno.

143. свойство́ ordinarily: relationship by marriage; here—сво́йство.

148. смотрителей here: spectators; in modern R: supervisors.

151. моих на смеси дум: to confuse my thoughts.

153–4. 'as he watches, he curses owing to the passion of one and is disturbed by the misfortune of another'.

164. случившесь: nom. neut. sing. of the short form—случившееся.

167. и местом... своим: also by your location.

168. имеючи, see line 34.

170. всмотряся — всмотревшись: having accustomed my gaze to.

171. игрищи: frivolous pieces, from игрище.

173. приказе here: office.

174. знающа, gen.-acc. masc. sing. of the short form.

175. писец here: writer; ordinarily: clerk, scribe.

176. 'to make people laugh and to cure them is its proper code'.

178. удавку: noose. Translate: he is ready to be strangled for a quarter-copeck piece.

179–80. 'depict a card-player, who, having removed his cross (i.e. to stake it), cries from behind his hand: "I stake everything," since he holds a court-card.' In gambling the French phrase 'faire son reste' means to stake all the money which one still has before one.

181. пекись: make it your care to.

184. нужняй — нужнее, see line 109.

187. Лафонтен: La Fontaine (1621–95), French fabulist.

189. гаже, comparative of гадкий (Bulakhovsky 194, *Grammatika russkogo yazyka*, I. 290).

и паче мер то гнусно: and that is vile beyond measure.

190. Эсоп: Aesop, a Greek fabulist said to have lived in Phrygia at the time of Croesus.

Both притчи and басни point a moral, but притчи are properly parables, as those of the New Testament, or allegories, whereas басни are typically stories about animals. Притчи are a more refined genre than басни; hence Sumarokov calls his own fables притчи irrespective of their subject-matter. Aesop's fables, on the other hand, he terms басни.

191. геро́йческих — геро́йских, герои́ческих.

Sumarokov distinguishes here between two types of mock heroic poem: in the first (lines 193 and 197–200) great persons and matters are degraded; in the second (lines 194–5 and 201–6) low persons and matters are exalted. The genre's humour arises from this incongruity of theme and treatment.

193. In modern R превращать is followed by в and the accusative, not by the instrumental.

Дидону: Dido, foundress of Carthage and lover of Aeneas.

195. рыцарьми, an *-i-* stem instrumental plur.—рыцарями.

198. Фетидину... сыну: the son of Thetis, i.e. Achilles.

199. Гектор: Hector, son of Priam and brother of Paris.

200. бойцов here: wrestlers.

203. Вулькан — Вулкан: Lat. Vulcan, Gr. Hephaistos, god of fire.

205. робенка, OR, now a dialect form — ребенка (Bulakhovsky 110).

207. невежа, R, cp. CS невежда.

## *FYODOR ALEKSANDROVICH EMIN*

Emin was born, according to his own account, in 1735 the son of either a Hungarian or a Pole who had become a Mahommedan in Turkey. In his youth he probably travelled widely in Europe and the Near East; he certainly learnt several languages. In 1758 he applied to the Russian ambassador in London, Prince A. M. Golitsyn, for Russian citizenship, asking at the same time to be received into the Orthodox Church. Both requests were granted. He arrived at St. Petersburg in June 1761 and became a teacher in the school of the Land Forces Cadet Corps. Subsequently he worked as a translator first in the College of Foreign Affairs (Коллегия иностранных дел) and then in the Empress's personal secretariat. He died in 1770.

During his nine years in St. Petersburg he published numerous novels—some translated, others more or less original, a volume of fables, a translation of a history of Poland, and his own history of Russia. A book of devotion *The Path to Salvation* (*Путь к спасению*) came out posthumously in 1780.

**37.** Письма Ернеста и Доравры. Часть I, письмо 9 [начало]

The *Letters of Ernest and Doravra* were modelled both in form and content on Jean-Jacques Rousseau's *Julie, ou la Nouvelle Héloïse* (published in 1761; for the epistolary form compare also Samuel Richardson's *Pamela, or Virtue Rewarded*, published in 1740). The whole story is told in letters exchanged between the characters. The letters mainly map the vicissitudes of the mutual love between Ernest and Doravra, but they also touch on many topics of the day. Ernest's letters in Part 2 contain long descriptions of France and England, anticipating Karamzin's *Letters of a Russian Traveller* (see 61). Straight narrative, as in the second extract, is rare. Emin's viewpoint is predominantly sentimentalist, but there are many vestiges of classicism.

Ernest is an orphan of low birth who has been brought up by a nobleman with his own son Hippolyte. The nobleman marries Ernest to a rich bride who deserts him and pretends to have died so that her family can recover her dowry. Because of a duel, in which Hippolyte saves Ernest's life, both flee the country. After years of wandering Ernest comes to a town, which, though unnamed, must be St. Petersburg. There (Part 1) he falls in love with Doravra, a nobleman's unmarried daughter. After a time she returns his love, but they cannot marry mainly because of their inequality of rank. To remedy this, Doravra's friend Pul'kheriya through family influence obtains a post for Ernest in the Russian embassy in Paris. Meanwhile Hippolyte has also arrived at St. Petersburg. While Ernest is abroad (Part 2), his wife presents herself to Doravra's father, and the fact that he is already married becomes known. Doravra is then persuaded by her father to marry a rich old man. Ernest returns and, still nursing his love for Doravra, lives alone and in poverty on the outskirts of the town. Then follows (Part 3) an exchange of letters between Ernest and Hippolyte on society and solitude, town and country life, and, after the birth of a son to Doravra, on education. By chance (Part 4) Doravra's husband, who has made her happiness his sole concern, finds Doravra's correspondence with Ernest and dies of sorrow and anxiety. Doravra's father invites Ernest to live with them as tutor to Doravra's son, but he refuses, not trusting his self-control. Time passes, and one day Ernest catches sight of Doravra happy and smiling. He learns that of her own free will she has remarried a handsome young man with no special qualities. The book ends with Ernest musing on the instability of human character and concluding that Doravra is rather to be pitied than despised.

Doravra has urged Ernest to love her without hope. In a long letter, the beginning only of which is given here, Ernest answers that he cannot do so, because nature cannot be subjected to reason, and the inhuman philosophy which teaches that the intelligent man lives calmly in all circumstances is not consonant with nature.

Text: Ф. А. Эмин, *Письма Ернеста и Доравры*, четыре части, Санктпетербург, 1766, I, стр. 42–4.

7. дщерь: daughter, and матерь (line 26): mother, CS nom. and acc. singulars, derive from the OCS acc. singulars **дъштерь** and **матерь** (Nandriş 72–3, Bulakhovsky 166).

15. оного: it, see 11. 13.

21. рассудить here: examine.

23. равнять: equate.

**38.** Письма Ернеста и Доравры. Часть I, письмо 19

In this letter Doravra describes to Ernest how a magnificently dressed man arrived at her father's house in search of him, and asks him who it is. Ernest replies in Letter 20 that it is Hippolyte, the companion of his childhood and his best friend. Brought up together, they had suffered misfortune together and for three years they had wandered in Asia; but for the last six years he had had no news of him.

Text: Ф. А. Эмин, *ук. соч.*, I, стр. 122–3.
Editorial change: дворянин is read for дворяник in line 13.

8. вверьх, see Bulakhovsky 98.

12. батюшки. The genitive of the person asked with спросить is found in OR (Bulakhovsky 295).

## *ST. TIKHON ZADONSKY*

Timofey Sokolov, known later as Tikhon Zadonsky, was born in 1724 near Novgorod the sixth son of a village sexton. He studied at the Novgorod Seminary from 1740 to 1754, when he became a teacher there. In 1758 he was professed as a monk under the name of Tikhon. In 1761 he was consecrated suffragan to the Archbishop of Novgorod and in 1763 Bishop of Voronezh. Overwork in a backward and unruly diocese shattered his health, and in 1767 he resigned. From then till his death in 1783 he lived in retirement first at a monastery near Voronezh and from 1769 at the monastery of Zadonsk. His life was spent in spiritual exercises, writing religious books, helping the poor, and giving spiritual guidance. He was canonized in 1860.

His numerous writings include *An Instruction for the Clergy* (*Наставление духовенству*, written in 1763), *An Instruction for Monks* (*Наставление монашествующим*, written in 1765), *On True Christianity* (*О истинном христианстве*, written 1770–2), *Spiritual Treasure gathered from the World* (*Сокровище духовное, от мира собираемое*, written 1777–9), and many letters on the spiritual life.

**39.** О истинном христианстве. О благодарении Богу [отрывок]

*On True Christianity*, which Tikhon wrote between 1770 and 1772 at Zadonsk, has four parts: (1) on the Word of God and spiritual wisdom, and on the human heart and tongue; (2) on sin in general and the consequences of sin, and on certain sins in particular; (3) on repentance, the four last things, and the Christian virtues; and (4) on the Gospel and faith, the Holy Church and baptism, the duty of the Christian to God and his duty to Christ, the Son of God. This extract comes from the chapter *On Gratitude to God* in the section on the Christian virtues in Part 3. The chapter runs as follows:

'Christ himself, his Virgin Mother and David, gave us an example of gratitude to God. This feeling is born of a consideration of God's beneficence. Even in the difficulties which are sent us we should thank God the more. For wherever one looks, one finds reason to praise the goodness of God. Winter comes and turns rivers and marshes into highways. Spring comes; nature revives; fields and meadows grow green; and birds sing. Those who are grateful are rewarded by greater benefits, but the ungrateful incur God's displeasure and suffer.'

Text: Преосвященный Тихон епископ Воронежский и Елецкий, *Сочинения*, издание второе, XV томов, Москва, 1860, VI, стр. 170–1.

5. In the Revised Version this is Psalm 147: 16.

7. всея, CS gen. fem. sing., see Nandriş 112.

8. умершия, CS gen. fem. sing., see 2. 39 and 6. 4.

9. Божиих, CS gen. neut. plur. of the long (pronominal) form.

11. благорастворенный: salubrious, balmy.

12. своя, CS acc. neut. plur. (Nandriş 107).
семен, CS, see 2. 40.
кореней. This CS gen. plur. shows the influence of the *-i-* stems. The hypothetical OCS gen. plur. is *корень (Nandriş 69).

12–13. 'and offer themselves for the use of all'.

15. речная, CS nom. neut. plur.
устремления: rapids.

18. скоты, now *singulare tantum*.

19. довольствием — довольством: contentment.
отверзла, from отверзть: open, reveal.

20. ядят — едят, CS (see Nandriş 194).

21. благодарить here takes a dative, see 24. 161.
поднебесная: the sub-celestial world.

22. пременяется — переменяется.

**40.** Письма келейные. Письмо 100. О качестве душевных болезней

*Letters from a Cell* contain 123 letters, dealing with such subjects as the coming of Christ to the world, whether all can be saved, repentance, the wisdom of God and God's omnipresence and holiness.

'The illnesses of the soul are spiritual blindness and deafness, anger, envy, hatred, and ill-will. Thoughts to the soul are as limbs to the body, and when they are bad the soul is sick. Gracious Jesus came in order to restore health to the soul.'

Text: Тихон Задонский, *Письма келейные*, Москва, 1830, стр. 288–9.

3. -де here: do you say *or* do they say, often: he says, deriving from дееть: he says (Bulakhovsky 409–10; *Grammatika russkogo yazyka*, I. 637 and 645–6).

4. очесах — очах. In OCS око was an *-s-* stem noun with a nom. plur. очеса and a loc. plur. *очесьхъ (Nandriș 70–1). This CS form shows contamination from the loc. plur. of *-a-* stems probably via neuter *-o-* stems. Cp. the correct modern form колесах (Cocron 88).
допущает — допускает, see 1. 33 and cp. 5. 7.

7. Божия, CS gen. masc. sing. of the short (nominal) declension of Божий (see *Grammatika russkogo yazyka*, I. 319).

12. снедает. The verb is singular either because the three subjects form one idea (cp. 27. 131) or under the influence of the singular чахотка.

15. тое, see 20. 44.

19. открый, CS, cp. R открой.

20. In the Revised Version this is Psalm 119: 18.

21. нанесл, see 3. 3.

21–2. и оставил его еле жива, a reminiscence of the Parable of the Good Samaritan (Luke 10: 30).

24. Отцем, CS, cp. OCS Отьцемь (Gorshkov 123).

## *MIKHAIL MATVEYEVICH KHERASKOV*

Kheraskov, the grandson of a Wallachian noble who took refuge in Russia at the same time as the Kantemir family, was born half Wallach and half Russian in Pereyaslavl' in 1733. His father, who was garrison commander there, died in 1734, and his mother remarried Prince N. Yu. Trubetskoy, a magnate of great influence and distinction. Thanks to him Kheraskov received an excellent education at the school of the Land Forces Cadet Corps from 1743 to 1751, and all his life moved in the highest society. In 1755 Moscow University was founded, and Kheraskov, whose interest in literature was already aroused, and who was finding army service unsatisfying, obtained an administrative post there. He was made director in 1763, and except for 1770–8 remained at the centre of the university's affairs till his retirement in 1802. He died in 1807.

Kheraskov wrote abundantly all his life. To him belong two epics. *Rossiada* (*Россиада*, published in Moscow in 1779), the first Russian epic, and *Vladimir Reborn* (*Владимир возрожденный*, published in Moscow in 1785), nine tragedies, two comedies, two 'tearful' dramas (слезные драмы), and three other dramas. Like Sumarokov, who had been his inspiration, Kheraskov composed in many different poetic genres. Much of his work shows the influence of his life-long interest in free-masonry and mysticism.

**41.** Ода II. Суета

This poem is one of a group which Kheraskov called odes of edification (нравоучительные оды). Though its metre, the iambic tetrameter, is that of most solemn odes (торжественные оды), its stanza-less presentation, possibly in imitation of the Anacreontic odes (анакреонтические оды), differentiates it from them. On the other hand, if the first four lines are treated as an exordium, the remainder falls into three regular stanzas of the pattern *af af bm bm cf cf dm ef ef dm*. The poem appears therefore to have been composed mainly in stanzas but printed as though it were not.

'O mortal, realize what thou art! An animated grain of dust. Awaken, enter within thyself and tear apart the curtain of thy ruinous self-love. Greatly dost thou exalt thyself, but whatever thou dost obtain in life is but an empty shadow.'

Text: З. И. Гершкович (ред.), *Поэты XVIII века*, два тома, Ленинград, 1958, I, стр. 252–3.

3. остави — оставь.

8. посеченный цвет: a cut flower.

9. уподобле́нна — уподо́бленного.

9–11. 'But ah! I see that thou, when compared to all, art more perishable than all, O creature destitute of peace.'

14. тварь is now *singulare tantum.*

24. исчи́сль — исчи́сли. For the rhyme with мысль see 8. 13.

31. степе́нь — сте́пень (Kiparsky 99).

**42.** Чесмесский бой. Песнь третья [отрывок]

The Battle of Chesme Bay (now Чесменский бой) occurred in the First Russo-Turkish War of 1768–74. While Rumyantsev (1725–96) attacked the Turks by land, a Russian fleet under the command of Aleksey Grigor'yevich Orlov (1737–1807), brother of Catherine II's favourite Grigoriy Grigor'yevich Orlov (1734–83), entered the Aegean Sea. On 26 June 1770 it destroyed a Turkish squadron in the Bay of Chesme (*çeşme*, Turkish: spring, fountain) opposite the island of Chios.

This narrative poem, which was first published in 1771, sets out to give an eyewitness account of the battle. It has five cantos (песни), totalling some 1,300 lines. It is composed in iambic hexameters with caesura after the sixth syllable. Pairs of rhyming masculine lines alternate with pairs of rhyming feminine lines.

In this extract Admiral A. G. Orlov on his ship of the line *The Three Hierarchs* (*Три иерарха*) sees the ship *St. Eustace Plakida* (*Святой Евстафий Плакида*), on which his younger brother Fyodor Grigor'yevich Orlov (1741–96) is serving, catch fire from the Turkish ship with which it is grappled and explode. He thinks his brother has perished; but it turns out later that he escaped into a boat, and the Admiral picks him up.

Text: М. М. Херасков, *Избранные произведения*, Ленинград, 1961, стр. 159–60.

11. вздрогну́ло — вздро́гнуло (Kiparsky 287).

внимать, see 27. 5.

19. восчувствовал — почувствовал.

20. вопиет: laments, 3rd sing. pres. of вопиять.

21. падет, a CS pronunciation — падёт (see Bulakhovsky 99 and 208).

**43.** Россиада. Поэма эпическая. Песнь первая [начало]

The *Rossiada*, Russia's first completed epic poem, describes the overthrow of the Tartar khanate of Kazan' by Ivan IV in 1552. In his *Historical Preface* (*Историческое предисловие*) to the epic Kheraskov explains that in naming it he had in mind the 'glory and triumphant victory of the whole Russian state, the renowned exploits not of the sovereign only but of the whole Russian army, and that prosperity was restored not to one person but to the whole fatherland.' The work, which consists of twelve cantos (песни) and extends over 288 pages in the first edition, culminates in the siege and capture of the city of Kazan'. The parallel with the *Iliad*, which leads up to the sack of Troy, is obvious. The metre is the iambic hexameter with caesura after the sixth syllable. Pairs of rhyming feminine lines alternate with pairs of rhyming masculine lines. This extract gives the opening lines of Canto I.

Text: M. M. Херасков, *Избранные произведения*, Ленинград, 1961, стр. 181–2.

1. свобожденну — освобожденную.

2. попра́нну — по́пранную, ср. **29.** 69.

11. отверзи: open, 2nd sing. imp. of отверзть.

15. звезда́ми — звёздами, see **27.** 172.

19. да: in order that.

23. от них, see **1.** 47.
казанская луна: the moon of Kazan'. The crescent moon is the symbol of the Mahommedan religion, which the Tartar rulers of Kazan' held.

## *DENIS IVANOVICH FONVIZIN*

Fonvizin, born in 1745, was descended from a Livonian knight who was taken prisoner by Ivan IV and subsequently entered his service. The family became Orthodox in the 17th century. Fonvizin's father, a well-to-do landowner, sent him to the Gymnasium attached to Moscow University in 1755, and in 1762, after two years at the

University itself, he entered the College of Foreign Affairs in St. Petersburg as a translator. In 1763 he became secretary to I. P. Yelagin, who from 1766 was responsible for theatres. Most of Fonvizin's dramatic and poetic compositions date from this time. In 1769 he returned to the College of Foreign Affairs to work directly under the liberal-minded statesman N. I. Panin and, absorbed in diplomacy, wrote almost nothing for ten years. In 1782 Panin was retired by Catherine II and died the following year. Fonvizin also retired. In 1785 he had a stroke, and he died in 1792.

Fonvizin wrote three comedies, *The Brigadier* (*Бригадир*, written in 1766, published in St. Petersburg not before 1792), *The Minor* (*Недоросль*, started in 1764 and finished by 1781, first performed in 1782 and published in 1783) and *The Choice of the Tutor* (*Выбор гувернера*, written 1790–2); an anti-religious dialogue in verse between the author and his three servants called *An Epistle to my Servants Shumilov, Van'ka and Petrushka* (*Послание к слугам моим Шумилову, Ваньке и Петрушке*, written *c.* 1765–6 and first published in 1769) and a few other poems; and his unfinished autobiographical work *A Candid Confession of my Deeds and Thoughts* (*Чистосердечное признание в делах моих и помышлениях*), in which he regretted the free-thinking of his earlier years.

**44.** Бригадир. Комедия в пяти действиях. Действие 3, явление 1

*The Brigadier* is partly based on the comedy *Jean de France* written in Danish by Ludvig Holberg (1684–1754) in 1722. A translation of some of Holberg's fables by Fonvizin was published in Moscow in 1761.

Fonvizin gave readings of *The Brigadier* at court and in the salons of distinguished magnates, but it was not performed publicly on the professional stage until 1780 (V. N. Vsevolodsky-Gerngross, *Russkiy teatr vtoroy poloviny XVIII veka*, Moscow, 1960, p. 70).

A retired cavalry brigadier and his wife are marrying their twenty-five-year-old son Ivan to Sophie, the daughter of a retired councillor and step-daughter of his second wife. Returning home from St. Petersburg, the brigadier and his family call to stay at the councillor's country home. Ivan has recently returned from Paris and, a gallomane, despises all things Russian. He finds a kindred soul in the councillor's wife, a frivolous lover of fashion and also a gallomane. The councillor, a miser and religious hypocrite, is attracted by the brigadier's wife, a kind but stupid woman and also miserly, and in a monologue admits that his motive in marrying his daughter to her son is to be near her. On the other hand, the brigadier, an honest outspoken soldier, is smitten with love for the councillor's wife; and so father and son are rivals. The betrothed pair, Ivan and Sophie, have no interest, not to speak of love, for one another. Meanwhile Dobrolyubov, loved by Sophie but unacceptable to her parents because of his poverty, arrives and tells Sophie that the case on which his fortune depends is ending. Soon he learns that it has been successful and that he now has 2,000 serfs. In the denouement the whole pattern of relationships is revealed: the mutual love of the councillor's wife and Ivan, the brigadier's love for the councillor's wife, and the councillor's for the brigadier's wife. The brigadier announces that he and his family will leave forthwith, and the councillor orders them out. Sophie marries Dobrolyubov.

Ivan has already distressed his father by his affected manners and speech in Act I, Scene I. In the scene before this one his father finds him in intimate conversation with the councillor's wife, with whom he himself is in love, and Ivan does not take it kindly when he tells him to go away. So the father has ample grounds for annoyance.

Text: Д. И. Фонвизин, *Бригадир — Недоросль*, Москва-Ленинград, 1963, стр. 47–9.

5–6. на Руси, see Buslayev 485.

10. вить, see 35. 69.

14. прямой: real, outright.

21. дурачина: a fool.

22. ну кстати: is there any point? Ну emphasizes what follows (*Grammatika russkogo yazyka*, I. 641–2).

33. дурачествами и т. д.: follies, for the very least of which, according to our army regulations, you should be made to run the gauntlet.

34. спицрутеном, from Ger. *Spitzruten*, plur.: pointed rods. The modern R word is шпицрутен.

36. фрунтом — фронтом.

37. твоя правда: you are right.

как: when.

38. влеплю и т. д.: I shall smack into your back.

41. галантом, from Fr. *galant homme*.
    парировать here: wager, from Fr. *parier*.

46. меня трактовать, perhaps a Gallicism, cp. Fr. *traiter*.

47. применил: likened.

61. респектовать, a Gallicism, cp. Fr. *respecter*.

63. малейшим респектом. For должен with the instrumental cp. 24. 159.

65. присяжный человек: a sworn man, one who has sworn loyalty to anyone, e.g., as here, to the Sovereign.

67. с рожи: in face.

68. заслуженным человеком: a respected man, one who has deserved well of his country.

69. эдакой скосырь выехал!: what a bold fellow you have grown up into!

## *MIKHAIL IVANOVICH POPOV*

Born in a merchant's family in 1742, Popov came to St. Petersburg with F. G. Volkov's theatrical troupe. He studied at Moscow University, worked as a court actor and in the Commission on the New Legal Code, but for much of his life he seems to have been a professional translator, journalist, and writer. Many of his translations, all of which are from or via French, were done for the *Society for the Encouragement of the Translation of Foreign Books into Russian* (*Собрание, старающееся о переводе иностранных книг на российский язык*, in operation 1768–83). He contributed to M. D. Chulkov's journal *Both This and That* (*И то и се*, 1769), V. G. Ruban's *Neither This nor That* (*Ни то ни се*, 1769) and N. I. Novikov's *Drone* (*Трутень*, 1769–1770). His own works include a dictionary of mythology called *A Description of the Ancient Slavonic Pagan Mythology* (*Описание древнего славенского языческого баснословия*, published in 1768), a novel *Slavonic Antiquities or the Adventures of the Slavonic Princes* (*Славенские древности, или Приключения славенских князей*, published 1770–1), a comic opera *Anyuta* (*Анюта*), a comedy *Guess and I Won't Say* (*Отгадай и не скажу*), and numerous poems and songs, all published in *Leisure Hours or a Collection of the Compositions and Translations of Mikhaylo Popov* (*Досуги, или Собрание сочинений и переводов, Михайла Попова*, published in 1772).

From the mid 1770s to his death, probably in 1790, Popov worked mostly on translations.

**45.** «Не голубушка в чистом поле воркует...»

Popov was one of the first Russian writers to show interest in Russian folk-poetry. He helped M. D. Chulkov in compiling his *Collection of Various Songs* (*Собрание разных песен*, published in St. Petersburg 1770–4), which contains numerous folk-songs, and he himself published a large number in his posthumous *The Russian Erato or Selection of the Best Most Recent Russian Songs* (*Российская Эрата или Выбор наилучших новейших российских песен*, 1792). He also imitated them. One such imitation, in trochaic hexameters without caesura, is given here. As is characteristic of folk-poetry, stresses are often suppressed, e.g. поле (line 1), она (line 8), своей (line 9), мое (line 10), твои (line 24), мою (line 30).

'It is not a dove cooing, but a young wife lamenting for her absent husband. "When I let you go, you had not grown repugnant to me, nor were my tears deceitful. We were joined by love and friendship, not force. Remember me, dear friend, and come back." '

Text: З. И. Гершкович (ред.), *Поэты XVIII века*, два тома, Ленинград, 1958, I, стр. 511–12.

1. голубушка: dove.
   в чистóм поле: in the open field, cp. 13. 1.

7. надёжа, R, cp. CS надежда (see Shakhmatov 14).
   For сердечный with [ʃn] see 13. 12.

8. вóпит — вопи́т (Kiparsky 301).

11. горемышну — горемычную, see line 7.

13–14. 'When I let you go, you were not one who had grown repugnant to me, nor as I saw you off were you malicious or I quarrelsome.' Сварлива could be taken also as a short gen. masc. sing., but the nom. fem. sing. seems more natural here.

15. провожаючи, OR nom. fem. sing. of the short pres. part. used here as a gerund (Ivanov 401–5).

18. головою: person.

19–22. Notice the use of the imperfectives in the negative sentences.

26. надсада here: torment; generally: strain, effort.

## *NIKOLAY IVANOVICH NOVIKOV*

Novikov was born on his father's estate near Moscow in 1744. After five years at the Gymnasium attached to Moscow University (1755–60) and two years at home, in 1762 he joined the Izmaylovsky Guards at St. Petersburg. For a period he worked for the Commission on the New Legal Code, leaving it and the army in 1768. From 1768 to 1774 he worked in the civil service as a translator in the College of Foreign Affairs. Thenceforward he devoted himself exclusively to editing journals and book publishing. From 1769 to 1774 he had edited four journals, *The Drone* (*Трутень*, 1769–70), *The Tatler* (*Пустомеля*, 1770), *The Painter* (*Живописец*, 1772–3), and *The Hairnet* (*Кошелек*, 1774). In the mid 1770s he entered masonry, and *Morning Light* (*Утренний свет*), which he edited from 1777 to 1780, is largely inspired by the masonic ideals of self-purification and service to society. In 1779 he hired the Moscow University printing press for ten years and moved to Moscow. His publishing activity and his educational influence reached their height in the decade 1779–89. Among the journals he edited were *The Moscow Monthly Publication* (*Московское ежемесячное издание*, 1781), *The Town and Country Library* (*Городская и деревенская библиотека*, 1782–6), *Supplement to the Moscow News* (*Прибавление к Московским ведомостям*, 1783–4), *Children's Reading for the Heart and Mind* (*Детское чтение для сердца и разума*, 1785–9). In 1789 Catherine forbade the renewal of the contract for the Moscow University printing press, and in 1792 he was sentenced to fifteen years' imprisonment ostensibly for propagating masonry and mysticism and for his contacts with Prussian rosicrucians, but really for spreading dangerous political ideas. Released in 1796 after Catherine's death, in poor health and burdened with debt he spent the rest of his life in the country in mystical exercises. He died in 1818.

**46.** Трутень. Лист XV. Апреля 13 дня

*The Drone* was one of the eight Russian satirical journals which came into being in 1769 after five years of little activity in journalism. It lasted from 1 May 1769 to 27 April 1770, and was published weekly in St. Petersburg by Novikov, who was also its major contributor. Others who took part were M. I. Popov, F. A. Emin, the writer of comic operas A. O. Ablesimov, the poet V. I. Maykov, and probably also D. I. Fonvizin. Its printings averaged 1,240 copies in 1769, a very large figure for the time.

*The Drone*'s attacks on the ill-treatment of serfs by landowners and on corruption among officials aroused Catherine II's hostility, and early in 1770 Novikov was compelled to turn to less sensitive subjects. This change of policy led to a drop in sales.

'Mr. Drone, why have you changed your plan of last year to publish satirical pieces? If it is because you have been criticized, then know that there is criticism inspired by envy and criticism inspired by truth; and it is better to endure the former than the latter. So turn yourself back into what you were.'

Text: Н. И. Новиков, *Избранные сочинения*, Москва-Ленинград, 1951, стр. 29–30.

2. 'What the devil has happened to you? You've quite changed.'

10–11. 'the present Drone won't do even as a servant of last year's'.

11. другие. Other contemporary journals were: *Всякая всячина* (1769–70) controlled by Catherine II, *И то и се* (1769) edited by M. D. Chulkov, *Ни то ни се* (1769) edited by V. G. Ruban, *Полезное с приятным* (1769) edited by two teachers of the Land Forces Cadet Corps, *Поденьшина* (1769) edited by V. V. Tuzov, *Смесь* (1769) whose editor is not known, and *Адская почта* (1769) written and edited by F. A. Emin.

14. что тебе нужды: what need have you to.

18. а то ведь, я чаю: otherwise, I think.
в накладе: in deficit, in the red.

19–20. нынешнего года. The genitive of time, which is used in modern R in dates of the month and in сегодня, was frequent in OR and survived into the early 19th century (Bulakhovsky 297–8).

21. буде, see **18.** 47.

**47.** Утренний свет. (Заключение. О нравоучении) [отрывок]

*Morning Light* was published monthly by Novikov from September 1777 to August 1780 inclusive first in St. Petersburg and then in Moscow. Its contents were of a philosophical and moral nature, its aim being to counteract the materialism and rationalism of Voltaire and others by the teachings of such thinkers as Socrates, Plato, Christian Wolff, and Blaise Pascal. Besides Novikov himself, M. M. Kheraskov, V. I. Maykov, and many masons contributed.

In this extract from its closing issue Novikov reminds the readers that all proceeds from it have been used for founding a school for poor children. He then reviews its editorial policy and justifies it on the ground that 'moral teaching is the first, most important and most universally useful science'. The heading in curved brackets was inserted by the editor of the text given below.

Text: Н. И. Новиков, *ук. соч.*, стр. 400–2.

15. ентузиасм — энтузиазм, see **1. 51**. For evidence of resistance to the use of э in 18th-century writers see Matthews 82 and 202–3, and V. V. Vinogradov (ed.), *Obzor predlozheniy po usovershenstvovaniyu russkoy orfografii* (*xviii–xx vv.*), Moscow, 1965, pp. 409–12.

16. ласкалися: we fondly thought to.

30. восчувствовали, ср. **42**. 19.

31. служители: ministers.

44. нравоучения: moral teaching.

45. управлять now takes the instrumental.

78. преклоняет: bends.

82. воздаяние: reward.

97. почитанию: worship, reverence.

102. удостовериться: to become convinced of, now takes в and the prepositional.

104. произвесть — произвести.

## *CATHERINE II*

Catherine II was born a German, Sophia Augusta Frederica, Princess of Anhalt-Zerbst, a minor German principality. In 1745 at the age of sixteen she married Elizabeth's nephew Peter, the future Peter III, having previously exchanged Lutheranism for Russian Orthodoxy and taken the name of Catherine. When Elizabeth died in 1761 (O.S.) and Peter was murdered by Catherine's supporters six months later, Catherine ascended the throne as sole ruler.

She wrote tirelessly, partly from a genuine desire to improve the manners and morals of her subjects, but partly also to justify and strengthen her own rule. Her writings include comedies, treatises, journalistic articles, letters public and private, and numerous translations and adaptations. Her dramatic and journalistic writings were kept anonymous inside Russia, but their authorship was an open secret.

**48.** О время! Комедия в трех действиях. Действие I, явления 2 и 3

*O Times!*, an adaptation by Catherine of *Die Betschwester* (1745) by Ch. F. Gellert (1715–69), was published anonymously at the Senate Press (Сенатская типография) in 1772. It was the first of a series of comedies described on their title-pages as having been 'composed at Yaroslavl'' ('during the time of the plague' is added in the case of *O Times!*), the others being *Mrs. Vorchalkina's Name-day* (*Имянины госпожи Ворчалкиной*, published in 1774), *A Distinguished Boyar's Ante-room* (*Передняя знатного боярина*, published in 1786), *Mrs. Vestnikova and her Family* (*Госпожа Вестникова с семьею*, published in 1774), and *The Questioner* (*Вопроситель*, published in 1786). Catherine probably chose Yaroslavl' as the fictitious place of composition because the theatrical company of Fyodor Volkov (1729–67) was formed there.

Nepustov has taken twenty-nine days' leave from St. Petersburg to come to Moscow to arrange the marriage of his friend Molokososov to Khanzhakhina's granddaughter Khristina. Khanzhakhina, a widow of sixty-five, mean, superstitious, and hypocritical, has so far refused to agree to the marriage, let alone the dowry, and Nepustov, who has already spent three weeks in Moscow, must soon return. His interview with Khanzhakhina, which is given here, is interrupted by the arrival of a poor widow to whom Khanzhakhina is lending money at outrageous interest. Next comes Khanzhakhina's sister Vestnikova, who speaks against Molokososov, and finally a friend Chudikhina. When Nepustov and Molokososov are urging their case before the three old ladies, they unfortunately ridicule Khanzhakhina's story that a cricket chirruping in the wall foretold her husband's death. The old ladies call them atheists and turn them out. At this juncture Khanzhakhina's servant Mavra advises them to win Vestnikova to their side by giving her a present, and Molokososov gives her a valuable ring. Next Mavra removes Chudikhina, who is also opposing the marriage and who is highly superstitious, by telling her that thirty years before a man died on the very spot where she is sitting. Vestnikova then over-persuades her sister, and the marriage is arranged.

Text: А. И. Введенский (ред.), *Сочинения Императрицы Екатерины II, Произведения литературные*, издание третье, Санктпетербург, б. г., стр. 20–23.

Scene. на Москве, see 11. 25.

7. батька literally: father, here: Sir.

8. ведь подумай-ка сам: just you think yourself. -ка strengthens the request (*Grammatika russkogo yazyka*, I. 642).

9. и того посмотреть: take that also into account. For the genitive after смотреть see Bulakhovsky 293.

10–11. 'I am a poor person; a widow's lot is mine. Where can I get anything from?'

12. Бог-то, see 35. 21.

22. к команде: to my unit.

24. пожалуйте: please. For several explanations of the particle -ста see Bulakhovsky 413.

34. ан: but suddenly, a strong adversative conjunction (Bulakhovsky 364–5).

мамин сын: the son of the wet-nurse (мамка), the woman serf who had suckled Khanzhakhina's own children.

37. сов: shoved, pushed (Buslayev 106, 165–6; *Grammatika russkogo yazyka*, I. 676–7).

41. дескать: he says says he, derives from де and скажеть or сказать (Bulakhovsky 409–10; *Grammatika russkogo yazyka*, I. 637 and 645–6). For -де: he says, see 40. 3.

44. сердце: temper.

57. вредить now takes the dative.

62. малого-то: the lad. For -то see line 12.

64. та-то: it is she who is . . .

66. ея, see 3. 3.

87. да полно что...; but it's too bad that . . .

98. что́ бы за внучкою-то дать: what to give my granddaughter as a dowry.

## *IPPOLIT FYODOROVICH BOGDANOVICH*

Bogdanovich was born in 1743 in Perevolochna on the lower Dnieper into the Ukrainian gentry. Owing to his family's poverty he was sent to Moscow at the age of ten and started work as a cadet (юнкер) in the College of Justice (Юстиц-коллегия). At the same time he studied at the Mathematical School attached to the Senate Office. At the age of fifteen he met Kheraskov, who entered him into Moscow University and took him into his own house. In 1763 he came under the protection of the influential Panin brothers and started collaborating with Princess Ye. R. Dashkova. He filled a succession of posts in the civil service, including three years from 1766 to 1768 at Dresden as secretary to the Russian ambassador to Saxony. At the same time he wrote poetry, translated, edited and contributed to journals, and composed comedies and entertainments for the Court. He retired in 1795 and died in Kursk in 1803.

**49.** Душенька. Древняя повесть в вольных стихах. Книга первая [начало]

Bogdanovich's reputation rests on his *Dushen'ka*. Its plot was taken from La Fontaine's *Les Amours de Psyché et de Cupidon*, published in 1669, which in its turn was based on Apuleius' *Golden Ass*. A Russian translation of La Fontaine's work entitled *Любовь Псиши и Купидона* by F. I. Dmitriyev-Mamonov (1727–1805) was published in Moscow in 1769. This translation preserved the alternation of prose and verse of the French original. In his reworking of the theme Bogdanovich used verse throughout, inserted many digressions, russified details of food, dress, and daily life, and introduced characters and motives from Russian fairy-tales. Except for the few trochaic tetrameters which follow the preface, the work of eighty pages is in mixed iambic metres from monometers to hexameters (but apparently no pentameters). Published in St. Petersburg in 1783, *Dushen'ka* had an immediate and lasting success.

In ancient times the King of Greece had three daughters, the youngest of whom was called Psyche or in Russian Dushen'ka. She was so beautiful that Venus became jealous of her and asked for her to be surrendered to her, but her relatives refused. When Dushen'ka's admirers left her fearing Venus' anger, her relatives asked the oracle what would be her fate. It replied that she would marry a monster who wounded everybody and that to meet him she should be left alone on a distant mountain top. This they do, and Dushen'ka is swept up to heaven by a breeze. Nymphs meet her and take her to a palace but refuse to name or describe her husband. However he visits her every night, departing before dawn. After three years Dushen'ka welcomes to the palace her two elder sisters. Jealous of her and her marriage, they persuade her that she has been deceived, that her husband is a wizard or a serpent, and that she should slay him while he sleeps. They bring her a lamp and a sword, and as she stands over him with the sword in her hand she sees for the first time that her husband is Cupid; but hot wax falling from the lamp awakes him. Unable to explain the situation, she faints. Cupid leaves her, as do all her attendants, and she is taken back to the mountain top and left there. While she laments, Cupid appears and advises her to become Venus' servant. Finally she does so, and Venus gives her commissions intending that they will prove fatal to her. But Cupid and his attendant breezes protect her. However, on the last commission, to Proserpine, she opens a pot which Venus had told her not to open, and her head and chest are covered in soot which she cannot wash off. In her shame she hides herself in a cave. At length Cupid comes to her, and they are reconciled. Jupiter decrees that Cupid should always be captivated by spiritual beauty and that Dushen'ka should be his wife, and Venus, accepting her atonement, washes her clean with heavenly dew.

This extract gives the opening of Book I.

Text: И. Ф. Богданович, *Стихотворения и поэмы*, Ленинград, 1957, стр. 46–7.

1. A reference to the first line of Homer's *Iliad*: *Μῆνιν ἄειδε, θεά, Πηληϊάδεω Ἀχιλῆος* (Sing, O Goddess, of the wrath of Achilles, son of Peleus).

9. осмелъ: make bold, grant daring to.

13. Славены, from Славена: land of the Slavs, possibly a back formation from славенский. Alternatively and more likely it may refer to the river Slavenka in the Vologda Province or to the river Slavyanka, which flows into the Neva near St. Petersburg, probably the latter.

14. Феб: Phoebus, the sun.

15. Иппокрены: the Hippocrene, the spring of the muses on Mount Helicon (from Gr. *Ἱπποκρήνη*).

18. зефиры: the west winds.

20. хулы: censure, now *singulare tantum.*

25. двойчатых: twofold, because every Homeric dactylic hexameter must have a caesura somewhere in the line, and this divides the line into two hemistichs.

26. пристойных: suitable.

32. большия, see **6.** 4.

33. рифмы холостые, i.e. unrhymed lines among rhyming lines.

41–4. This was thought to have been the attitude of the Greek and Roman poets to their poetry. Cp. **64.** 75–86.

43. прохлад, CS in origin: relaxation.

44. Хлоя: Lat. Chloe < Gr. *Χλόη*, a Greek female name used here for any lady-friend, as in Horace, *Odes*, I. 23.

45. Апулей: Apuleius (*c.* A.D. 160), a native of Madaura in Africa, author of the *Metamorphoses.*
    де ла Фонтен: La Fontaine (1621–95), author of the *Fables.*

48. 'in another tongue from ours'.

50. приятности: charms.

## *YAKOV BORISOVICH KNYAZHNIN*

Knyazhnin was born in 1740 at Pskov of a noble family and from 1750 to 1755 was educated at the Gymnasium of the St. Petersburg Academy of Sciences. After seven years in the civil service, in 1762 he transferred into the army. In 1773 he was convicted of embezzlement and reduced to the ranks. Pardoned in 1777, he spent the rest of his life as secretary of I. I. Betsky, who was responsible for the Land Forces Cadet Corps, the Academy of Arts (Академия художеств), and the upkeep of palaces and gardens. He died in 1791, probably from injuries inflicted at an interrogation.

Though he also wrote poetry, Knyazhnin, like his father-in-law A. P. Sumarokov, was primarily a dramatist. He wrote tragedies, comedies, and comic operas, many of them based on French plays. His most celebrated tragedy *Vadim of Novgorod* (*Вадим Новгородский*, completed by 1789 and published posthumously in St. Petersburg in

1793) is anti-monarchical, and if he was brutally interrogated it could have been the result of expressing such sentiments when the French revolution was alarming the Russian court.

**50.** Несчастие от кареты. Комическая опера в двух действиях. Действие 2, явление 5 [начало]

Knyazhnin's comic opera *Misfortune caused by a Carriage* was first performed at the theatre in the Hermitage on 7 November 1779 before Catherine II and Paul. It was favourably received, and its text was first published in St. Petersburg in the same year. The music for it was composed by V. A. Pashkevich (*c.* 1742–*c.* 1800).

Anyuta, daughter of Trofimov, and Luk'yan are serfs who were brought up by their master, old Firyulin, in his St. Petersburg home and there learnt a few words of French. On old Firyulin's death his son and his wife, who are gallomanes, send Anyuta and Luk'yan back to their village near the capital. There the two fall in love. As the play opens they are completing their preparations for the wedding, when Firyulin's agent Klementiy, renamed *à la française* Kleman, abruptly stops them. His master needs money to buy a new French carriage and has authorized Klementiy to obtain it by any means, even by selling a young peasant into the army. Klementiy, who is in love with Anyuta, picks on Luk'yan and has him flung into chains. The lovers despair, but Firyulin's clown Afanasiy promises them his help. As Firyulin and his wife pass through their village hunting, the clown tells Firyulin that Luk'yan knows French. Firyulin frees Luk'yan at once, and when Luk'yan and Anyuta address their master and his wife as Monseigneur and Madame, Firyulin grants them permission to marry. The agent goes off discomfited. The extract shows the clown interposing on Luk'yan's behalf.

Text: Я. Б. Княжнин, *Избранные произведения*, Ленинград, 1961, стр. 582–6.

Dramatis personae. The surname Фирюлин is formed from фирюля: a gawk, a gullible person.

1. сторона: land.

2. деликатес, from Fr. délicatesse: delicacy.

3. экономию — хозяйство.

8. верст за сто: about seventy miles.

22. The French nobility were reputed to wear red shoes with red heels.

26. надежны here: sure, certain; ordinarily in modern R: reliable. Translate: please rest assured, you'll have the money.

29. знать: evidently, it seems.

38–9. сделав честный оборот: by a fair transaction.

42–3. того и бойся и т. д.: that's what I'm afraid of, that I'll be exchanged for a red French heel (a high fine heel as distinct, for example, from the low thick Viennese heel).

49–50. это никак нейдет: that won't do at all.

## *IVAN IVANOVICH KHEMNITSER*

Khemnitser was a German, born near Astrakhan' of German parents who had immigrated into Russia. His father was a doctor in the Russian army, who finally became superintendent of the St. Petersburg Army Hospital. At twelve, to avoid following his father in his profession, Khemnitser ran away to enlist in the army, where he served for twelve years till 1769. He then took a post in the St. Petersburg School of Mines. From 1776 to 1777 he accompanied the School's director, M. F. Soymonov, who was ill, on a journey to the German spas, Holland, and France, evidently as German interpreter. In 1781 he lost his post owing to Soymonov's retirement, and in 1782 his friends at last secured his appointment as Russian consul-general at Smyrna. This was expected to be a lucrative appointment, but owing to the parsimony and unreliability of the Russian Government it turned out otherwise. Worn by financial anxieties, lonely, and despairing, Khemnitser died in 1784.

Khemnitser's reputation is based on his fables, the first collection of which, containing thirty-three fables (including two by his friend N. A. L'vov), came out in 1779, and the second, with a further thirty-six fables, came out in 1782. He also composed several satires and odes, as well as numerous epigrams, epitaphs, and inscriptions. A considerable number of his epigrams and epitaphs are in German and a few in French.

**51.** Друзья

The fable is composed in two metres, the iambic hexameter with caesura after the third foot and the iambic tetrameter.

'A friend in need is a friend indeed.—As a peasant was driving his cart across the ice, it gave way. When none of his village "friends" in the same waggon-train answered his calls for help, strangers ran up and saved him.'

Text: И. И. Хемницер, *Полное собрание стихотворений*, Москва-Ленинград, 1963, стр. 95.

5. 'The peasant started to jump about and shout.'

7. робята, dialect — ребята, see **36.** 205.

8. поможемте. -те strengthens the imperative sense of the 1st person plur. imp. For its origin see Bulakhovsky 222 and for its use *Grammatika russkogo yazyka*, I. 497.

16. круговой: mutual.

17. The exchange of crosses between friends is an Orthodox custom.

## *GAVRILA ROMANOVICH DERZHAVIN*

Derzhavin was born in 1743 in a poor noble family near Kazan'. His father, a low-ranking army officer, died in 1754. He received his only formal education from 1759 to 1762 in the newly founded Kazan' Gymnasium, and then entered the Preobrazhensky Guards, stationed at St. Petersburg, as a private. It was not till 1772 that he was commissioned. He took part in the suppression of the Pugachov rebellion which broke out the following year, but his energy and fearless independence displeased the authorities, and he was transferred to the civil service. His ode *Felitsa*, written in 1782, brought him rapid promotion. He was made Governor of the Olonets Province in 1784 and transferred to the Governorship of the Tambov Province in 1785. From the end of 1791 to 1793 he was the Empress's secretary for the receipt of petitions. In 1802 Alexander I made him Minister of Justice, but he only held the post for a year. He died in 1816.

Derzhavin transformed Russian syllabo-tonic poetry as it had been established by Trediakovsky, Lomonosov, and Sumarokov. He abandoned many of the poetic genres which they had introduced and blurred the distinctions between those which he retained. Conventional classical concepts were replaced by his personal convictions, and standard metaphors by the products of his own imagination.

The poetic language was renewed and its stylistic range extended. Unlike his three chief predecessors he wrote little outside poetry.

**52.** На смерть князя Мещерского

Prince Aleksandr Ivanovich Meshchersky, an official in the customs office in the 1770s and a very rich man, used to give banquets in his St. Petersburg palace, which Derzhavin attended. When Meshchersky died suddenly in 1779, Derzhavin wrote this solemn ode to his fellow-guest, Major-General Stepan Vasil'yevich Perfil'yev (1734–93), who was one of Paul's tutors.

The ode is in iambic tetrameters. The structure of its eight-line stanza is *am bf am bf cm df df cm*.

It was first published in 1779 in the *St. Petersburg Messenger* (*Санкт-петербургский вестник*), a journal which came out monthly in St. Petersburg from 1778 to 1781.

'Prince Meshchersky, a man of wealth and luxury, is dead. Death threatens all impartially. Life passes like a dream. Live in peace, and with a clean conscience submit yourself to fate.'

Text: Г. Р. Державин, *Стихотворения*, Ленинград, 1957, стр. 85–7.

1. 'O speech of the seasons, O peal of metal', i.e. the chimes of a clock.

3. стон, i.e. the sound of a clock's movements.

8. Cp. Psalm 103: 15.

9. кохтей, a phonetic spelling of когтей, showing the dissimilation of [k] to [x] before [t], which is characteristic of the old Moscow norm. Only the pronunciation [ktʃ] is recommended now (Avanesov and Ozhegov, s.v.). For similar dissimilations in the literary language and in dialect see Avanesov 115–17.

12. 'the fury of the elements devours the tombs'.

18. свали́мся — сва́лимся, see 27. 30.

20. This may be an echo of the line:

Он только для того, чтоб умереть, родится.

in the Russian translation of Alexander Pope's philosophical poem *Essay on Man* (1733–4) by N. N. Popovsky (*c.* 1730–60).

23. солнцы — солнца, and счастьи — счастья (line 78), see 18. 174. потуша́тся — поту́шатся (Kiparsky 313).

31–2. Cp. Horace, *Odes*, II. 10:

feriuntque summos
fulgura montes.

32. вышина́м — вышйнам (Kiparsky 213).

33. прохлад: enjoyment.

43. там, in Meshchersky's palace.

45. The coffin had been placed on the dining-room table, as is the Russian custom.

46. 'where choirs of singers resounded at the feasts'.

49–56. A fine example of anaphora (repetition of a word at the beginning of successive clauses).

49. Cp. Horace, *Odes*, I. 4:

pallida Mors aequo pulsat pede pauperum tabernas
regumque turres.

50. 'for whose sway the worlds are too confined'.

52. что: who.

54. возвыше́нный (with the third vowel [ɛ], not [o]) — возвы́шенный.

60. 'today beguiling hope beguiles'.

75. мине́т — ми́нет (Kiparsky 288).

76–7. 'the raging of all the passions in the heart will pass away'.

78. подите — пойдите, for the omission of й cp. выдьте (*Grammatika russkogo yazyka*, I. 495).

80. две́рях — двеpя́х (Kiparsky 21).

88. суде́б — су́деб, see 29. 63.

53. Фелица

In 1781 Catherine II published her *Tale of Prince Khlor* (*Сказка о царевиче Хлоре*), a didactic story intended for her five-year-old grandson Alexander. It describes how a Kirghiz Khan tested Khlor, a young Kievan prince whom he had kidnapped, by sending him off to find a thornless rose. On his search the boy meets the Kirghiz Khan's daughter Felitsa (apparently from Lat. *felicitas*: happiness), whose son Reason (Рассудок) guides him to the thornless rose (i.e. virtue).

Derzhavin's ode relates directly to Catherine's tale, as is shown by its sub-heading: *Ode to the exceedingly wise Kirghiz-Kaysak princess Felitsa, written by a Tartar noble* (*мурза*), *who had long ago settled in Moscow but now lives because of his affairs in St. Petersburg. Translated from the Arabic in 1782.* He took from the tale the name of the Tartar princess Felitsa, under which he addressed Catherine, the motive of the thornless rose itself (lines 7 and 120) and other motives, and the intermittently eastern background (lines 118, 146, 243, and 251). His representation of himself as a Tartar noble was not wholly imaginary, as was Catherine's as a Kirghiz princess, since he was descended from Bagrim, a Tartar *murza* of the fourteenth century.

The metre is the iambic tetrameter. The scheme of the ten-line stanza is *af bm af bm cf cf dm ef ef dm.*

The ode, which was written at the end of 1782, was first published anonymously in the *Companion of the Lovers of Russian Letters* (*Собеседник любителей российского слова*), a journal which appeared monthly in St. Petersburg from 1783 to 1784. It delighted Catherine and laid the foundation of Derzhavin's career.

'O godlike princess, your wisdom led Prince Khlor up onto that high mountain where the thornless rose grows. Tell me, Felitsa, how to live. Unlike your magnates, you live simply, studying and writing for the good of mortals. I, on the other hand, live a life of frivolity and idleness, and so does all the world. Only you can make light out of darkness and create happiness out of raging passions. You offend none and are free from pride and tolerant. How happy should men be who have an angel reigning over them! You protect the orphaned and the poor, allow travel abroad and encourage industry. But wherever your throne is, I want nothing for my praises. To feel the charm of virtue is a spiritual wealth such as Croesus never gathered.'

Text: Г. Р. Державин, *ук. соч.*, стр. 97–104.

2. Киргиз-Кайсацкия: Kirghiz-Kaysak, an old name for Kazakh (Terence Armstrong, *Russian Settlement in the North*, Cambridge, 1965, p. 180), but Derzhavin's note on the line shows that he meant simply 'Kirghiz'.

21. Notice the abrupt change from dignity to informality at this point.

26. налоем: lectern, a high desk with a sloping top for reading while standing, by aphaeresis from аналой, which derives from Middle Greek ἀναλόγιον.

27–8. Catherine was then writing her *Nobles' Charter* (*Дворянская грамота*) and *Statute on Good Order* (*Устав благочиния*).

32. клоб — клуб. The spelling probably imitates the English pronunciation of 'club'.

34. 'you do not play the eccentric idealist'.

35. i.e. you do not write poetry. Catherine never mastered the rules of Russian versification.

36. духа́м, i.e. the masons.

37. 'you do not leave your throne for the East', i.e. to visit a masonic lodge. 'East' was a typical name for a masonic lodge.

41–80. The faults which Derzhavin imputes to himself in these lines were those of Potyomkin.

41. полудни — полудня. -дни is the OR *-i-* stem gen. sing. of день, cp. сегодни (Ivanov 298, Matthews 193).

45. 'now I remove captivity from the Persians', i.e. I grant them their freedom.

50. По with the accusative of the object sought is found in OR (Bulakhovsky 315).

51. или, ordinarily и́ли, is here unstressed.

55. вестфальской: Westphalian.

56. звенья: slices (of fish).

57. плов — пилав: pilau, an oriental dish of rice with meat and spices.

58. вафли: waffles.

60. аромат — ароматов.

65. 'where everything presents luxury to me'.

66. уловляет — улавливает: ensnares . . . in.

68. лежа, CS — лёжа.

71. цугом: with a team of six horses harnessed in tandem, i.e. one behind the other. To drive in this way was a privilege restricted to the highest nobility.

72. а́нглинской — англи́йской. For the stress (but not the form) see Kiparsky 260.

73. шýтом — шутóм (Kiparsky 79–80). Ср. шутáм (line 216).

74. какой — какой-нибудь.

75. под качелями: under the swings (in a park or at a fair).

80. This line refers both to Potyomkin and, even more, to Count A. G. Orlov, who bred the Orlov trotters (орловские рысаки).

83. The reference is to Count A. G. Orlov.

86. оставя and приметя (line 245), see 11. 3.

87. Count P. I. Panin was fond of hunting with hounds.

89. рогами: horn instruments, each emitting a single note. They were introduced by S. K. Naryshkin, then Master of the Hunt.

92. дураки: a card game.

94. жмурки (gen. plur. жмурок): blind-man's-buff.
ре́звимся — резви́мся (Kiparsky 309).

95. свайку: a game in which the competitors throw a heavy nail with a large head into a ring on the ground.

96. 'now she looks for creatures in my head'.

99. Полкана и Бову: Polkan and Bova, heroes of the *Story of Prince Bova* (*Повесть о Бове королевиче*), a tale of disputed origin, whose earliest surviving Russian versions date from the end of the 17th century. This refers to Prince A. A. Vyazemsky, who loved reading novels.

103. кто сколько, i.e. сколько кто-нибудь.

104. Psalm 116: 11.

107. This refers to Len'tyag and Bryuzga, two characters in Catherine's *Tale of Prince Khlor*. The former, by whom Catherine meant Potyomkin, tried to deflect Khlor by luxury; the latter, Felitsa's husband, by whom she meant Prince A. A. Vyazemsky, notorious for grumbling when asked to provide funds from the Exchequer, refused to allow Felitsa to help Khlor.

109. 'only inadvertently has anyone found . . .'

123. In 1775 Catherine reorganized the system of provincial administration in Russia.

133. For дурачествы and also прáвы (— правá, line 191), отдохновеньи (line 195) and поученьи (line 196) see 18. 174.

137. прямо: accurately, correctly.

145. i.e. but you consider that this amusement of the mind is. . .

147. 'you condescend to the tune of the lyre'.

151. и́дет — идёт (Kiparsky 42–3 and 284).

157. In 1767 Catherine refused the titles премудрая and матерь отечества offered to her by the Senate and the Commission on the New Legal Code, and in 1779 the title великая proposed by the St. Petersburg nobility.

164. и въявь и под рукой: both in public and private.

167. и быль и небыль: both fact and fiction.

169. зоилам. Zoilus, a Greek of the 4th century B.C., is here used as the model of a carping critic.

174. до́лжны — должны́ (Kiparsky 271).

176. сокрытый — скрытый.

178–84. Conversing in whispers, failure to drink the sovereign's health, correcting a misprint in the sovereign's titles by scraping off the ink, and dropping coins bearing the sovereign's head, were all offences severely punished in Anne's reign.

185–6. 'They do not hold burlesque weddings in steam or in roasting heat in baths of ice.' The reference is to Prince Golitsyn's burlesque wedding in an ice palace on the Neva.

188. In Anne's court titled clowns, such as Golitsyn, enclosed in wicker baskets, used to cluck like hens as she passed by on her way to her apartments.

196. Beside the *Tale of Prince Khlor* Catherine wrote the *Tale of Prince Fevey* (*Сказка о царевиче Февее*), which was published in St. Petersburg in 1783. Derzhavin evidently knew of it prior to its publication.

199. сатира here: satirist, not satyr.

209. Тамерланом: Tamerlaine or Tamburlane, i.e. Timur the Lame, the conqueror of central Asia in the 14th century A.D.

212. The First Russo-Turkish War, which began in 1768, ended in 1774. In the peace which followed Catherine founded many humanitarian institutions.

213. сира и убога, short gen. masc. singulars: the orphaned and the poor.

216. трусáм — трýсам (Kiparsky 87).

217. дари́т — дáрит (Kiparsky 303).

221. Catherine confirmed Peter III's permission to the nobility to travel abroad, allowed landowners to mine gold and silver on their own properties and fell their own forests, and permitted unrestricted travel on seas and rivers for the sake of trade.

229. торги here: markets.

233. вещай: proclaim.

240. разве: only.

243. 'Baghdad, Smyrna, Kashmir.'

246. бешметя — бешмета, from бешмет: a Tartar quilted undertunic.

250. Крез: Croesus, king of Lydia in Asia Minor in the 6th century B.C., famous for his wealth.

251. великого пророка, i.e. Mahomet.

254. наслаждусь, CS — наслажусь. It now takes the instrumental.

256. крылы — крылья.

**54.** На взятие Измаила

On 11 December 1790 Russian troops commanded by A. V Suvorov stormed and captured the Turkish fortress of Izmail, which stood on the north bank of the Chilia mouth of the Danube about 80 kilometres from the Black Sea. Derzhavin celebrated this exploit of the Second Russo-Turkish War (1787–91, O.S.) in a solemn ode, which, when it was first published in 1791, he called *A Lyrical Song to the Russian after the Capture of Izmail* (*Песнь лирическая Россу по взятии Измаила*) probably because of the criticism of the genre at that time (see **64**). The ode is in iambic tetrameters. The ten-line stanza has the scheme *af bm af bm cf cf dm ef ef dm*.

'The Russians storm the walls of Izmail and, led by a priest, climb up ladders into the city. It is like the end of the world. The Russians enter and slay the inhabitants. For three centuries Russia slumbered, desolated and enslaved. But it arose and overcame the Tartar horde.

Such a nation can do anything. But only the vulgar wonder at war: the wise love peace.'

Text: Г. Р. Державин, *ук. соч.*, стр. 156–66.

Editorial change: a comma has been added in line 272.

Title. Измаила. The name comes via Turkish from the Arabic personal name Ismāʿīl.

Epigraph. The lines are from M. V. Lomonosov's *Solemn Ode to Catherine on her Ascending the Throne on 28 June 1762* (*Ода торжественная Екатерине Алексеевне на ея восшествие на престол июня 28 дня 1762 года*).

7. The rhyme shows that течет is pronounced with -ет as in CS, and not -ёт as in R (see **42.** 21). It is the same with звездный (line 18), ревом (line 106), and провожденный (line 276).

21. вождя, G. A. Potyomkin, commanding the Russian forces in the south.

22. и́дешь — идёшь, see **53.** 151. Ср. идёт (line 47) and и́дет (line 54).

24. беда́х — бе́дах, and similarly in line 199 (Kiparsky 210).

26. тре̂х сот — трёхсо́т. The Russians captured 285 cannon at Izmail.

28. рек, past tense of CS рещи: speak.

32. низвержась — низвергшись.

39. хо́лмы — холмы́, see **27.** 51.

41. An effective stanza. Derzhavin, unlike Trediakovsky and Lomonosov, had had military experience.

43. Note the asyndeton, and also in line 70.

44. зарница here: flashes, i.e. of bullets; normally: summer lightning.

48–9. 'already they shine beneath the wings of the lightning (i.e gun flashes), already they are strewn with bursts of thunder'.

51. бард. *Poems of the Ancient Bards* (*Поэмы древних бардов*), translated by A. D., i.e. A. I. Dmitriyev, from P. Le Tourneur, *Choix de contes et de poésies erses, traduits de l'anglois*, Paris, 1772, was published in St. Petersburg in 1788. Signs of acquaintance with this book and Ossian appear in Derzhavin's poetry from 1790.

53. 'a pastor inspired from on high'. An army chaplain bearing a cross was the first to mount the town's wall.

61. 'skill obtains its deserts'.

67. возносятся челом: they mount with heads held high.

70. стеснясь, see **11.** 3.

75. For бревны and царствы (line 213) see **18.** 174.

80. Курций. In 362 B.C. a chasm opened in the forum of Rome, which the seers said would not close until Rome's most valuable possession had been thrown into it. A young noble, Marcus Curtius, fully armed and on horseback, jumped into it, and it closed up again.

Деций. When the Romans were being hard pressed by the Samnites and Gauls at the battle of Sentinum (295 B.C.) in the Third Samnite War, one of the consuls, Publius Decius Mus, galloped headlong into the midst of the enemy. He was killed, but his action rallied the Romans, and they won the victory.

Буароз. In 1592 during the war of Henry IV with the Catholic League the sieur de Boisrozé captured the fortress of Fécamp by scaling a cliff with a rope-ladder during a storm.

82. живот here: life.

87. рог: might, strength.

91. во́йсках — войска́х (Kiparsky 242).

101. лазурь, here masculine, is feminine in modern R.

105. надулась чревом: has inflated its stomach.

110. Ливан: Lebanon.

116. молньи — молнии.

118. покровенно, a CS past part. passive from покрыти (Nandriş 177).

136. судьбы́ — су́дьбы, see **29.** 63.

139. тысячьми, an *-i-* stem instr. plur. (Nandriş 66) — тысячами.

144. сперши́сь — спёршись, from спереться: to be packed with, choked with.

145. Мармора: the sea of Marmora.

146. дрожит here takes a genitive on the analogy of бояться. позора: hideous spectacle.

149. Мекки: Mecca.

153. 'and if the assault on Tyre is famous'. Alexander of Macedon took the Phoenician city of Tyre by storm in August 332 B.C. after a seven months' siege.

165. язы́ки — языки́, see 36. 28, here: ye heathen.

169. попрет, from попрать (perfective): trample down, overcome.

172. его, i.e. the Russian. According to Derzhavin Russia 'slumbered' beneath the Tartar yoke for three centuries.

175. лице, CS acc. sing. of a *-jo-* stem neuter noun (Nandriș 61–2). See also line 269.

180. змия, gen.-acc. sing. of змий, CS: dragon, snake.

181. несекомы. Несекомое, a calque of Lat. *insectum*: an insect (i.e. an animal with incisions in its body), probably via Ger. *Insekt* or Fr. *insecte*, with *in-* taken wrongly as a negative, instead of as a prepositional, prefix, was the normal form in the 18th century until it was replaced by насекомое. Here there is probably a pun, unreproducible in English, between the older calque and its literal meaning 'uncut'. Translate: and snakes unscathed darken his ruddy face.

188. Батый: Batu Khan, grandson of Genghis Khan and founder of the Golden Horde, which subdued Russia in 1237–41.

189. лжецарь, the first False Dimitriy, Grigoriy Otrep'yev.

196. бояра — бояре, probably formed under the influence of such collectives as господа (Bulakhovsky 102, note 5).

202. подъемлясь — поднимаясь.

205. в ничто вменяя: reckoning as nothing. For the omission of не see 5. 5.

211. пхнул — пихну́л: pushed, shoved.

215–17. The Tartars and the tribes from the north, which overthrew the Western Roman empire, were subsequently subdued by the Russians.

221. вселенны — вселенной.

230. The eagle and the crescent moon are the emblems of Russia and Turkey respectively.

231. престря — простерев.

233. турк — турок, прус — пруссак: Prussian, хин — китаец.

245. сле́ды — следы́, see 27. 134.

246. громчай, a truncated (disyllabic) form from (trisyllabic) громчае, see 27. 232.

248. Тавр: the Crimea, formed from *Ταῦροι*, the Greek name of the Scythian nation which inhabited it, cp. Lat. Tauri. The Crimea was overrun by Russia in 1771 and annexed to it in 1783.

249. Constantinople (Byzantium) was once considered the centre of the earth.

251. Эвксине: the Euxine, i.e. the Black Sea, from Gr. *πόντος εὔξεινος*: the hospitable sea, a euphemism.

253. дремучи рощи: dense forests of masts.

255. The grey shadow is an Ossianic touch. The man is either Potyomkin (Grot) or the personification of Russia (Zapadov).

258. Derzhavin thought that рында meant (i) cudgel, (ii) the Czar's body-guard, who carried cudgels. But he was wrong on both points: (i) рында means the Czar's body-guard only, and (ii) they carried silver axes, not cudgels.

259. о́блак — облако́в.

263. царица, Catherine II.

266. возженный — возжженный.

271–2. Oleg, Prince of Kiev, was believed to have fought a naval campaign in the Black Sea against the Byzantine Greeks *c.* A.D. 907.

273–4. Ol'ga, Princess of Kiev, was said to have been converted to Christianity in Constantinople. Derzhavin is suggesting that the re-introduction of Christianity into Constantinople should be one of the aims of its seizure by Russian troops, which was among Russia's objectives in the Second Russo-Turkish War.

274. заня́тый — за́нятый.

лиет, CS (Nandriș 174), cp. R льёт.

277. ахеян, strictly: Achaeans, the inhabitants of Achaea in the

northern part of the Peloponnesus on the Gulf of Corinth, but in Homeric times and after the Romans had subjugated Greece (146 B.C.) and renamed it the province of Achaea (27 B.C.): Greeks generally, as here.

агарян: the descendants of Hagar, i.e. the Turks.

стерть — стереть.

279. In Constantinople there were certain stones with inscriptions prophesying that the city would one day be taken by nations from the north.

281. This stanza refers to English and Prussian opposition to Russia's designs on Turkey.

290. 'and what is your superiority of fate?'

293. Темиров: men like Timur, see **53.** 209.

294. Омаров. Omar (*c.* A.D. 586–644), Mahomet's father-in-law, captured Alexandria and burnt its library.

298–300. 'to restore Athene (goddess of wisdom and protectress of Athens, i.e. Catherine) to Athens, to establish Constantinople for Constantine (Catherine's grandson) and peace for Japhet (son of Noah and patriarch of the Aryans, i.e. Europe).'

301. избра́нный — и́збранный, see **27.** 48.

302. The most worthy of Japhet's children is peace.

315. любови, OR (see Unbegaun 250) — любви.

319. Архимед: Archimedes (*c.* 287–212 B.C.), the Greek mathematician of Syracuse in Sicily.

323. венча́нны — ве́нчанны, see **29.** 68.

338–9. 'is it not thou, whose glances pour abundance and refreshment on everyone?'

378. 'from their graves fire will flow into the souls of posterity'.

**55.** Памятник

Derzhavin's *Memorial* was first published in 1795 in the bi-weekly journal *A Pleasant and Useful Pastime* (*Приятное и полезное препровождение времени*, Moscow, 1794–8), which was then edited by V. S. Podshivalov. Its metre is the iambic hexameter with caesura after the third foot. It is partly a free translation and partly an adaptation of Horace's *Exegi monumentum aere perennius* (*Odes*, III. 30), a sixteen-line poem in the first asclepiad (– – | – ∪ ∪ – || – ∪ ∪ – | ∪ ⊻). Lomonosov had translated the ode into unrhyming iambic pentameters with caesura after the third foot in his *Short Guide to Eloquence* (*Краткое руководство к красноречию*, St. Petersburg, 1748). The ode has been imitated also by Pushkin, Bryusov, and others.

'I have raised a lasting monument to myself, and my fame will grow as long as the universe honours the race of the Slavs; for I was the first to praise Catherine's virtues, to chat of God in simplicity of heart and to tell the truth to kings with a smile.'

Text: Г. Р. Державин, *ук. соч.*, стр. 233.

6. по смерти: after death. По here takes the prepositional.

8. славянов — славян.

9. пройдет — пройдёт (Kiparsky 284).

10. с Рифея: from the Rhipaean mount, see **29.** 202. The Ural is here the river.

14. Фелицы, i.e. Catherine II (see 53).

18. пре́зрит — презри́т. Ср. пре́зрен in Del'vig.

**56.** Русские девушки

Derzhavin composed this original Russian Anacreontic in the spring of 1799 and published it in his *Anacreontic Songs* (*Анакреонтические песни*) in 1804. It is written in trochaic tetrameters and follows the Greek Anacreontea in not having stanzas. The lines rhyme alternately, feminine and masculine lines alternating.

'Anacreon, have you seen Russian girls dance to the pipe in spring? If you had, you would forget your Greek girls.'

Text: Г. Р. Державин, *ук. соч.*, стр. 280 и 282.

1. певец Тиискии: poet of Teos, i.e. Anacreon.

2. бычка, from бычок: a peasant dance. The rhyme is imperfect.

4. под in this sense takes an accusative in modern R.

5. склонясь, see **11.** 3.
   глава́ми — гла́вами (Kiparsky 213).

10. челы — чёла, see **18.** 174.

11. жемчу́гами — жемчуга́ми (Kiparsky 172).

12. дышáт — ды́шат (Kiparsky 319).

24. Эрот: Eros, Love, formed from the stem of Gr. ἔρως.

**57.** «Река времен в своем стремленьи...»

Derzhavin died on 8 July 1816 shortly after his seventy-third birthday on 3 July. Two days before, on 6 July, he wrote these lines, which are his last. They were inspired by a picture in his room entitled «Река времен, или эмблематическое изображение всемирной истории». Their metre is the iambic tetrameter. They probably form an acrostic.

'Time sweeps all away, and even what poetry preserves is devoured by eternity.'

Text: Г. Р. Державин, *ук. соч.*, стр. 360.

1. стремленьи, CS loc. sing. of *-jo-* stems (Nandriş 61). See also Nevill Forbes, *Russian Grammar*, third edition revised by J. C. Dumbreck, Oxford, 1964, p. 73.

5. что — что-нибудь.

## *NIKOLAY PETROVICH NIKOLEV*

Nikolev, born in 1758, was brought up from the age of six by his distant relative Princess Ye. R. Dashkova, a patroness of the arts and sciences and herself a writer. In 1776 he entered the Guards, but in 1778 he became blind. He devoted the remainder of his life to literature, living mainly in Moscow. In 1792 he was elected a member of the Russian Academy. He died in 1815.

Nikolev worked as a dramatist, a poet, and in his *Lyrico-didactic Epistle* (*Лиро-дидактическое послание*, published in his *Творения*, пять частей, Москва, 1795–8, часть III (1796)) as a literary theorist. His dramatic works, some of which are based on French originals, include two comedies *An Attempt is not a Joke* (*Попытка не шутка*, published in Moscow in 1774) and *Constancy Tested* (*Испытанное постоянство*, published in Moscow in 1776), two comic operas *Rozana and Lyubim* and *The Clerk* (*Розана и Любим* and *Прикащик*, both published separately in Moscow in 1781), and two tragedies *Pal'mira* and *Sorena and Zamir* (*Пальмира* and *Сорена и Замир*, both published in St. Petersburg in *Российский Театр*, часть V, 1787). His poetical works, which include most of the traditional 18th-century genres, are remarkable for several long imaginative poems on Biblical subjects, for example *The Desert of Faith* (*Пустыня веры*) on a text from Hosea, and *Conversations of Magdalene with Azariah after her Conversion* (*Беседы Магдалины с Азарием, после ее обращения*).

**58.** Сорена и Замир. Трагедия в пяти действиях. Действие 3, явление 4 [конец]

Written in 1784, *Sorena and Zamir* was first performed on 12 February 1785 in Moscow. It had a great success.

Like others of Nikolev's dramatic works, *Sorena and Zamir* is derivative, showing a strong influence of Voltaire's tragedies and of Knyazhnin's *Rosslav*. It is composed in iambic hexameters with caesura after the third foot. Pairs of lines with feminine endings alternate with pairs with masculine endings.

Mstislav, Czar of Russia, partly out of ambition and partly to convert them to Christianity, attacks the Polovtsy. Under their king Zamir they resist but are defeated. Zamir escapes into the woods. After a time he returns to attack his former capital. He is taken prisoner, but conceals his identity under that of his friend Ostan. The play opens on the day of his capture, and Mstislav is shown persuading Zamir's wife Sorena, with whom he has fallen in love, to marry him on the ground that Zamir is dead. Sorena at length persuades Mstislav to send 'Ostan' to her that she may learn from him her husband's fate. Premysl, Mstislav's confidant, reports the conversation of Sorena and 'Ostan' to Mstislav, who guesses the real identity of 'Ostan', and in the angry interview whose climax is given here Zamir admits it. Mstislav, possessed by his passion for Sorena, bids Premysl prepare poison for Zamir, but offers him his life if he will accept Christianity, believing that if Zamir changes his religion he will also give up his wife. Zamir indignantly refuses. Mstislav then decides to terrify him into conversion by faked miracles, and with this plan summons him to a church at night. All the time Premysl has been urging Mstislav to give up his unworthy passion for Sorena. He now succeeds, and in the church Mstislav agrees to restore Sorena to Zamir. But Sorena, thinking that Mstislav has slain Zamir in the church, stands at the church door, intending to stab Mstislav when he comes out. Zamir runs out with the glad news, and in the darkness Sorena stabs him fatally. Learning her error, she stabs herself, and Mstislav faints into the arms of his warriors.

Text: *Российский Театр, или Полное собрание всех Российских Театральных сочинений*, XLIII части, Санктпетербург, 1786–94, часть V (1787), стр. 275–6.

Editorial change: смертну is read for смертиу in line 16.

8. фурии. The three Furies or goddesses of vengeance, Lat. Furiae (Gr. *αἱ Εὐμενίδες*) are: Alecto (*Ἀληκτώ*), Megaera (*Μέγαιρα*) and Tisiphone (*Τισιφόνη*). Their dwelling was in hell.

   адския, CS gen. fem. sing., see 6. 4.

10. граждáн — грáждан (Kiparsky 152–3).

11. измены, now *singulare tantum*. Translate: acts of treachery.

18. во ад, see 1. 17.

20. странáх — стрáнах, see 27. 19.

24. пренебрегать, see 28. 222.

## *ALEKSANDR NIKOLAYEVICH RADISHCHEV*

Born in Moscow in 1749 the son of a rich landowner, Radishchev was educated first in Moscow and St. Petersburg, where from 1762 to 1766 he was a court page, and then from 1767 to 1771 at the University of Leipzig. From 1771 to 1790 except for the years 1775 to 1777 he worked in the civil service, being appointed head of the St. Petersburg Customs in 1790. In that year he published his first substantial work, *A Journey from St. Petersburg to Moscow*. Its criticisms of serfdom and other abuses led to his arrest and exile. Pardoned by Paul in 1796, he returned to his estates. He committed suicide in 1802.

His prose works are early examples of Russian sentimentalism. Their literary value, as that of his poetry, is slight.

**59.** Путешествие из Петербурга в Москву. Завидово [начало]

Modelled according to the author on *A Sentimental Journey* (published in 1768) by Laurence Sterne (1713–68), *A Journey from St. Petersburg to Moscow* is a collection of pieces crudely linked to the towns and villages along the posting road between the two capitals. They treat of such evils as injustices against the nobility and the peasants, state censorship, drunkenness, venereal disease, and even out-of-date school syllabuses. The chapter from which this extract is taken describes how at Zavidovo the narrator nearly lost his post-horses to an impatient magnate hurrying to Moscow. When the magnate comes, his horses are changed and he is off again in a quarter of an hour. The narrator spends a whole hour at the posting-station before he follows him down the same road.

Text: А. Н. Радищев, *Путешествие из Петербурга в Москву*, Ленинград, 1949, стр. 205.

Heading. Завидово, a posting-station 28 versts further on from Gorodnya (Городня).

4. гранодерской — гренадерской.

13–14. «Я вас!». The reference is to *Quos ego . . .*: whom I shall . . . (destroy), the familiar example of aposiopesis from Vergil, *Aeneid*, I. 135. The words were spoken by Neptune, god of the sea, to the rebellious winds, who had shattered Aeneas' fleet. Radishchev wrongly ascribes them to Aeolus, god of the winds.

18. Полкану, see **53**. 99. First described in Russian folk-tales as half man (from head to waist) and half dog (from waist down), by the second half of the 18th century Polkan had become half man, half horse, and was said to be able to cover seven versts in a single jump. But in the late 18th century the name Polkan was also occasionally applied to a brawny, dangerous-looking man, as here. See B. O. Unbegaun, 'Polkan, oder vom italienischen Halbhund zum russischen Kriegsschiff', *Zeitschrift für slavische Philologie*, XXVIII, 1960, pp. 58–72.

21. роди, старый чорт: produce them, you old devil.

24. схватя, see **11**. 3.

27. -та, by *akan'ye* (see Matthews 79 and General Index) for -то, see **35**. 21.

## *VASILIY VASIL'YEVICH KAPNIST*

Kapnist was of Greek origin. His family came from the Ionian Island of Zante, which from 1482 to 1797 belonged to Venice. His grandfather, a Venetian count, together with his son, Kapnist's father, took refuge in Russia from the Turks in the same year, 1711, as the Kantemir family. Kapnist's father, subsequently an officer in the Russian army, was rewarded by the Empress Elizabeth with rich lands in the Ukraine, and he married a Ukrainian girl. Kapnist, their sixth son, was born some months after his father had been killed in battle. In 1770 Kapnist went to St. Petersburg to enrol in the Izmaylovsky Guards. In 1773 he transferred into the Preobrazhensky Guards, where he formed his life-long friendship with Derzhavin. In 1775 he retired from the army to devote himself to literature. From 1785 to 1822 he filled a succession of high posts in the Ukraine, finally becoming Marshal of the Nobility of the Poltava Province in 1817. He died in 1823.

Besides his celebrated comedy *Slander* (*Ябеда*) Kapnist wrote the three-act comedy *Sganarev or Feigned Unfaithfulness* (*Сганарев или мнимая неверность*, written at the end of the 1780s) adapted from Molière's *Sganarelle, ou le Cocu imaginaire*, a one-act pastoral opera *Clorida and Milon* (*Клорида и Милон*, published in 1800) and two tragedies *Ginevra* (*Гиневра*, written in 1809, lost) and *Antigone* (*Антигона*, written 1809–11). He also wrote a satire *Satire I* (*Сатира I*, published in 1780) and numerous odes and occasional poems.

**60.** Ябеда. Комедия в пяти действиях. Действие I, явление 1 [начало]

Though the first draft of *Slander* was completed in 1792, permission from the censorship for it to be performed and published was obtained only in 1798 and was quickly withdrawn. The play was taken off after four performances, and all copies ready for sale were confiscated from the printers. It was allowed on sale in 1802, and it was performed again in 1805.

The play is composed in iambic hexameters with caesura. Pairs of rhyming feminine lines alternate with pairs of rhyming masculine lines.

Returning from the war, Colonel Pryamikov finds himself being sued by his neighbour, the retired assessor Pravolov, for his estate, on the ground that Pryamikov came into possession of it wrongfully. All Pravolov's evidence has been forged. When two lower courts find for Pryamikov, Pravolov appeals to the Civil Court of the province, whose president Krivosudov and members are both negligent and corrupt. In Moscow Pryamikov has fallen in love with Krivosudov's daughter Sophie. Learning that she has returned home, he goes to her father's house. There, as the play opens with the scene whose beginning is given here, he meets Dobrov, the court's secretary, who warns him that Pravolov is a redoubtable enemy. He is also, it emerges later, the accepted suitor of Sophie. In the event Pravolov bribes the court, which decides in his favour; but at the moment of his success both he and the court are dumbfounded by the arrival of letters from the Senate in St. Petersburg ordering that they should be arrested while complaints against them are being investigated. Pryamikov marries Sophie.

Text: В. В. Капнист, *Собрание сочинений*, два тома, Москва-Ленинград, 1960, I, стр. 288–91.

Dramatis personae. Гражданской палаты: the Civil Court.

3. какая, i.e. какая-нибудь.

8. уездный: District; верхний земский суд: Higher Rural Court.

11–12. здесь. Either the rhyme with процесс is imperfect, or the final [s̡] of здесь is pronounced hard. The latter might be a Ukrainianism.

17. сутяга: barrator, legal trickster.
хитрой, see **14.** 2.

48. чорт — чёрт.

49. веду я протоколы: keep the record of proceedings, take the minutes.

50. крамолы: seditious acts.

53. глас Божий — глас народа: the voice of the people is the voice of God. *Vox populi, vox dei* is first found in Alcuin's *Admonitio ad Carolum Magnum* (*c.* A.D. 800); William of Malmesbury calls it a proverb in A.D. 920; thereafter it occurs frequently in many languages.

56. отмежована — отмежёвана.

62. 'and for that cause (i.e. бесчестье: violence to the person) he complains against the aged and on behalf of the dead'.

63–4. 'there his men caught thieving are discovered to be related to the merchants they have robbed'.

68. наповал here: to a nicety, to a T; generally: outright.

70. пролазы from пролаз: shift, subterfuge.

73. 'where to lose a six, a four or a three', i.e. playing-cards of these values.

## *NIKOLAY MIKHAYLOVICH KARAMZIN*

Born on his father's estate near Simbirsk, Karamzin was educated at Professor I. M. Schaden's private boarding-school in Moscow. In 1783 he entered the army, but retired the following year when his father died. From 1785 to 1789 he worked in Moscow, editing and translating for N. I. Novikov and his associates. From 1789 to 1790 he travelled abroad, visiting Germany, Switzerland, France, and England. On his return he edited the *Moscow Journal* (*Московский журнал*, 1791–2), produced the almanacs *Aglaya* (*Аглая*, 1794–5) and *Aonidy* (*Аониды*, 1796–9), and founded the first of the Russian толстые журналы, *The Messenger of Europe* (*Вестник Европы*, first series 1802–1830), which he edited for two years from 1802 to 1803. He was a major contributor to all these publications. In 1803 he was appointed royal historiographer. The first eight volumes of his *History of the Russian State* (*История Государства Российского*) came out in 1818. He was working on the twelfth volume when he died in 1826.

Karamzin's literary works in prose and verse introduced and popularized western European sentimentalism. They also set the pattern for a reform of the literary language on the basis of educated speech, which excluded archaic Slavonicisms but accepted many new words from French and other western European languages.

**61.** Письма русского путешественника [начало]

The *Letters of a Russian Traveller* were published serially in the *Moscow Journal* from 1791 to 1792 and in the almanac *Aglaya* from 1794 to 1795, but they were not at this time published in full. Their first full edition was begun by the publication of parts 1–4 in 1797 and completed with the publication of parts 5–6 in 1801. They have the form of an irregularly kept diary of places visited and persons met interspersed with general reflections. They extend from Karamzin's departure from Moscow in May 1789 to his return to Kronstadt by boat from London in September 1790. His itinerary included Berlin and Leipzig (summer 1789), Geneva (October 1789 to February 1790), Paris (March to June 1790), and London (July to September 1790). They cover some 500 pages.

'Though for years my fondest dream has been to travel, when the day came, I was sad, realizing that I had to leave you, my dearest friends. Arrived at St. Petersburg, I found my friend D* in extreme melancholy: he had a sentimental heart and was unhappy. Unable to alter my passport so as to leave St. Petersburg by sea, I set off by land.'

Text: Н. М. Карамзин, *Избранные сочинения*, два тома, Москва-Ленинград, 1964, I, стр. 81–3.

18. готический дом, probably the house, belonging to Novikov, in which Karamzin lived for a time while he was working for him in Moscow. The adjective does not necessarily mean 'Gothic'. If it is descriptive, it may mean either that the house was of western European design or simply that it was very old. Alternatively, its use here may be evocative, and it may have no architectural significance at all.

21–2. Note the chiasmus.

33. Птрв., Aleksandr Andreyevich Petrov (beginning of the 1760s to 1793), a friend of Karamzin and his collaborator in editing the journal *Children's Reading for the Heart and Mind* (*Детское чтение для сердца и разума*) from 1787 to 1789.

48–9. Marie-Antoinette, Queen of France, born 1755, guillotined 1793, and her brother Joseph II, Emperor of Austria, born 1741, died 1790.

49. *Julius Caesar*, Act IV, Scene 3: 'Fret till your proud heart break.' Karamzin had translated the tragedy in 1787.

50. трогательном, an 18th-century semantic calque from the Fr. *touchant*.

56. Д*, Aleksandr Ivanovich Dmitriyev (1759–98), brother of I. I. Dmitriyev and a close friend of Karamzin.

69. Летнем саду: the Summer Garden, containing Peter I's Summer Palace in St. Petersburg. Begun in 1704–5, it was laid out in strict symmetry and was decorated with fountains and marble sculptures.

71. бирже: the Exchange. Founded in 1703 on the initiative of Peter I, it was the only one in Russia till 1796 when the Odessa Exchange was opened. The building which still stands on the tip of Vasil'yevsky Ostrov was erected from 1805 to 1816.

72. ве́ксели — векселя́: promissory notes.

74. Stettin (Poland) and Lübeck (western Germany) are both Baltic ports.

76–7. дело, казалось, было с концом: the matter seemed to have been settled.

78. объявить: show.

82. порядка: procedure.

**62.** Бедная Лиза

*Poor Liza* was first published in the *Moscow Journal* in 1792. It first came out separately in Moscow in 1796. It was the first successful Russian sentimental story and marked a turning-point in Russian literature.

'I often visit the ruins of the Si...nov Monastery near Moscow. By its walls is a deserted cottage where thirty years ago lived a widow and her beautiful daughter Liza. Once when Liza was selling flowers in Moscow, a rich young nobleman Erast took a sentimental fancy to her and began to visit her and her mother. A few weeks later a suitor for Liza appears, the son of a well-to-do peasant. When Liza explains to Erast that she has refused the peasant's son because of her 'dear friend', their love, till then platonic, becomes passionate. But soon Erast wearies of it and visits her less frequently. Then one day he announces that he must go off to the war. They part. But two months later Liza sees him driving in Moscow. True, he has served, but suffered nothing worse than gambling losses. These he must now make good by marrying a rich widow. He gives Liza a hundred roubles and bids her goodbye. Liza, broken-hearted, drowns herself in a pond, and her mother dies of grief. I met Erast a year before he too died, reproaching himself with Liza's death; and it was from him that I learnt this tale.'

Text: Н. М. Карамзин, *Избранные сочинения*, два тома, Москва-Ленинград, 1964, I, стр. 605–21.

3. чаще моего: more frequently than me. For the substitution of the pronominal adjective for the personal pronoun see Buslayev 397.

8. готические. Passek describes the monastery's five towers as being 'в готическом вкусе' and compares them to some of the Kremlin towers (В. В. Пассек, *Историческое описание Московского Симонова*

*Монастыря*, Москва, 1843, стр. 63); but the term is not being strictly used. For a picture of the monastery and its five towers see *Московские святыни и памятники*, Москва, 1903, напротив стр. 26. Ср. **61.** 18.

Си...нова монастыря: the Simonov Monastery, founded on the outskirts of Moscow by St. Fyodor, pupil of St. Serge of Radonezh, *c.* 1379. The old monastery existed till the 17th century. In 1771 the new monastery was deserted owing to an outbreak of plague in Moscow. In 1788 it was turned into a hospital.

22. дерев — деревьев.

25. The Danilov Monastery was founded in Moscow in the second half of the 13th century by Prince Daniil (died 1303), son of Alexander Nevsky.

26. Воробьевы горы, hills on the right bank of the river Moscow.

28. Коломенское, a village near Moscow in a beautiful position overlooking the river Moscow, where the Czars had a summer residence in the 15th–18th centuries.

53–5. This probably refers to attacks on Moscow by the Crimean Tartars towards the end of the 16th century and by Poles and Lithuanians during the Time of Troubles (1598–1613).

71. обработывала — обрабатывала.

83. биющемуся, CS, ср. R бьющемуся (Nandriş 175).

132. перед with the accusative of direction was still common in the 18th century (Bulakhovsky 311).

158. кружком: a pallet-plate.

161. Гебы: Hebe, goddess of youth and cupbearer to the gods.

253. приближился — приблизился.

323. Цинтия: Cynthia, the name of the moon as a goddess.

508. уединясь, see **11.** 3.

569. империалов: Imperials, gold coins of the value of ten silver roubles, minted in Russia from 1755 to 1817.

**63.** Что нужно автору?

This short article *What Does an Author Need?* summarizes the sentimental view of literature. It was written in the spring of 1793 and first published in the almanac *Aglaya* in 1794.

'Besides intellect and imagination, an author must have a good and tender heart. Learning and knowledge are not enough.'

Text: Н. М. Карамзин, *Избранные сочинения*, два тома, Москва-Ленинград, 1964, II, стр. 120–2.

6. немерцающим: unflickering.

16. Аруэта. Arouet was Voltaire's family name. The name Voltaire was possibly taken from a small estate belonging to his mother or was an anagram of 'Arouet l. j.' (Arouet le jeune: he was the youngest of five children).

17. Zaïre was the heroine of Voltaire's tragedy of that name.

27. художниковой: the artist's.

31. Геснер: Solomon Gessner (1730–88), Swiss poet, who composed in German and was famous for his prose idylls.

40. слезящему: which sheds tears. The verb is now reflexive.

43. богинь парнасских, the muses (see 18. 8).

52. Жан-Жак Руссо: Jean-Jacques Rousseau (1712–78), French novelist and philosopher, author of the didactic novels *Julie, ou la Nouvelle Héloïse* (1761) and *Émile, ou de l'Éducation* (1762).

## *IVAN IVANOVICH DMITRIYEV*

Dmitriyev was born near Simbirsk in a land-owning family and, as was then customary, was enrolled in the Semyonovsky Guards at the age of twelve. He began writing poetry young, but he became well known only when his poems started appearing in Karamzin's *Moscow Journal* (*Московский журнал*, 1791–2). In 1796, when he had reached the rank of colonel, he was wrongfully accused of an attempt on the life of Paul. After his exculpation the Czar showed him particular favour. Leaving the army, Dmitriyev was rapidly promoted to Senator and in 1797 to assistant to the Minister of Appanages. Subsequently under Alexander I he was Minister of Justice from 1810 to 1814. He then retired and settled in Moscow. He died in 1837.

Dmitriyev had met Karamzin while they were serving in the army, and they worked closely together until Karamzin became royal historiographer in 1803. Dmitriyev's early poetry had been modelled on Sumarokov and Kheraskov, and their classicism, shown in adherence to the genre system, a clear pure style and restrained expression, persisted even after his induction into sentimentalism by Karamzin. Satires, fables (басни) and tales in verse (сказки) were his most successful genres. Extremely popular in the 1790s, his poetry soon became dated.

**64.** Чужой толк

*Strangers' Talk*, a satire against contemporary writers of solemn odes, was composed in 1794, Dmitriyev's *annus mirabilis*. Like Kantemir's *Satire I* (*Сатира I*, see 18), it is satire in the Horatian, rather than Juvenalian, spirit. Both metre and rhyming pattern are as in Lomonosov's *Peter the Great* (*Петр Великий*, see 32).

' "For twenty years we have been writing odes, but still Horace's and Ramler's odes are far easier to read than ours, though we take more pains and follow all the rules," said an old man to me yesterday. A critic answered: "One reason for this is that most of our poets are soldiers or civil servants who have hardly any leisure for poetry. Another is that the ancients sought at most a crown of laurel or myrtle or the gratitude of their mistresses: ours seek the gift of a ring from the Empress, money, the friendship of a princeling or the praise of friends. They believe that nature makes poets and not study, and that all that is needed is enthusiasm and talent. But hardly are their odes printed than they are used as wrapping-paper. I wish Phoebus would appear in a dream to such a poet and tell him that if he fails to move the hearts of his readers, he should abandon poetry, for he is no poet." '

Text: Н. М. Карамзин — И. И. Дмитриев, *Стихотворения*, Ленинград, 1958, стр. 233–8.

Editorial changes: double quotes have been added in line 1; an exclamation mark has been replaced by a question mark in line 127.

1. The prestige of the solemn ode probably reached its zenith in the 1770s.

5. Феб: Phoebus, i.e. Apollo, god of poetry and music.
   именной указ: imperial edict.

7. Флакку: Horace, see **23.** 12.
   Рамлеру: K. W. Ramler (1725–98), a German poet who was expert in reproducing classical (mostly Horatian) metrical forms in German.
   собратьи, CS dat. sing. of *-ja-* stems (Nandriş 55).

11. 'One page, at most three, but with what pleasure you read them.'

14. четыре дни. In OCS четыре was an adjective agreeing with its noun in case, gender, and number (Nandriş 120), and its acc. masc. plur. was четыри (Gorshkov 148), not as here четыре. For similar examples from OR see Bulakhovsky 331. An alternative view is to take дни as a gen. sing. (see 53. 41).

19. чертит: writes.

29. учены по церквам: church-bred scholars, i.e. those educated in the church schools.

32. The references are to the conquest of the Crimea in 1771 (see 54. 248) and the Russo-Swedish War of 1788–90.

35. реляция: a report, in particular of a military or naval action.

40. отверсты: opened, from отверзть.

50. Аристарх: Aristarchus (*c.* 220–143 B.C.) a grammarian and critic who lived in Alexandria here typifying any stern but honest critic.

57. наших Пиндаров, i.e. our lyric poets, see 23. 12.

60. кунсткамеры: the Kunstkamera, from Ger. Kunstkammer: art room, a building on Vasil'yevsky Ostrov in St. Petersburg housing a collection of objects of scientific, historical, and artistic interest begun by Peter I.

67. Лиону, a giver of free masquerade balls in St. Petersburg.

70. 'Come for a fitting at five.'

71. Арлекина ролю: the role of Harlequin. Роля < Ger. Rolle is an alternative form to роль < Fr. rôle (Vasmer under роль).

72. Кролю, a St. Petersburg tailor.

79. Делия: Delia, the name of the mistress of the Roman poet Tibullus, here used for any lady friend.

81. A ring was the customary reward from the Empress for a laudatory ode.

96. Меркурий: *The St. Petersburg Mercury* (1793) edited by I. A. Krylov and A. I. Klushin; Зритель: *The Spectator* (1792) edited by the above and P. A. Plavil'shchikov. These two journals were hostile to the views of N. M. Karamzin and I. I. Dmitriyev.

100. Demosthenes, the Athenian orator (*c.* 384–322 B.C.), was said to have practised declamation on a deserted beach.

104. при́дет — придёт (Kiparsky 284).

109. Рымникский Алкид: the Hercules (see 23. 118) of the river Rîmnic in Rumania, i.e. the Russian general A. V. Suvorov (1730–1800), who defeated the Turks at this river in 1789. The line refers to his victory over the Poles in 1794, probably to his storming of Praga, a suburb of Warsaw, and his entry into the capital in October of that year.

110. Ферзен: I. Ye. Ferzen (1747–99), a Russian general.
Костюшку: Tadeusz Kościuszko (1746–1817), leader of the Polish rising of 1794.

114. даждь, see 7. 10.

115. Порта, i.e. Turkey, see 27. 211.

121. мели: grind out.

123. Румянцовым: P. A. Rumyantsov (elsewhere Rumyantsev), a Russian general; Грейгом: S. K. Greig (1735–88), a Scotsman who became an admiral in the Russian navy; Орловым: A. G. Orlov, brother of the Empress Catherine's favourite G. G. Orlov and a Russian admiral. All three took part in the First Russo-Turkish War of 1768–74, Rumyantsev by land and Greig and Orlov by sea. See 42.

141. хвалой ему: by praising it, i.e. the age of Catherine.

144. 'But let each of my myrmidons learn from the odes.'

146. Марсий: Marsyas, a satyr who challenged Apollo to a contest of skill on the flute. Apollo vanquished him and skinned him alive. Dmitriyev assumes an etymological connection between satyr and satire, but see 19. 2.

## *ALEKSANDR SEMYONOVICH SHISHKOV*

Shishkov entered the Naval Cadet Corps (Морской кадетский корпус) in 1761 at the age of seven and was a professional sailor for most of his life, eventually reaching the rank of admiral. His interest in literature dated from his cadet days, but till 1803 he wrote mainly on naval matters. In that year his *Dissertation on the Old and New Style of Russian* appeared, and a long controversy followed. In 1813 he was elected President of the Russian Academy, and from 1824 to 1828 he was Minister of Education. He died in 1841.

**65.** Рассуждение о старом и новом слоге российского языка [отрывки]

'Lovers of Russian literature will see with regret the strange style used by most of our present writers. Abandoning Old Church Slavonic, the root and origin of Russian, and itself enriched by borrowings from Greek, they have set out to found a new language on the meagre basis of French. Lomonosov recommended the careful study of the Church books as the way to keep Russian pure and prevent its deterioration. But our present writers have no time for this. First, they deform our language by introducing into it foreign words; second, they alter Russian words to make them non-Russian; and third, they translate word for word from French into Russian. The only difficulty is that such translations are unintelligible unless you know French, but who does not nowadays?'

Text: А. С. Шишков, *Рассуждение о старом и новом слоге российского языка*, Санктпетербург, 1803, стр. 1–4, 23–9.

Editorial changes: размышляя is read for рязмышляя in line 38; the spellings of the French words have been modernized.

11–12. Гомеры и т. д.: writers such as Homer, etc. For Homer, see **16**. 38; Pindar, **23**. 12; Demosthenes, **31**. 12; St. John Chrysostom, **18**. 180; and St. John Damascene, **31**. 19.

19–27. See **31**.

33–8. The quotation is from the article on A. D. Kantemir in N. M. Karamzin's *Pantheon of Russian Authors* (*Пантеон российских авторов*, published in 1802).

35. Елагина: I. P. Yelagin (1725–94), director of theatres 1766–79, translator, historian, and a prominent mason.

57–8. Заиру: *Zaïre*, a tragedy (1732); Кандида: *Candide*, a satirical novel (1759); девку: *Pucelle*, a comic epic on St. Joan of Arc (between 1736 and 1749); all three are works of Voltaire (1694–1778).

59. Пролог, a collection of lives of saints for every day of the year translated probably early in the 12th century from a Byzantine menology or synapsis. The name *Prologue* was taken from the preface (*Πρόλογος*) of the Greek compilation and mistakenly applied to the whole work.

Несторов Летописец: the *Nestor Chronicle*, the old name of the *Primary Chronicle* (*Повесть временных лет*), which stops at A.D. 1110. Nestor is said to have been a monk in the Cave Monastery (Печерская лавра) at Kiev *c.* A.D. 1100.

71. оне (in the original text онѣ) could be used as the nom. neut. (and also fem.) plur. of the 3rd person pronoun in the 18th century (Bulakhovsky 182). See also line 83.

107. нашед — найдя, see 18. 9.

## *IVAN ANDREYEVICH KRYLOV*

Krylov was born in Moscow in 1769, the son of an Army captain, whose death in 1778 left the family in severe want. He took a humble job in the civil service in 1777. In the early 1780s he went to St. Petersburg and, still in the civil service, began his literary career first as a dramatist and journalist. In 1809 he published his first collection of fables, the expansion and revision of which was the work of the rest of his life. In 1812 his livelihood was assured by a librarianship in the Imperial Public Library in St. Petersburg. He retired in 1841 and died in 1844.

His dramatic works include the comic operas *The Fortune-teller* (*Кофейница*, written 1783–4 and published in 1869), *The Frenzied Family* (*Бешеная семья*, published in 1793); the comedies *The Mischief-makers* (*Проказники*, written in 1788 and published in 1793), *The Author in the Ante-room* (*Сочинитель в прихожей*, published in 1794), *The Pie* (*Пирог*, written before 1802 and published in 1869), *The Fashionable Shop* (*Модная лавка*, published in 1807), *A Lesson for Daughters* (*Урок дочкам*, published in 1807); the tragedies *Cleopatra* (*Клеопатра*, lost), *Philomela* (*Филомела*, printed in 1793); the comic tragedy *Trumf* (*Трумф*, written in 1800 and first published in Berlin in 1859); and the fairy-tale opera *Il'ya Bogatyr'* (*Илья Богатырь*, published in 1807).

He contributed to the journal *Morning Hours* (*Утренние часы*, 1788–9), was a joint editor of *The Spectator* (*Зритель*, 1792) and *The St. Petersburg Mercury* (*Санктпетербургский Меркурий*, 1793), and sole editor and contributor of the journal *The Post of the Spirits* (*Почта духов*, 1789).

By far his greatest work were his 200 or so *Fables* (*Басни*), which are now arranged in nine books.

**66.** Почта духов. Письмо XIX. От сильфа Световида к волшебнику Маликульмульку [отрывок]

The journal *The Post of the Spirits, or the Learned, Moral, and Critical Correspondence of the Arabian Philosopher Malikul'mul'k with the Spirits of the Water, Air, and of beneath the Earth* was called a monthly, but in fact it only came out twice at an interval of four months, each volume containing four issues.

The author explains the contents as follows. One autumn day while returning home from a high official who had told him to come back tomorrow for the 115th time, he took refuge from the wind and the rain in an empty, tumbledown house. While he is complaining to himself, suddenly an old man appears in the elaborate garb of a magician. It is Malikul'mul'k, recently come to St. Petersburg. He rubs the author's eyes and the decrepit house becomes a palace. He then asks the author to conduct his correspondence for him and at his request allows him to publish the letters. There are forty-eight in all. They touch on a great variety of subjects, the chief being contemporary St. Petersburg life.

This extract from a letter written by the Sylph Svetovid to Malikul'mul'k describes a visit to a St. Petersburg theatre.

'The theatre here is quite large and has five tiers of boxes. Some are full of persons of both sexes: others are in darkness, often, I was told, because lovers are using them as a meeting-place. In the pit was a noisy crowd of men, most of whom were shouting about their horses or quizzing the women in the boxes with their lorgnettes.'

Text: И. А. Крылов, *Сочинения в двух томах*, Москва, 1956, II, стр. 95.

16. пиесы — пьесы. The spelling with и, still found in Pushkin and Turgenev, reflects the spelling of Fr. *pièce*.

18. крепко: loudly.

19. представляющих: performing.

28. потрогивала — потрагивала.

**67.** Любопытный

Though the themes of many of Krylov's fables are traditional and stem from Apuleius and La Fontaine, some are original. One such is *The Man of Curiosity*, which is said to have been based on an incident from real life.

The fable is composed in three iambic metres, hexameters, pentameters, and tetrameters.

' "I have spent three hours at the Museum. What creatures I saw there, butterflies, midges, beetles!" "But did you see the elephant?" "Oh, is he there? Well, no, I didn't." '

Text: И. А. Крылов, *Стихотворения*, Ленинград, 1954, стр. 193.

1. здорово: hallo.

2. Кунсткамере, see **64.** 60.

12. коровки, normally with Божьи: lady-birds.

15. 'Methinks you thought you'd come across a mountain?'

17. -то, see **35.** 21.

**68.** Василек

In the summer of 1823 Krylov had a serious illness, and the Empress Mariya Fyodorovna invited him to recuperate at her summer residence at Pavlovsk. Krylov wrote this fable at Pavlovsk on 15 June 1823 to express his gratitude.

It uses all the iambic metres from hexameter to monometer.

'A cornflower which had faded overnight whispered: "O that the sun might rise more quickly and revive me." A beetle, overhearing this, said: "Does the sun care whether you flourish or fade? It gives life to all, the huge oaks and the fragrant flowers, beside whom you are nothing. Be silent and fade away." But the kind sun rose and with its heavenly glance restored the cornflower. O men of high rank, take your example from the sun.'

Text: И. А. Крылов, *Стихотворения*, Ленинград, 1954, стр. 65–6.

28. докукою: importunity.

33. Флорину: of Flora, goddess of flowers.

44. восточных хрусталях: crystals from the east, i.e. the clear transparent mineral or objects made from it.

# GLOSSARY

## А

абие *adv.* at once
авантажиться to take advantage of
азийский *adj.* Asian
аки *conj.* as
архипастырь *masc.* high prelate
аффект *masc.* passion
аще *conj.* if

## Б

бедство *neut.* misfortune, calamity
безбедно *adv.* securely, safely
бездушник *masc.* a heartless man
бесславить to defame
беструдно *adv.* easily
благость *fem.* kindness, goodness
бо *conj.* for
боле *adv.* more
болезновать to be ill
борей *masc.* the north wind
брашно *neut.* victuals
брег *masc.* shore
буде *conj.* if

## В

вежда *fem.* eyelid
велелепный *adj.* magnificent, splendid
велий *adj.* great
великость *fem.* greatness, grandeur
велми *adv.* very
вервь *fem.* cord, string
вертоград *masc.* garden
вески *masc.* weights, scales
весма *adv.* very, highly, greatly
ветр *masc.* wind
взаим *adv.* mutually
взвевать to make to flutter
взводить to elevate
витийство *neut.* eloquence
витийствовать to wax eloquent
вить — ведь *particle* you know
вихорь *masc.* whirlwind
вкруг *adv.* and *prep.* around
вкупе *adv.* together
владетель *masc.* sovereign
властновелительный *adj.* imperious
внезапу *adv.* suddenly
возмочь to be able
вонный *adj.* fragrant
воскоре *adv.* speedily, quickly
воспомнить to recall
воспомянуть to mention
воспящать to hinder, impede
восстенать to begin to groan
вподлинну *adv.* really, truly
впоследние *adv.* for the last time
вразнь *adv.* apart
вран *masc.* raven
всход *masc.* rising
всюды *adv.* everywhere
всяко *adv.* in any way
вызнать to learn, discover
выразуметь to understand
Вышний *substantivized adj.* the Highest, the Supreme Being

## Г

гинуть to perish

глаголать to speak, say
глупословие *neut.* a stupid way of speaking
Господень *adj.* of the Lord
градской *adj.* of a town, urban
греходюбец *masc.* inveterate sinner

Д

дабы *conj.* that, in order that
далече *adv.* afar, far-away
действо *neut.* action
делание *neut.* cultivation, business, deed
демонский *adj.* devilish, demoniac
дерзостный *adj.* bold, impudent
днесь *adv.* today, now
доброхотный *adj.* well-disposed, obliging, kindly
доколе, доколь *adv.* how long, till when, so long as
докучный *adj.* wearisome
долженствовать to be obliged
домостройный *adj.* one who orders his own household
дондеже *conj.* until
доселе *adv.* till now, hitherto
достаток *masc.* sufficiency
доступить to reach
досягнуть to attain
драгой *adj.* dear, precious
древо *neut.* tree
дружество *neut.* friendship
дудочка *fem.* a transverse flute
дщерь *fem.* daughter

Е

европский *adj.* European
егда *conj.* when
ей *affirmative particle* verily
еликий *pronominal adj.* as much as, as many as
емпирейский *adj.* of the empyrean

З

завсегда *adv.* always
заграбить to remove
замаранный *past part. pass.* besmirched, besmeared
замирение *neut.* peace-making
замужство *neut.* marriage
зане, занеже *conj.* for, since
запона *fem.* veil, curtain
зде *adv.* here
здравие *neut.* health
зелный *adj.* great, extreme
зело *adv.* very
земелский *adj.* of the earth, terrestrial
зиждитель *masc.* founder, creator
зиждить to found, establish
злак *masc.* grass
златой *adj.* golden
злонравие *neut.* bad character
злонравный *adj.* of bad character
злополучие *neut.* misfortune
зрак *masc.* face
зык *masc.* noise

И

ибо *conj.* for
идеже *relative conj.* where
иже *relative pronoun* who
иль *conj.* or
инако *adv.* otherwise
истаявать to waste away, pine away
исчесть to enumerate

К

католицкий *adj.* Catholic

клас *masc.* ear of corn
клуб *masc.* ball, club
книжица *fem.* a little book
кой *pronoun* who, which, what
коли *adv.* how; *conj.* when, if
колиже *conj.* if however
коликий *pronominal adj.* how great
коль *see* коли
кольми *adv.* how
комедь *fem.* comedy
королларий *masc.* corollary
красовуль *fem.* bowl, large cup
крепить to authorize
крин *masc.* lily
купина *fem.* bush
купно *adv.* together, both . . . (and . . .)

Л

ланита *fem.* cheek
лествица *fem.* ladder
лик *masc.* face, image, company, group, choir of singers
лыва *fem.* marshy undergrowth
льдяный *adj.* icy, glacial
льзя *impersonal verb* it is possible, permitted

М

манериться to put on airs
месяцеслов *masc.* menology, calendar
миро *neut.* myrrh
мний *comparative adj.* less
мниться to think, deem, opine
многажды *adv.* many times
многомочный *adj.* very mighty
многоразличный *adj.* manifold
мокротный *adj.* damp
мраз *masc.* frost
мрежа *fem.* net
мужеский *adj.* masculine

Н

набекрене *adv.* cocked, aslant
наипаче *adv.* most
наипоклоняемый *adj.* most worshipped, idolized
наитствовать to influence
накуп *masc.* purchase
напаять, напоять to water
напротиву *adv.* and *conj.* on the contrary, on the other hand
нарадоваться to rejoice sufficiently
нарицать to call, name
начатие *neut.* beginning, commencement
небрежение *neut.* carelessness, negligence
негли *adv.* perhaps
негодница *fem.* a worthless woman
неисчетный *adj.* innumerable
нейти not to go
нелеть *impersonal verb* it is impossible
немоществовать to be ill
немощь *fem.* illness
неотменно *adv.* invariably, irrevocably
непогрешительный *adj.* infallible
несветлость *fem.* darkness
несклонный *adj.* undeniable, insistent
неугодие *neut.* trouble, trial, difficulty
ниже *conj.* nor
низлагать to lay low, slay
никако *adv.* in no way
ничтожить to destroy
новоманерный *adj.* new-fashioned

нощь *fem.* night
нутр *masc.* inside, core

## О

обавать to charm, heal
обаче *conj.* none the less
обеднять to become poor
обетшалый *adj.* antiquated, decrepit
облак *masc.* cloud
обще *adv.* generally, in general
обычье *neut.* habit
овогда *adv.* sometimes
огнистый *adj.* fiery
огнь *masc.* fire
одеять to clothe, dress
окаянство *neut.* damnation
окончина *fem.* window glass
оный *pronominal adj.* that; *3rd person pronoun* he
особливо *adv.* particularly, in particular, aside
особливый *adj.* special, peculiar
отверзать to open
отверзть to open
отвсюду *adv.* from everywhere
отгнанье *neut.* driving off
откуду *adv.* whence, from where
отломок *masc.* fragment, stump
отнюд *adv.* (not) at all
отступ *masc.* retreat
оттуду *adv.* thence, from there
отягчать to burden

## П

паки *adv.* again, more, once more; *conj.* but, moreover
паства *fem.* pasture
паче *adv.* again, more, rather
пеня *fem.* reproach, complaint
перебяка *fem.* beating, drubbing
перемешка *fem.* mixing, mingling
пересмехать to mock
перетягать to drag about, pull about
персть *fem.* earth
Перун *masc.* the god of thunder, army, host
перун *masc.* thunder, thunderbolt
пианство *neut.* drunkenness, intoxication
пиита *masc.* poet
писывать to write repeatedly
питие *neut.* drink
пламенник *masc.* torch
пленение *neut.* capture
пленица *fem.* snare
повытчик *masc.* clerk of the court, court secretary
поганский *adj.* pagan, heathen
подгорюниться to become sad, become dejected
подорожный *adj.* of journeys
полготить to bestow (as a favour), promise
полстишие, полустишие *neut.* half-line, hemistich
понеже *conj.* since, because
понт *masc.* sea
попустить to allow, suffer
посадский *substantivized adj.* townsman
поселянин *masc.* peasant
поскоблить to scrape
посребрять to cover in silver
посылка *fem.* mission
потемнять to darken
потреба *fem.* need
почасту *adv.* frequently
почуть to feel, perceive

правосудный *adj.* just, equitable
праотческий *adj.* of forefathers
прародительский *adj.* ancestral
пред *adv.* and *prep.* before
предвечный *adj.* eternal
предкончаемый *adj.* penultimate
предлежать to lie ahead
председать to preside
предузнать to foreknow
преж *adv.* and *prep.* before
презорство *neut.* contempt, disdain, pride
преимущественный *adj.* preeminent
преимуществовать to have an advantage
прейти to pass away
преложение *neut.* transposition
премена *fem.* change
пременный *adj.* variable, fickle, inconstant
премогать to prevail, gain the upper hand
препятство *neut.* obstacle
претить to hinder, forbid
прибава *fem.* increase
приближиться to approach
прибыток *masc.* profit
привечать to greet
пригода *fem.* advantage, profit
прикрутый *adj.* steep
примена *fem.* comparison
присно *adv.* continually, constantly, perpetually, always
присносущный *adj.* eternally existent, everlasting
приятство *neut.* charm, kindness
провождать to spend, pass
провонять to smell of, stink of
провор *masc.* exaltation, *élan*
продерзость *fem.* audacity, impudence
произволение *neut.* agreement, consent, wish
простосложный *adj.* in a simple style
протерзать to tear through, split
противу *adv.* and *prep.* against
прочить to design, intend
пря *fem.* war, discord, strife
псаломник *masc.* the Psalmist
пучиться to swell (with pride)

## Р

равность *fem.* evenness
радеть to care about
разгорячать to excite, inflame
различествовать to be different
размучить to torment greatly
раскарячиться to straddle one's legs
расторгнуть to break, rend
раченье *neut.* zealousness, assiduity, sedulousness
рдяный *adj.* glowing
речение *neut.* word
речеточец *masc.* orator, eloquent speaker
росс *masc.* Russian
росский *adj.* Russian
рядная *substantivized adj.* inventory
рясна *fem.* necklace pendant of gold and precious stones

## С

сбирать to gather
свене *adv.* away, out; *prep.* except, without
светлость *fem.* brightness
се *interjection* see!, lo!, behold!, there!

секирный *adj.* of an axe, of a pole-axe, of a hatchet
сельный *adj.* village
сиживать to be accustomed to sit
сирый *adj.* orphaned
сицев *pronominal adj.* such
сказывать to tell
скаредить to be villainous
скаредно *adv.* vilely, unflatteringly
скаредный *adj.* vile
скаредство *neut.* villainy
скиптр *masc.* sceptre
скоропостижный *adj.* quick, hasty
скрижаль *fem.* table, tablet
скрыпица *fem.* violin
славенский *adj.* Slavonic
славенщина *fem.* Slavonicisms, Slavonic way of speaking or writing
славословить to praise
слагатель *masc.* composer
сладкогласный *adj.* sweetly sounding
сложение *neut.* composition
собратья *fem.* brotherhood, fraternity
совместник *masc.* rival
сожитие *neut.* communal life
соизволять to assent, consent
соотчич *masc.* fellow-countryman, compatriot
спокойство *neut.* calm, peace
споспешник *masc.* promoter, helper, aider, furtherer
спутница *fem.* travelling companion, fellow-traveller
сребро *neut.* silver
средина *fem.* middle
староманерный *adj.* old-fashioned
стиховный *adj.* of verse
стихотворитель *masc.* versifier, poet
стогна *fem.* street, square
странство *neut.* wandering, travelling
стряпчий *masc.* attorney
стяжание *neut.* acquisition
стяжать to attain, achieve
сугорбиться to bend
супостат *masc.* enemy, foe, adversary
счислять to reckon, count

## Т

тако *adv.* so, thus
тамо *adv.* there, thither
таракашка *fem.* cockroach, black-beetle
тароватый *adj.* liberal, generous, lavish
тать *masc.* thief, robber, stealer
тихость *fem.* quietness, calm
тмить to darken
токмо *adv.* only
толикий *pronominal adj.* so great, so much, so many, such
толико *adv.* so
толь *adv.* so
торжествованье *neut.* triumphing
точию *adv.* only
требище *neut.* heathen temple
троегранный *adj.* triple-edged
трожды *adv.* thrice
тщание *neut.* care, attention, pains

## У

убо *conj.* therefore, but

убранство *neut.* ornament
угль *masc.* coal
угодность *fem.* pleasure
уд *masc.* member of the human body, limb
устав *masc.* law, code of law
учинить to arrange, do, make

Ф

флейдузы *fem.* (?) flutes
французиться to Gallicize oneself, to ape the French

Х

хладнеть to grow cold
хладный *adj.* cold
ходуля *fem.* stilt
християнский *adj.* Christian

Ц

царствие *neut.* kingdom
цевница *fem.* reed, pipe

Ч

чалмоносный *adj.* wearing a turban, turbaned
чаять to think, deem
чреда *fem.* turn
чрез *prep.* through, by
чресчур *adv.* too much
чувствие *neut.* feeling

Ш

штиль *masc.* style

Щ

щастье *neut.* happiness, good fortune

Э

энтузиязм *masc.* enthusiasm

Я

як, яко *adv.* as, like; *conj.* since, that, so that
ямка *fem.* dimple
ярем *masc.* yoke
яриться to become furious, enraged, frenzied